D0875616

LA VIE QUOTIDIENNE
EN
FRANCE
A LA FIN
DU GRAND SIÈCLE

DU MÊME AUTEUR

LES FINANCIERS SOUS LOUIS XIV, Paris, 1950.

SAMUEL BERNARD, LE BANQUIER DES ROIS, Paris, 1960.

LA REYNIE ET LA POLICE AU GRAND SIÈCLE, Paris, 1962 (Ouvrage couronné par l'Académie française).

JACQUES SAINT-GERMAIN

LA VIE QUOTIDIENNE EN FRANCE A LA FIN DU GRAND SIÈCLE

D'APRÈS LES ARCHIVES, EN PARTIE INÉDITES,
DU LIEUTENANT GÉNÉRAL DE POLICE
Marc-René d'ARGENSON

HACHETTE

CHAPITRE PREMIER

GAGNE-DENIERS, SOLDATS, LAQUAIS ET COMPAGNONS

LE PEUPLE de Paris a traversé entre 1700 et 1715, année de la mort de Louis XIV, une période terrible marquée par la guerre, la famine, la cherté des vivres, le chômage, une misère quasi permanente. Son histoire est malaisée à écrire, car les humbles passent comme des ombres dans ce monde dur et tragique, puis disparaissent presque sans traces. Les archives du tribunal de police, seules, nous en transmettent, par lambeaux épars, le souvenir.

Au plus bas de l'échelle, voici ceux que les grands appellent le « menu » : quelle que soit leur activité, leur lot commun est l'incertitude du lendemain. Ils louent leurs bras à qui le désire, pour quelques sols, à peine de quoi acheter du pain ; ce sont les porte-balles, portefaix, crocheteurs, porteurs de chaises, d'eau ou de chandelles, coureurs, chiffonniers, balayeurs, bouquetières, etc. Ils s'habillent de vieilles hardes : justaucorps, culottes, manteaux, que leur vendent les laquais[1]. Les uns s'assemblent quai Pelletier, et le transforment en « marché aux puces », y offrant sur les trottoirs et parapets les objets les plus hétéroclites. Malheur au badaud qui marchande sans acheter : il se fait insulter de belle manière ! Si la police intervient, le quai se vide comme par miracle des brocanteurs à la sauvette, enfuis par des maisons à double issue.

1. Arch. nat. O^1 367, 12 mai 1706.

Aussi oblige-t-on les propriétaires à fermer à clef leurs portes donnant, à l'arrière, sur la rue de la Tannerie[1].

D'autres gagne-petit, les plus nombreux sans doute, vivent du trafic des halles, ports et marchés, s'efforçant de protéger, par la force si nécessaire, leur monopole. A la halle aux cuirs, par exemple, ils ont accaparé d'autorité la manutention, le chargement et le déchargement des cuirs. En 1697, le tanneur Bouillerot, venu enlever vingt-quatre cuirs, se voit entouré d'une bande de porteurs dirigée par Ravenel, qui s'emparent des cuirs, malgré les protestations du tanneur et de ses commis, les chargent de force et exigent quarante-huit sols pour prix de leurs services. Bouillerot refuse de payer, et la discussion s'achève en une bataille rangée[2]. Même monopole à la halle au blé : les marchands de grains qui ne veulent pas payer courent le risque de voir leurs sacs jetés à terre et déchirés[3]. Les laboureurs préfèrent s'incliner devant cette dictature, née de la solidarité devant la misère.

Chez les porteurs d'eau, on retrouve des bandes analogues, notamment celle de la rue Thibaut, dirigée par le fier-à-bras Champagne, qui « soutient journellement un jeu de cartes avec de nombreux porteurs ». Champagne a le monopole des puits : seuls ses affidés peuvent en tirer de l'eau pour les ménagères[4].

Au corporatisme des maîtres, compagnons et artisans correspond ainsi un corporatisme spontané des manouvriers et journaliers, ayant le même objet : s'assurer le marché du travail et, dans la faible mesure du possible, la sécurité du lendemain.

***

Les Parisiens de l'époque disposent, pour faire leurs commissions ou porter les paquets, de « coureurs », lointains ancêtres de nos « cyclistes » actuels. Ils sont munis d'une longue

1. Arch. nat. Y 9498, 20 juin 1698.
2 et 3. d° 11 octobre 1697.
4. d° Y 9537, 15 juin 1708.

canne plombée qui « paraît leur être absolument nécessaire, parce qu'elle leur sert de contrepoids : sans elle, ils ne pourraient courir avec la même vitesse ». Lorsque la police interdit aux laquais de porter des bâtons, elle propose au roi de laisser aux coureurs l'usage du leur[1].

Au nombre des petits métiers, citons encore les passeurs d'eau, dont l'industrie permet aux piétons d'éviter un détour pour franchir les ponts, encore rares et éloignés les uns des autres. Ce sont gens d'une condition un peu plus relevée : les vingt maîtres passeurs stationnés entre le pont Neuf et le pont Royal ont payé 35 200 livres pour leur privilège. Si leur barque est pleine, chaque passager paie six deniers; si en revanche un bourgeois pressé entend passer seul, il acquitte un péage de 2 sols 6 deniers. Les passeurs transportent aussi des marchandises ou des meubles vers les coches d'eau ou la rive opposée de la Seine ; les droits en sont tarifés : par exemple 2 livres par cent de morues, 10 sols par balle de lames de parquets, 4 sols par ballot de chanvre. La corporation exploite, en outre, deux « bateaux à lessive », où ménagères et servantes viennent laver le linge familial dans un joyeux concert de caquets et de battoirs[2].

Vêtues d'oripeaux et parfois belles luronnes, les bouquetières vendent dans les rues et les cabarets, au grand dam des maîtresses bouquetières tenant boutique, qui veulent faire cesser cette concurrence. Le secrétaire du roi[3] interroge d'Argenson sur le bien-fondé de leur plainte. Nos ancêtres aimaient à parer, à la belle saison, leur boutonnière de bleuets ou « barbeaux ». Cet usage, demeuré aujourd'hui vivace outre-

1. Arch. nat. 0^1 362, 12 mars 1701.

2. d° G^7 442.

3. Au nombre de quatre, les secrétaires « de la chambre et du cabinet du roi » exerçaient chacun par trimestre, moyennant 9 250 livres par an d'appointements et de gratifications diverses. La « plume » et la signature « Louis » étaient réservés au plus ancien d'entre eux, qui fut, entre 1657 et fin 1700, le fameux Toussaint Rose. Membre de l'Académie française en 1675, Saint-Simon l'a décrit comme « un homme de beaucoup d'esprit, et qui avait des saillies et des reparties incomparables, beaucoup de lettres, une mémoire nette et admirable, et un parfait répertoire de Cour et d'affaires ».

Manche, incitait femmes et enfants à piller les champs de blé : aussi, en 1698, interdit-on la vente des bleuets, en chargeant les jurés de la communauté des maîtresses bouquetières de veiller au respect de la défense[1]. Trois bouquetières du marché aux Porées et de la pointe Saint-Eustache seront, en 1716, condamnées à vingt sols d'amende pour l'avoir enfreinte[2].

Les revendeuses de toutes sortes d'articles, qui « chinent » chez les particuliers pour lotir entre elles leurs marchandises et les céder aux fripiers, s'attroupent chaque jour soit rue Saint-Honoré, soit au carrefour de Buci, soit rue de la Tixeranderie et près de la porte Baudoyer, y menant grand tapage et entravant la circulation. On le leur interdit.

Les marchands « vendant du vieil », qu'approvisionnent les revendeurs, sont surveillés : c'est chez eux, le plus souvent, qu'aboutissent les objets volés. Ils doivent tenir registre, signé par le commissaire, de leurs clients et de ce qu'ils ont vendu. L'examen des contraventions montre la diversité de ces brocanteurs, qui ont en général une spécialité définie : clincailliers, fourbisseurs, merciers-fripiers, lingères. Ils se tiennent de préférence sur le Pont-Neuf, et sous les piliers de la Tonnellerie, à la Halle.

***

Comment, en cette période marquée par de si longues guerres, manquer d'évoquer, parmi les petits métiers, celui de soldat aux gardes ou de gendarme de la reine, qui permet à tant de chômeurs ou de prisonniers d'échapper à la misère? Leurs uniformes colorés, mêlés aux livrées des laquais, confèrent aux foules une bigarrure pittoresque qui fait bien défaut de nos jours. Mal payés, percevant de surcroît leur solde avec de longs retards, ils exercent en général un second métier, quand ils ne se font pas voleurs ou souteneurs. Le

1. Arch. nat. Y 9498, 20 juin 1698.
2. d° Y 9537.

secrétaire du roi[1] écrit au lieutenant général de police d'Argenson : « La qualité de gendarme de la reine n'est pas si incompatible que vous pourriez le croire avec le métier de tonnelier. Il y a plusieurs gens de cette sorte dans la gendarmerie. »

Comme la police souhaiterait, pour éviter de trop fréquents désordres, obliger les soldats à stationner dans leur quartier de résidence, on lui précise en 1705 : « A l'égard de cet expédient, ce ne sera pas une chose aisée ; ils sont dans l'usage de travailler à Paris à toutes sortes d'ouvrages. Leurs capitaines y consentent, et c'est le plus souvent la condition de leur enrôlement. De manière qu'il y en a grand nombre que les capitaines se contentent d'avoir pour les revues, pour les gardes chez le roi et pour aller en campagne. C'est ce qui fait que leurs compagnies sont toujours si belles, si propres et si complètes[2]. » Cette beauté et cette propreté des uniformes subiront d'ailleurs un peu plus tard les vicissitudes de la crise financière : en 1711, Voysin, secrétaire d'État à la Guerre, écrit que les gardes du corps risquent de ne pas avoir de chapeau pour la prochaine revue, les deux marchands de galon qui les décorent n'ayant pas voulu les fabriquer tant qu'ils ne seraient pas payés d'une assignation de 20 000 livres, échue depuis octobre 1709[3].

Protégés par leur uniforme et leur titre, les militaires commettent de nombreux méfaits : braconnage, faux-saunage, introduction aux barrières — souvent en groupe et par force — de vin en fraude des droits. En 1704, les brigades du lieutenant criminel de robe courte sont requises de prêter main-forte aux commis des aides pour réprimer ce dernier abus[4].

Parmi les avantages dont bénéficient les militaires, outre le droit au logement, figurent les soins hospitaliers gratuits pour eux et leur femme. D'Argenson, en 1711, souhaite que le roi étende sa protection à l'hôpital de Saint-Julien, situé au

1. Arch. nat. 0^1 365, 10 décembre 1704.
2. d° 0^1 366, 21 janvier 1705.
3. d° G^7 537, pièce 40.
4. d° 0^1 365, 10 décembre 1704.

faubourg Saint-Marcel, à cause de sa « grande utilité pour les femmes des soldats aux gardes ». Il s'agit d'y restaurer une salle voûtée, inhabitable faute de vitres, de boiseries et de serrures. On doit aussi rétablir les deux murs porteurs de l'unique salle disponible, étayés de toutes parts et menaçant ruine.

Le lieutenant général de police propose de financer ces travaux par une taxe levée sur des agioteurs emprisonnés. On adopte sa proposition et les religieuses « assemblées capitulairement au son de la cloche », décident de célébrer chaque année, à perpétuité, le 5 septembre, anniversaire de la naissance du roi, une messe pour « la précieuse conservation de sa personne sacrée[1] ».

Les soldats, le fait n'est pas rare, sont parfois des filles travesties éprises d'aventures. Jeanne Chauvet, dix-huit ans, née à Blain, est arrêtée pour ce fait et enfermée à l'Hôpital général en 1714. Bâtarde et fille de bâtarde, elle s'est engagée dans la marine, mais a été promptement débarquée, les officiers s'étant aperçus de son travesti. Elle s'en va ensuite, toujours déguisée en homme, servir à Rennes chez les de France, puis chez les de Montboucher, en qualité de laquais[2].

Les seules femmes qui, dans l'armée, n'aient pas besoin de travesti, ce sont les vivandières. Une note du secrétaire du roi[3] apporte une curieuse information à leur sujet : « On peut refuser encore quelque temps à la veuve Diot de lui rendre son enfant, mais il ne faut pas que sa profession de vivandière vous étonne, ni vous fasse croire qu'elle soit hors d'état de le nourrir. Les camps sont pleins de gens de cette sorte, qui mènent avec eux leur famille et y vivent commodément. »

***

Les laquais, personnages d'élection des auteurs de comédies, constituent une petite armée à Paris — on en compte plus de

1. Arch. nat. G^7 1727, 24 février et 12 septembre 1711.
2. Bibl. nat. Manusc. français 8125, f° 386.
3. Arch. nat. 0^1 364, 17 octobre 1703.

dix mille — et leur gouaille comme leur turbulence sont devenues proverbiales. Ils méprisent et détestent souvent ceux qu'ils servent (mais pas toujours, car on voit des cochers ou des serviteurs se faire tuer en défendant leur maître), sont prompts aux rixes, pleins de suffisance et prêts à toutes les compromissions. La police s'efforcera sans cesse de limiter leurs excès, non sans mal, car les maîtres les soutiennent souvent de façon déraisonnable.

On leur interdit de porter des bâtons et à fortiori des épées ou des sabres ; ils n'ont pas le droit de se travestir pour danser, de sortir d'emploi sans congé régulier, ni, lorsqu'ils ne sont pas de service, « de quitter leur justaucorps de livrée pour porter des habits gris » afin de se confondre avec les bourgeois dans les lieux publics, au spectacle, ou dans les réunions privées. Les marchands ou artisans qui leur fourniraient de tels habits seraient sévèrement punis.

D'Argenson, la guerre et la crise économique venues, s'inquiète du grand nombre des laquais congédiés qui battent le pavé à Paris, prêts à la sédition. Un mendiant, La Chesnaye, est arrêté près du Palais-Royal pour être conduit à l'Hôpital général : le peuple des domestiques et gens de livrée lui porte secours, oblige les archers à se réfugier dans une maison, où ils sont assaillis et si gravement molestés que plusieurs sont en danger de mort. La Chesnaye, jugé extraordinairement, sera condamné avec ses deux complices au bannissement[1]. Une autre fois, deux mousquetaires s'empoignent avec les gens du duc de la Ferté. La garde, appelée à la rescousse, a bien du mal « à contenir toute la livrée qui se disposait à venger ses camarades ». Le duc fait finalement retirer ses gens. « Il serait à souhaiter, écrit d'Argenson, que les maîtres employassent ainsi leur autorité pour réprimer l'insolence de leurs laquais, au lieu qu'ils se font un honneur de la soutenir. » Pour faire entendre raison à la livrée, ne serait-il pas nécessaire d'obliger les maîtres « à les faire conduire en prison » ?

1. Arch. nat. G^7 1727, 26 juin 1711.

On comprend d'Argenson, car ses mésaventures avec des grands protégeant leur personnel sont fréquentes. En 1706, notamment, un certain Ferrant est emprisonné sur décret du lieutenant criminel ; il portait l'épée sans titre, et c'était une « espèce de vagabond ou de petit maître qui protégeait ouvertement les lieux de débauche ». Mais, à peine incarcéré, Mlle de la Vallière le réclame comme étant son cuisinier. Il faut en passer par sa volonté : l'homme est élargi sur-le-champ. D'Argenson écrit alors ironiquement au roi : « S'il est en effet cuisinier, comme je n'en saurais douter après une pareille attestation, il n'en fut jamais de si magnifique, car ses habits les plus ordinaires sont galonnés d'argent et des vestes à fleurs rehaussées d'or ne sont pas trop belles pour lui[1]. »

Afin de contrôler les laquais sans emploi, d'Argenson propose des mesures violentes : considérer et traiter comme vagabonds ceux qui sont démunis de congé, interdire aux maîtres d'engager des laquais se trouvant dans la même situation. Le Parlement s'y oppose, en dépit des nombreux vols ou scandales causés par la livrée en chômage, et on avertit le lieutenant général de police, en 1703, que « le roi ne peut se déterminer à donner une déclaration pour réputer vagabonds les domestiques demeurés plus de trois mois hors de condition, à cause des inconvénients qui pourraient en arriver ». Cette affaire, ajoute Louis XIV, mérite d'être remise « à un temps plus favorable[2] ». Il ne semble guère douteux qu'on considère, en haut lieu, la livrée comme constituant le levain capable de soulever le peuple. Mieux vaut patienter que de sévir. On n'ose même plus donner vigueur aux ordonnances de La Reynie lui interdisant l'accès des spectacles, sous le fallacieux prétexte que « les pages du roi et même les valets de pied qui sont ses officiers, trouveraient fort mauvais qu'on voulût les empêcher d'entrer au spectacle en payant ; les pages des princes penseront apparemment de même ».

Encouragée par la faiblesse du pouvoir, l'insolence de la livrée ne connaît plus de bornes : à l'entrée des Tuileries, elle

1. Bibl. nat. Manusc. français 8120, 11 octobre 1706.
2. Arch. nat. 0^1 364, 28 novembre 1703.

insulte les dames excentriques qui s'y promènent ; tout en louant le zèle de d'Argenson, qui a fait un exemple sur-le-champ, le roi trouve que c'est beaucoup « hasarder d'avoir exposé le fautif à la vue d'un grand nombre de laquais qui se trouvent ordinairement sur le lieu[1] ». Au charnier de Saint-Eustache, le laquais du bourgeois Malet crache une hostie[2]. Celui du receveur général des finances Dodun s'introduit de nuit dans sa maison pour y voler une montre en or et du linge[3] : pour l'exemple, on le condamne à mort. La livrée du quartier rosse l'abbé d'Artagnan, son cocher s'étant révolté devant ses exigences[4]. Les laquais de M. de la Vieuville se livrent à des violences contre les invités au cours d'un bal, et le secrétaire du roi se lamente : « Les laquais deviennent depuis quelque temps d'une insolence qu'on ne saurait trop réprimer[5]. »

Devant cet esprit de fronde et de violence, le recul du pouvoir s'aggrave d'une véritable défection des maîtres, qui tolèrent dans leur domestique nombre d'abus. En 1705, ou soupçonne de vol, à l'hôtel de Rohan, le nommé Beaudin, « qui y entrait à toute heure sous prétexte de servir les autres valets : nouveau genre de domestiques que le luxe, la débauche et la vanité des gens de livrée (qui dédaignent de se servir eux-mêmes), ont malheureusement introduits dans ces derniers temps[6] ».

Faute de mieux, d'Argenson se contente :

— d'astreindre les serviteurs de tous ordres à porter sur les justaucorps ou surtouts, et au moins sur les parements de

1. Arch. nat. 0[1] 41, 28 juillet 1697.
2. d° 0[1] 44.
3. Bibl. nat. Manusc. français 8123, 27 novembre 1712.
4. Arch. nat. 0[1] 362, 8 juin 1701.
5. d° 0[1] 365, 9 juillet 1704.
6. Bibl. nat. Manusc. français 8120, 10 novembre 1705.

manches ou de poches, la marque de la maison à laquelle ils appartiennent, définie par un galon apparent, afin qu'on les identifie facilement :

— de défendre de porter les couleurs du roi à ceux qui n'y peuvent prétendre.

Outre les gens du roi lui-même, ceux des officiers des écuries, de la vénerie et de la fauconnerie, les pages, certains gentilshommes servants, étaient en usage de porter ou de faire endosser à leurs laquais la livrée bleue. A partir de décembre 1703, toute extension de ce privilège est interdite. Louis XIV y attache un grand prix[1]. Son secrétaire a mandé à d'Argenson peu auparavant : « Passant à Berny, à son retour de Fontainebleau, le roi a vu une livrée bleue. Vous savez qu'il n'est pas permis de porter soit le fond, soit le galon de sa livrée. Aussi il serait bon que vous vissiez dans Paris qui peut porter cette livrée, afin de le faire avertir de la quitter. Je ne connais que celle de la duchesse de la Ferté qui soit fond bleu et celle de M. de la Martelière, maître des requêtes, qui en approche. L'ambassadeur de Savoie porte un pareil fond, mais cette observation ne regarde point les étrangers. »

Les suisses d'églises eux-mêmes tombent désormais sous le coup de l'ordonnance. « De quel droit prennent-ils cette livrée et quel peut être le prétexte? écrit-on à d'Argenson. Ne permettez donc à aucun de la porter, si ce n'est à celui du Val-de-Grâce, qui doit être exempté, ce monastère étant spécialement sous la protection du roi[2]. »

Après le « menu », les soldats ou gendarmes, les laquais, voici maintenant le monde des travailleurs : apprentis et compagnons.

1. Arch. nat. O^1 364, 31 octobre 1703.
2. d° O^1 365.

Beaucoup d'entre eux, faute d'un salaire convenable, s'entassent dans des taudis menaçant ruine, aux abords des Halles ou de la place Maubert. Il s'agit souvent d'immeubles très anciens appartenant à des communautés religieuses indigentes, lesquelles ne peuvent faire face aux frais de réparation. La police n'intervient qu'en cas de péril imminent, pour étayer aux frais du propriétaire.

Trop souvent, les ouvriers passent leurs soirées au cabaret; l'ivresse est considérée par le pouvoir comme un fléau social. Sur la base des chiffres recensés pour le premier semestre de 1711, d'après les droits d'aides (et sans parler de la fraude) il est entré pendant l'année entière environ 205 500 muids de vin, soit 550 740 hectolitres, 8 756 muids d'eau-de-vie, soit 22 984 hectolitres, et 372 muids de liqueurs (997 hectolitres)[1]. Ces importantes quantités de vin et de spiritueux dégradent le peuple, sont la cause indirecte de rixes, de violences et de décès précoces.

L'ivrognerie ne règne pas seulement dans les classes populaires : la police enregistre par exemple la plainte de M. de Brilhac, dont la grand-mère, âgée de quatre-vingt-huit ans, emploie tout son revenu, neuf cents livres, à acheter du vin et de l'eau-de-vie « qu'elle préfère à toute nourriture». On l'envoie dans un couvent pour s'en débarrasser.

L'abus du tabac s'ajoute à celui des boissons alcooliques. « J'avoue, écrit d'Argenson, que le grand nombre des morts subites qui arrivent parmi les preneurs de tabac me fait beaucoup appréhender que la pratique n'en soit pas innocente[2]. »

Tel qu'il est, rude, laborieux, prompt à la passion, le peuple de Paris se sent solidaire des misères ou iniquités sociales. Son bon cœur se manifeste à toute occasion. Jean Gobert, matelot de Nantes, vient à Paris réclamer sa mère, détenue à l'hôpital pour mendicité, afin de la ramener dans son pays : « Je crois,

1. Arch. nat. G^7 439. — Pour les six premiers mois de 1712, les quantités sont : vins 250 358, eau-de-vie 3 168, liqueurs 248 muids. Le muid de Paris, rappelons-le, équivalait à 268 litres.

2. d° 8124, 25 octobre 1706.

écrit le secrétaire du roi, que tout ce qu'on peut proposer de meilleur est de la lui rendre[1]. » La populace enlève de force aux archers du lieutenant criminel de robe courte un brodeur contre lequel un créancier voulait exercer une contrainte par corps. Comme ces incidents deviennent fréquents, le roi veut savoir quels peuvent en être la cause et les remèdes[2]. Il ne se passe guère non plus de semaine sans que les archers des pauvres, chargés de les appréhender pour les enfermer à l'Hôpital général, soient molestés. Les auteurs de telles violences sont passibles de la peine de mort pour crime de rébellion. Aucun juge n'ose la prononcer, en dépit des rappels incessants du pouvoir, et tout se termine le plus souvent par de modiques amendes de dix à vingt livres, car on redoute l'émeute.

Devant la solidarité ouvrière agissante, les communautés osent à peine faire exécuter leurs règlements. Maîtres et gardes des marchands pelletiers, entrés dans l'enclos du Temple avec un exempt en 1707 pour y saisir chez un de leurs collègues, Delhaye, des marchandises défectueuses, doivent reculer devant la colère populaire. Pontchartrain ordonne de faire conduire au Châtelet Delhaye et trois des séditieux : cet ordre ne peut être exécuté, la révolte « ayant soulevé tout le quartier du Temple jusqu'à la rue Chapon[3] ».

Certains exemples touchants d'entraide méritent d'être évoqués : Abraham Perrot, boulanger de soixante-cinq ans, qui s'était enfui en Angleterre après la révocation de l'Édit de Nantes, revient clandestinement à Paris ; indigent, il y est reçu, logé et nourri par son ancien ami, un chaudronnier de la rue Aubry-le-Boucher[4].

Les mariages ouvriers sont prétextes à franches lippées et à des plaisanteries parfois lourdes : lorsqu'en 1705 la veuve Boulé se remarie, des amis du couple mènent le charivari sous leurs fenêtres pendant plusieurs heures, la nuit, puis s'en vont

1. Arch. nat. 0^1 362, 7 décembre 1701.
2. d° 0^1 365, 4 juin 1704.
3. d° G^7 1725, 23 juillet 1707.
4. Bibl. nat. Manusc. français 8123.

aux Porcherons chercher une nauséeuse carcasse de cheval d'équarrissage, qu'ils traînent par les rues et déposent à la porte des époux[1].

La prise de conscience par les humbles de la force qu'ils représentent dans l'État les amène à détester non seulement les agents de contrainte du pouvoir — sergents, exempts, huissiers à verge, commissaires — mais aussi le bourreau, qui les symbolise sinistrement. Celui-ci subit, au pilori des Halles, d'incessantes vexations en vue de l'obliger à émigrer dans les faubourgs. Il se pourvoit au Parlement, gagne son procès et s'efforce de rester où il est. Sous la pression populaire, le roi lui-même l'oblige à déménager. « Il est certain, écrit le secrétaire du souverain à d'Argenson, que, suivant l'arrêt du Parlement que le bourreau a obtenu, on ne peut, à la rigueur, l'obliger à déloger du quartier où il est. Mais il faut que vous tâchiez par amitié à lui persuader de le faire, en lui soulignant les inconvénients qui peuvent arriver tous les jours entre les soldats et ses valets, et que vous lui fassiez envisager quelque autre demeure plus commode. A vous de la chercher. Je comprends que tous les faubourgs sont occupés par les soldats français ou suisses, que le bourreau ne peut pas demeurer dans le cœur de la ville et qu'il faut cependant qu'il fasse sa résidence à l'une de ses extrémités[2]. »

S'il abomine le bourreau, le peuple s'insurge aussi, avec raison, contre des pratiques légales barbares telles que traînage sur la claie des suicidés et des morts relaps. Le pouvoir, isolé à Versailles, trouve étranges de telles réactions. « Vous me mandez, écrit le secrétaire du roi, que le public a été indigné de l'exécution faite sur le cadavre du rubanier qui s'est pendu, et qu'on a épargné cette même exécution sur le cadavre du nommé Coquebert. Je ne vois pas quelle raison peut avoir le public de désapprouver ces exécutions, qui sont conformes aux ordonnances[3]. »

1. Arch. nat. Y 9537, 26 juin 1705.
2. d° 0^1 367, 29 décembre 1706.
3. d° 0^1 367, 1 4 août 1706.

Parmi les sentiments qui animent la masse, on trouve fréquemment aussi une profonde méfiance vis à vis de la Justice ou du roi, d'ailleurs fondée : jamais le mot du fabuliste « selon que vous serez puissant ou misérable » n'aura été si ordinairement vérifié. Louise Davila, fille mineure d'un boutonnier, va par exemple présenter des échantillons au marquis de Crevilly, frère de Seignelay. Il tente de la violer, la fait tomber et la blesse dangereusement. Vilaine affaire... L'exempt Le Conte écrit au contrôleur général des Finances : « Le commissaire Marrier, qui doit mener l'information, ne l'a pas encore commencée. Comme M. de Crevilly a l'honneur de vous appartenir, trouvez bon, monseigneur, que je prenne la liberté de vous en donner avis et de vous marquer qu'il conviendrait d'assoupir cette affaire. J'attends vos ordres[1]. »

De temps à autre, d'étranges bruits troublent les quartiers populaires, nés d'on-dit ou d'informations non vérifiées, et y suscitent l'anxiété. En 1701, Le Conte, déjà cité, écrit au premier président de Harlay qu'on parle un peu partout d'enlèvements d'enfants. Le commissaire de police Dubois a interpellé un homme et une femme en conduisant un, qu'ils prétendent égaré. Le peuple les a entourés, menacés, brutalisés, et le commissaire, pour l'apaiser, les a jetés en prison. L'homme est un sculpteur de l'île Notre-Dame, la femme l'épouse d'un marinier. L'enquête montre qu'il s'agit d'une fausse interprétation : l'enfant avait en réalité fait une fugue à la suite d'une correction de ses parents.

***

Les travailleurs sont volontiers chauvins et fiers d'être Français. On les voit insulter et tenir des « mauvais discours » aux gens de livrée du maréchal de Villeroi après la déroute de Ramillies. Ils houspillent souvent les étrangers, sont les plus fidèles assistants aux feux de joie — de plus en plus rares — allumés à l'occasion de victoires ou de naissances de princes du sang.

1. Arch. nat. G^7 437, 12 mai 1711.

Lorsque naît le duc de Bretagne, les artisans décident spontanément, en août 1704, d'illuminer l'enclos de Saint-Denis. La police ferme les yeux, mais est vertement rappelée à l'ordre : « Vous avez très mal fait de souffrir cette illumination, écrit le secrétaire de Louis XIV, et le roi trouve fort étrange que vous n'ayez pas la force de vous faire obéir sur ce point[1]. » Si d'Argenson a laissé faire, c'est qu'il tient à persuader le souverain des bonnes dispositions du peuple. Il envoie notamment à Pontchartrain, en août 1706, une lettre de Delamare propre « à lui faire connaître le véritable caractère de nos Parisiens, dont le zèle et la fidélité sont assurément au-dessus de toutes les louanges que je leur pourrais donner[2] ».

La réalité est malheureusement bien différente : les Parisiens ne se gênent pas pour faire connaître à tout moment leur mécontentement. En 1704, on arrête un nommé Hardy pour « discours insolents » contre le roi. Jeté à la Bastille, on recherche les preuves de son crime[3]. Trois ans auparavant, avait été appréhendé à Saint-Germain un Irlandais, après qu'il eut lancé une pierre contre le carrosse royal. On le crut un moment fou, mais ce n'était qu'un exalté. Il ne sera plus désormais question que « de savoir s'il est dans une bonne prison, et bien en sûreté[4] ».

Plus caractéristique encore est l'affaire de la femme Cellier, épouse d'un archer des pauvres, demeurant dans un galetas de la rue de la Bûcherie, qui vit, tant bien que mal, comme revendeuse à la toilette ou garde-malade. La cour de sa maison étant ornée d'un portrait du roi peint sur tôle, elle s'écrie devant témoins : « Si je savais qu'un coup de couteau dans ce portrait pût pénétrer jusqu'à l'original, je le donnerais. » Cette scène se déroule deux ans après la famine de 1709, que nous évoquerons plus loin. D'Argenson enquête, reconnaît qu'« il a échappé à la femme Cellier des discours séditieux

1. Arch. nat. 0^1 365, 20 août 1704.
2. Bibl. nat. Fonds Clairambault 1194, 28 août 1706.
3. Arch. nat. 0^1 365, 12 mai 1704.
4. d° 0^1 362, 21 septembre 1701.

qui n'étaient que trop en usage pendant la cherté du pain». Mais il n'estime pas «à propos d'en rappeler le souvenir par une punition qui pourrait paraître inutile et mal placée».

Il est patent que, maintenant, le roi a peur de Paris et se méfie du peuple, au point, fort souvent, d'abandonner toute sanction par crainte du pire.

***

La vie des compagnons et apprentis, non seulement ne s'est pas améliorée quant aux conditions de travail, mais s'est profondément détériorée quant aux salaires, la hausse des prix ayant réduit souvent de près de moitié le pouvoir d'achat de la monnaie, — monnaie au surplus constamment manipulée par le pouvoir.

Envisageons le cas des imprimeurs, ouvriers d'élite, dotés d'une solide culture (la connaissance du latin, la lecture du grec sont exigées), astreints à un long apprentissage et animés d'un esprit libéral. Le grand règlement d'août 1686 sur l'imprimerie et la librairie les a, certes, dispensés des frais, toujours élevés, du banquet (ou *proficiat* en argot de métier) autrefois de règle à l'entrée comme à la sortie de l'apprentissage. En revanche, les maîtres peuvent embaucher tel compagnon qui leur convient, l'obéissance et la compétence étant les critères essentiels. Une seule réserve à ce libre choix : les Parisiens et les Lyonnais doivent être, en principe, préférés aux étrangers.

Une fois en place, le compagnon conserve la copie (épreuves manuscrites) dont il compose le texte, pour la remettre ensuite au maître ; tout ouvrage commencé doit être achevé, sous peine d'amende. Les absences injustifiées peuvent entraîner des dommages et intérêts. Les imprimeurs sont d'ailleurs tenus de signaler à la police les absents.

Le corporatisme, en se sclérosant, a fermement protégé les entreprises contre le risque de grève. Dès 1539, l'ordonnance de Villers-Cotterets a interdit aux compagnons imprimeurs de faire « aucun serment, monopole et d'avoir aucun capitaine entre eux, lieutenant, chef de bande ou autres, ni bannières ou enseignes, ni assemblées hors des maisons ou « poêles » de leurs maîtres, en plus grand nombre que cinq ». Toute la législation antigrève de l'Ancien Régime est peinte dans ce texte, élaboré à l'instigation du patronat. En 1618, on y ajoute l'interdiction pour les compagnons de « faire serments entre eux », c'est-à-dire de donner un caractère sacré à leur solidarité dans une action syndicale. Ils ne peuvent non plus recourir aux « trics », signes convenus au vu desquels les ouvriers abandonnent le travail pour se rendre à leur cabaret habituel et y délibérer. Le patronat tente en vain de lutter contre cette solidarité agissante.

Les maîtres peuvent congédier un compagnon avec préavis de huit jours, délai qui, après nombre de conflits, sera porté à un mois au XVIIIe siècle.

L'accès à la maîtrise, sauf le cas exceptionnel du mariage avec une veuve de maître, est devenu rarissime ; il ne peut avoir lieu qu'après trois années de présence, et une fois achevé l'apprentissage (de quatre ans en principe).

***

En dépit de cette réglementation, les compagnons entretiennent entre eux — et souvent d'ailleurs par la contrainte vis-à-vis des tièdes ou des timorés — une vie syndicale active ; chacun cotise, selon un barème, à une « bourse commune » qui sert à payer les amendes en cas de grève (deux cents livres en décembre 1700 pour trois jours d'arrêt de travail). Ils se retrouvent le soir ou le dimanche dans des arrière-salles de cabarets.

Bien que les confréries ouvrières soient interdites, qu'il ne doive être « fait aucune collecte ni levée de deniers » et, moins encore, procédé à une « action en nom collectif pour quelque cause et occasion que ce soit », les compagnons continuent en 1702 à se grouper le dimanche, à l'église de la commanderie de Saint-Jean-de-Latran. Ils réclament aux « associés » six sols par trimestre pour payer les religieux à cet effet et tiennent un registre des cotisants. Les maîtres le font saisir, à la vive colère des compagnons, qui exhibent un ancien « registre des six sols » de 1554, afin de prouver l'ancienneté de cette tradition.

Ainsi solidement unis, les typographes se revanchent contre les maîtres abusifs sur le plan judiciaire, leur intentant des procès tant à Paris qu'à Lyon. Entre 1683 et 1686, ils versent au dossier dix-huit billets ou circulaires imprimés, aux termes desquels leurs employeurs s'engagent mutuellement à ne pas donner de travail à tel ou tel compagnon ayant quitté l'un d'eux sans congé régulier. A Lyon, en juillet 1699, deux typographes assignent un maître contrevenant aux règlements. En septembre 1700, Pierre Bastet porte plainte contre l'imprimeur Lemercier, qui a envoyé un billet à la veuve Vaugon la priant de lui refuser de l'ouvrage.

Les travailleurs de l'imprimerie semblent donc, en réalité, beaucoup moins ligotés par les règlements corporatifs qu'on pourrait l'imaginer au premier abord. Bon gré mal gré, les maîtres et le pouvoir doivent composer avec eux et les amendes ne les impressionnent guère.

Les meneurs, particulièrement visés par les listes noires des maîtres, vont travailler dans des ateliers clandestins où s'impriment libelles, gazettes, ouvrages interdits. Un arrêt du conseil de 1705 nous apprend que les imprimeurs-libraires Chapuis et Moulu, de Lyon, possèdent des presses hors de leurs « ouvroirs », où l'on travaille à porte fermée[1].

L'agitation sociale règne dans presque toutes les professions : en 1704, les garçons boulangers du faubourg Saint-Denis forment une ligue pour augmenter le prix des journées et vont chez les patrons afin d'intimider leurs ouvriers qu'ils menacent de maltraiter, « s'ils servent leurs maîtres à moindre prix que celui qu'ils ont fixé ». Ils les font même « sortir par force » au moment du coup de feu, si bien que, soumis à cette grève

1. Sur l'ensemble de ce problème pour la période qui nous occupe, Bibl. nat. Manusc. français 21030.

perlée, les « boulangers sont obligés de subir la loi de leurs garçons ou d'aller en chercher d'autres à force d'argent ». Détail intéressant : les chefs de la cabale « se cotisent pour nourrir ceux qu'ils obligent à quitter le service de leur maître ». Les principaux aspects des grèves modernes sont donc d'ores et déjà réunis, y compris la caisse de solidarité au profit des grévistes[1].

Delamare signale à d'Argenson, en 1707, une réunion interdite : « C'est aujourd'hui la Saint-Crépin. Les compagnons (cordonniers) ont leur confrérie dans Notre-Dame et, au sortir de l'office, remplissent les cabarets du quartier. L'un d'eux a cassé la tête à un autre. Il y eut rixe. Un furieux a beaucoup blasphémé : on l'a fait mettre au cachot. Voilà le fruit des belles et dévotes confréries de compagnons, tant de fois défendues par les ordonnances. Ne sera-t-il possible de les abolir, car, pour en corriger les abus, nous n'y parviendrons jamais : ce bas peuple est trop nombreux et trop indisciplinable[2]. »

D'Argenson répond qu'il ne saurait abolir les confréries avant de s'en entretenir avec le cardinal de Noailles. L'Église en effet, favorise ces réunions de travailleurs, non seulement à cause de leur objet religieux, mais aussi parce qu'elles constituent un moyen efficace de secours mutuel entre hommes d'un même art.

1. Arch. nat. Y 9498, sentence de police du 12 décembre 1704.
2. Bibl. nat. Manusc. français 21609 f° 374.

CHAPITRE II

LA VIE DE CHAQUE JOUR ENTRE 1700 ET 1715

TRIPES de bœuf et de mouton, foies, cœurs et pieds de bœuf constituent, avec le pain, la principale nourriture des pauvres. Ils sont débités soit dans les marchés sous forme de plats préparés par des tripiers-cuiseurs, profession nouvelle, soit dans les restaurants les plus populaires, les gargotes.

Les pâtissiers, qui vendent pâtés, tourtes, oublies et biscuits, sont autorisés à acheter de première main leur viande de porc ou de bœuf et leur gibier aux Halles, mais ne doivent débiter ni jambon ni lard, à l'exception du lard salé. Ils n'apparaissent pas toujours scrupuleux sur la qualité de leurs matières premières. En juillet 1707, M. de Bartillat et d'autres clients d'un pâtissier du faubourg Saint-Antoine sont intoxiqués par un pâté. Le bruit des poisons redouble, note le secrétaire du roi, en écho à une hantise permanente des Parisiens[1].

Les charcutiers ne valent pas mieux. En 1701, d'Argenson en condamne à l'amende qui, venus de banlieue, apportent des « marchandises de porc ladres, pouacres et indignes du corps humain » ; ils les cachent dans les boutiques voisines et les exposent seulement « le soir, afin qu'on n'en puisse connaître ».

Le poisson de mer, frais, saur, ou salé, se trouve curieusement placé sous la juridiction d'un procureur général spécial, aidé de commissaires, de compteurs et de déchargeurs. Il régit

1. Arch. nat. 0^1 362, 7 juillet 1701.

la plus turbulente corporation des Halles, celle des harengères. Le commerce de la marée, depuis toujours, est accaparé par une minorité de marchands fort riches, qui font la loi des prix. Afin de lutter contre ce monopole, on a institué en 1662 la marque obligatoire du poisson salé acheté à quai, dans les ports ou à Rouen, qui doit être amené en priorité à Paris sans stockage intermédiaire, puis vendu aux « détailleurs et détailleresses » à prix uniforme. Les marchés des localités situées entre les côtes et la capitale ne sont approvisionnés qu'ensuite.

Les poissonniers détaillants doivent exploiter en personne et non sous-louer. L'élimination de la mauvaise odeur des poissons avariés par adjonction de chaux est interdite[1]. La morue est le mets le plus populaire : il s'en vend près de 230 000 par an aux alentours de 1700.

Tout est sacrifié à la rapidité des chasse-marée, dont un retard a causé le suicide du célèbre Vatel. Les riverains des « grands chemins » qu'ils empruntent sont tenus de les entretenir en parfait état ; on lève à cet effet des taxes particulières sur ceux qui en résident à moins de trois lieues et ces travaux spéciaux de voirie sont contrôlés par des « élus de la mer ». Un arrêt de 1697 empêche le prévôt de Pontoise de priver les chasse-marée de chevaux de relais ; en 1707, l'évêque de Beauvais doit supprimer un cimetière pour faciliter leur circulation ; en 1716, il est interdit aux jurés compteurs et déchargeurs de retenir leurs paniers.

Ces paniers doivent être loyalement garnis, c'est-à-dire ne pas comporter « au fond du poisson de vieille pêche, au-dessus du poisson de nouvelle pêche » : tout doit être de « même fraîcheur et même mort ».

Afin d'écarter le risque de surenchère, surtout en période de carême, porteurs et crocheteurs ne peuvent se rendre, par-delà la barrière marquant la limite de Paris, au-devant des chasse-marée pour réserver leur poisson. L'entrée de ceux-ci s'effectue par une route de campagne traversant champs et marais, qui deviendra en 1789 le faubourg Poissonnière.

1. Bibl. nat. Manusc. français 21661.

Les mêmes défenses « d'altérer, falsifier et mixtionner » s'appliquent aux huîtres, dont les Parisiens sont très friands. Elles ne peuvent être vendues par grandes chaleurs. L'hiver, on les enlève de leur coquille, pour les saler dans des barils de bois. Leur commerce étant, lui aussi, monopolisé, on crée en 1691 six pourvoyeurs-vendeurs d'huîtres à l'écaille à Paris, deux à Rouen, un à Dieppe, Grandville, Cherbourg et Caen. Ils ont seuls le droit de pêcher et de parquer. Le prix des huîtres est taxé, en 1691, à six sols la douzaine. Mais les nouveaux officiers ne tardent pas à abuser en vendant sous le manteau ; au surplus matelots et pêcheurs normands ne leur pardonnent pas de les avoir privés du droit de pêche. On finit par réunir leurs offices à la ferme des aides, puis par revenir à la liberté en 1711.

En 1700, des soldats ou des gens sans aveu faisant commerce d'huîtres jusqu'à minuit dans les cabarets, on leur interdit de les crier après huit heures du soir.

***

Le commerce des fruits et légumes est lui aussi surveillé. La police condamne en 1699 neuf fruitiers et regrattiers qui, allant au-devant des forains hors de la ville, les obligeaient par menaces à leur vendre « porées, concombres, artichauts, asperges, mousserons, morilles, truffes, fraises, abricots et autres nouveautés » destinées à la Halle. Les fraudes sur les quantités sont courantes : plusieurs maraîchers de banlieue sont convaincus, en 1700, de remplir le tiers inférieur de leurs paniers de bouchons de foin, puis de les prétendre pleins de cerises.

Fruitiers et regrattiers ne peuvent vendre ni sur le parvis des églises ni le dimanche pendant la messe du matin. On entend ainsi faire cesser leur tumulte assourdissant à la fin de l'office[1].

1. Bibl. nat. Manusc. français 21663.

Raisins et autres fruits entrant à Paris dans des hottes ou paniers « portés à bras, sur la tête ou sur le dos » ne doivent pas acquitter de droits d'entrée, mais des jurés-jardiniers vérifient leur maturité et leur qualité. Les vignerons de Montreuil invoquent, en 1707, un ancien privilège pour être exemptés de la taxe de dix deniers par hottée perçue à cette occasion. On leur refuse ce qu'ils considèrent comme un droit. Un meneur excite une émotion populaire, passant de rang en rang et criant : « Point de visite, point de police, ce sont de faux commissaires. »

Les légumes sont amenés aux Halles par des « maîtres jardiniers », très nombreux dans le Marais, la plaine de Grenelle et aux Porcherons, qui vendent en outre des échalas, du bois merrain pour les treilles et de l'osier.

Plus de trois mille personnes vivent, en 1700, de ce commerce, contre moins de trois cents un siècle auparavant. Les maîtres jardiniers, autrefois cantonnés les jours de marché rue aux Porées — la bien nommée — et rue de la Lingerie, débordent maintenant rues de la Ferronnerie et Saint-Honoré, entravant la circulation. Ils sont tenus de laisser un passage libre le long des immeubles, et de plier bagage à 7 heures du matin l'été et 8 heures l'hiver.

Les compagnons jardiniers tiennent confrérie — en principe interdite — dans l'église des Porcherons. En juillet 1698, ils y font célébrer une messe solennelle, « rendent un grand nombre de pains bénits » et se retrouvent en foule dans les cabarets voisins. Un commissaire du quartier, alerté, note dans ceux du *Chef de Saint-Denis* et du *Petit-Panier* « de grands préparatifs de toutes sortes de viandes et une nombreuse troupe de compagnons, qui se disposent à y passer tout le jour ». On condamne indistinctement les participants à dix livres d'amende[1].

***

Les volailles, beurres et œufs, se trouvent aux mains de puissants grossistes qui dictent leurs conditions à près de

1. Bibl. nat. Manusc. français 21663, 4 juillet 1698.

neuf cents revendeurs et stockent le beurre, contrairement aux règlements. Sept ou huit d'entre eux, estiment en 1698 les sous-fermiers de la volaille, font les deux tiers du commerce qui devrait être l'apanage des seuls forains venus de la campagne. Les prix se décident en secret chez les acheteurs, voire dans les cabarets, ce qui permet aux grossistes de choisir « le plus beau et le meilleur sans payer aucun droit ».

Le beurre arrive en mottes, en livres ou en demi-livres, par paniers de quatre cents livres-poids.

En dehors de ces commerces d'alimentation, on trouve à la Halle une foule de détaillants pittoresques : « arboristes », bouquetières, vendeurs d'herbes, de salade ou d'artichauts au détail, écosseuses de pois et fèves, vendeurs de raves de Gandelu, d'asperges, de fromage blanc, de verjus, d'œufs de rivière, de grenouilles écorchées, de lavande, de balais, de ligots, d'écrevisses. Il existe, pour les cuisinières, un pressoir à verjus — jus de raisin vert dont on fait grand usage dans certaines préparations culinaires (ainsi d'ailleurs que du jus de blé vert).

La police se préoccupe des vins frelatés nuisibles à la santé des consommateurs : des vignerons sans scrupule mélangent du suc de raisins sauvages au jus de la treille, pratiquent le mouillage, traitent le vin à la litharge, « qui cause des coliques vives et douloureuses », le colorent artificiellement avec du bois des Indes, le collent à la colle de poisson ou à l'alun[1].

Le sucre de canne, provenant des « îles françaises », est raffiné le plus souvent à Nantes.

Le chauffage domestique s'effectue toujours pour l'essentiel au bois, mais cette pratique millénaire va subir de profondes modifications.

Le bois, transporté par flottage, stocké à proximité de la Seine, est sorti de la rivière au port de la Tournelle ou à la

1. Arch. nat. G^7 21664.

Grenouillère par des journaliers « la plupart soldats, qui sont dans l'eau jusqu'à la ceinture, quelque temps qu'il fasse, et dont le travail est si rude que, sans le vin et l'eau-de-vie, ils ne pourraient résister ». Ils embauchent en été dès deux heures du matin et achèvent leur besogne à dix heures, pour une paie de trois livres par jour. « Les plus robustes n'y résistent pas longtemps. »

Ces journaliers sont encadrés par des « tireurs », auxquels les négociants allouent une gratification par train déchargé.

Des crocheteurs transportent ensuite les grumes jusqu'aux chantiers, où s'entassent également cotterets, fagots, bourrées de bois ou d'épines, tas de copeaux[1]. Pour se faire livrer quelques cordes, les bourgeois s'entendent avec les charretiers ; il est interdit aux négociants d'allouer à ces derniers un « droit de nivet », sorte de « sol la livre » accordé aux charretiers amis allant au-devant des chalands pour les amener sur tel chantier de préférence à tel autre.

La révocation de l'édit de Nantes a laissé de nombreux vides dans les rangs des marchands de bois, en majorité protestants.

Les taxes établies sur le bois de chauffage, la hausse des prix, la dépopulation des régions forestières entraînent après 1710 une raréfaction extraordinaire du combustible : « L'inquiétude du public fait que rien ne reste sur les ports ni dans les chantiers, écrit l'intendant Bignon au contrôleur général des Finances en 1714. On y court avec empressement, et nous n'avons pu faire encore de dépôts permanents pour rétablir la confiance. »

Cette inquiétude se comprend : par suite d'une sécheresse extraordinaire, l'eau est si basse dans les affluents de la Seine que, depuis six mois, le bois n'arrive plus. Il faut rationner bûches et rondins, en les distribuant aux acheteurs par ordre de priorité. Un allégement tardif des taxes n'améliore pas la situation. En janvier 1715, Paris grelotte faute de bois ; D'Aguesseau sollicite le secours du roi dans une « si grande calamité » et souligne « l'inquiétude du public, plus dangereuse

1. Arch. nat. G^7 437, 20 avril 1710.

encore que la rareté de la marchandise». Louis XIV permet d'abattre quatre cents arpents de haute futaie dans la forêt de Longpont[1].

***

Le charbon de terre, depuis longtemps utilisé aux environs des premières mines, fait son apparition à Paris. En novembre 1714, Galabin & Cie, négociants-importateurs, font venir du « flambant » d'Écosse et l'expérimentent publiquement à l'Hôtel de Ville[2]. « Il y a lieu d'espérer par ces épreuves que l'usage en sera très utile et le débit considérable, écrit Bignon enthousiaste. Ce charbon chauffe les plus grands lieux et dure en feu; il est ardent, et sera d'un grand soulagement pour le peuple dans les conjonctures présentes, principalement pour tous les ouvriers qui ne peuvent se passer de fourneaux et travaillent de l'enclume et du marteau. » Le charbon d'Écosse coûte quarante-cinq sols le quintal, sur bateau. La compagnie sollicite l'exemption des droits sur le bois levés jusque-là au profit des villes et des petits officiers des ports. Ce n'est que justice ; au surplus « ils ne peuvent s'en plaindre, n'ayant jamais compté percevoir des droits sur une denrée *(sic)* dont on n'a fait aucun usage jusqu'à présent. »

On consent à privilégier la compagnie « dans les commencements, pour faciliter son établissement et le soutenir », en lui assignant toutefois un tonnage minimum à importer. Tout autre charbon sera exclu du privilège, notamment celui de Neufchâtel, « propre aux forges, mais non aux besoins domestiques ».

Quant à l'éclairage, il conserve pour matière première le suif, dont le prix est en général taxé à cause de sa répercussion sur l'entretien des lanternes publiques. Les bouchers, soumis à de fréquents contrôles, doivent livrer aux chandeliers leurs suifs frais au fur et à mesure qu'ils sont fondus. En

1. Arch. nat. G^7 442, 23 janvier 1715.
2. d° G^7 442, 28 novembre 1714.

février 1715, d'Argenson exempte cette matière première du droit de deux sols la livre, ce qui accentue la baisse de son prix.

*
* *

La laine, fibre textile de base avec le chanvre et le coton, est protégée tant bien que mal contre la spéculation. En 1699 d'Argenson défend de l'arrher, en la payant par avance aux laboureurs avant la tonte. Elle ne peut, d'autre part, être achetée que par des négociants spécialisés[1]. En dépit de ces mesures, son prix reste élevé.

La qualité des tissus fabriqués par les manufactures et leur conformité aux règlements corporatifs sont constamment surveillées. Mais les textes datent de 1669 et leur ancienneté freine le progrès technique : d'Argenson doit, par exemple, informer en 1697 sur le tissage de pièces de serge d'une longueur inusitée, mais que les industriels souhaitent voir autoriser pour « gagner sur le travail, l'apprêt et la teinture[2] » ; il est également invité à casser une ordonnance des juges des manufactures de Sedan, admettant le tissage de draps en plus grande largeur que ne le prévoyait le règlement. Il s'intéresse au « secret » d'un teinturier du Languedoc, qui prétend fabriquer de la garance aussi bonne et belle que celle de Hollande et étudie les conséquences du pressage des tissus « à chaud, dans des presses d'airain », technique inventée depuis peu à Paris, qui risque de ruiner la communauté des « maîtres tondeurs, apprêteurs et aplaneurs d'étoffes », fort ancienne, mais réduite à un petit nombre de professionnels.

*
* *

Après les problèmes de la vie matérielle, abordons ceux de la vie intellectuelle et morale.

1. Bibl. nat .Manusc. français 21658.
2. Arch. nat. G^7 8, 14 mai 1697.

Aux enfants pauvres, l'instruction est dispensée, aux frais des confréries de paroisse, par des maîtres et maîtresses qui, dans des « écoles de charité » leur apprennent à lire, à écrire, et leur enseignent des rudiments d'arithmétique et la doctrine chrétienne. Celle de Saint-Eustache, protégée par Mme Desmaretz, femme du dernier contrôleur général des Finances du règne, instruit ainsi, en permanence, 180 enfants d'artisans ou de compagnons, dont vingt à vingt-cinq, leur éducation terminée, entrent chaque année en apprentissage.

Les confréries fournissent en outre une maison et les ustensiles nécessaires pour la « marmite des pauvres malades », octroient du pain aux familles lorsque le père ou la mère sont frappés par la maladie et contribuent aux achats de lait pour les mères incapables d'allaiter.

Les enfants riches accomplissent leurs études soit dans des collèges, soit chez des maîtres de pension, très nombreux à Paris. L'abbé Lefèvre, âgé de soixante ans, s'est, par exemple, associé en 1715 avec un autre ecclésiastique pour enseigner le latin et les langues vivantes à une trentaine d'écoliers, dont les parents, pour la plupart, paient cinq cents livres par an. Les deux prêtres sont propriétaires de leur établissement[1].

Malheureusement, nombre de parents se désintéressent de l'avenir de leur progéniture. En 1700, d'Argenson écrit à Pontchartrain cette lettre significative : « J'ai remarqué, pendant le cours de cette année, que plusieurs bourgeois et même quelques marchands des plus distingués négligent tellement l'éducation de leurs enfants, qu'ils les laissent parmi des filous et des coureurs de nuit, sans se donner aucun soin pour les rappeler dans leurs maisons ni pour les corriger : on trouva même ces jours passés un fils de famille âgé de dix-huit ans qui, depuis plus de quinze mois, logeait en chambre avec des femmes d'une prostitution publique et parmi des scélérats, sans que son père eût fait aucun mouvement pour le retirer d'un tel désordre. Cette découverte m'a obligé de rendre une ordonnance générale pour exciter les pères à dénoncer au

1. Bibl. nat. Manusc. français 8125.

magistrat tous les enfants libertins et vagabonds, à peine d'être responsables civilement des fautes qu'ils pourront commettre et d'une amende proportionnée à leur négligence[1].»

Les écoliers paresseux deviennent la proie des maîtres des jeux de paume, qui les attirent pendant les heures de classes ou de répétitions. Ils jouent avec eux ou les font jouer avec leurs garçons et des inconnus à la paume, au billard, aux cartes ou aux dés. Les enfants contractent ainsi des dettes, qui les obligent à vendre ou à laisser en gage leurs vêtements et leurs livres. Dans un jeu de paume, indique la police, un écolier de rhétorique a ainsi perdu deux louis d'or aux cartes « dans une chambre secrète où il y avait trois tables autour desquelles plusieurs jeunes gens jouaient au lansquenet». Un élève de 3e a été retenu toute une journée, faute de paiement de 27 sols 6 deniers pour des balles qu'il avait perdues. Dans un autre jeu de paume, un écolier ayant perdu au billard 20 sols de plus qu'il ne possédait, « on lui a ôté sa perruque pour la garder en gage[2] ».

Les parents, lorsqu'ils sont décidés à sévir contre le dérèglement de leurs enfants, possèdent deux armes redoutables : les droits de correction des mineurs et d'interdiction des majeurs. Le droit de correction est d'ailleurs parfois une arme à double tranchant : un garde du corps du roi, du Rosel de Glatigny, sollicite l'incarcération d'une de ses filles dans une maison de force de Paris, pour tentative de mariage contre son gré. On jette la malheureuse à Sainte-Pélagie. Mais les accusations portées contre elle sont fausses. D'Argenson, alerté, obtient les aveux du père abusif, qui est à son tour interné dans un fort, en dépit de lettres généreuses de sa fille implorant la clémence de Louis XIV[3].

L'interdiction des prodigues, assez fréquente, vise à sauvegarder leur patrimoine. En 1707, M. de Montagnac d'Estansanne, conseiller au Parlement, envoie au roi un placet, signé

1. Bibl. nat. Manusc. français 8123, 27 octobre 1700.
2. Arch. nat. Y 9498, 14 décembre 1708.
3. Bibl. nat. Manusc. français 8123.

de toute sa famille, pour faire enfermer son fils, âgé de trente ans, dépravé et déréglé. Singulière existence que la sienne : il a abandonné ses études pour s'enrôler sous la bannière d'un capitaine d'infanterie. Le temps de service accompli, il va dans les dragons. Son père tente alors de lui procurer une cornette : en moins d'un an, il dissipe le prix de cet office, brade son équipage, ses habits, déserte, « tombe dans le vin et le jeu». On tente de l'intéresser à des études de droit, mais il poursuit sa débauche et, lors d'une rixe, blesse son adversaire. Le père donne aussitôt de quoi « assoupir les procédures» puis, faisant confiance une dernière fois, lui prête sa maison pendant qu'il voyage en province. Il n'a pas plutôt quitté Paris que son fils « la vide et dissipe la meilleure partie des meubles, avec une perte considérable[1] ».

L'autorité des parents, lorsqu'elle semble excessive, peut être contenue dans des limites raisonnables par le pouvoir judiciaire ou la police. Leleu, secrétaire du roi, se plaint en 1707 de ce que son fils, âgé de ... trente-cinq ans, se soit marié contre son gré. Le jeune homme est certes, estime d'Argenson, d'une conduite déréglée et semble avoir choisi sa femme « par pur caprice». Mais il a fait les trois sommations respectueuses prévues par les ordonnances : il n'est donc pas légitime de le renfermer par autorité du roi. Il appartient au père, s'il le désire, de se pourvoir contre le mariage comme d'abus, de le faire casser s'il le peut ; ensuite on « écoutera sa demande avec moins d'inconvénient[2] ».

***

Artisans, bourgeois et même femmes légères, conformément à une vieille coutume, vivent souvent sous des noms supposés, ou sobriquets. Lorsque Pontchartrain demande que l'on convoque M. Choisinet de la Tour, qui se plaint de l'inconduite de sa femme, la police ne peut découvrir son domicile : « Ce nom-là est si commun parmi les femmes qui vivent dans le

1. et 2. Bibl. nat. Manusc. français 8124.

désordre, écrit d'Argenson, que j'en trouve jusqu'à quinze ou seize qui le portent ou l'ont porté ; car l'usage est d'en changer aussi souvent que de quartier. »

Surtout dans le peuple, on ignore bien souvent sa propre date de naissance et son âge. La police dit du fils du ministre protestant Misson, venu en France se convertir au catholicisme : « Il se croit âgé de trente-huit ans ou environ, et il n'en paraît pas avoir davantage. »

Les maisons sont aussi difficiles à identifier que les âges, car elles ne sont pas encore numérotées. Cela entraîne, pour mentionner les adresses, une description compliquée. Par exemple : « M. X, la première maison rue du Four, après le Prophète Elie, à l'extrémité de la rue, du côté de la rue Saint-Honoré » ; ou bien : « Rue Traînée, la fruitière vis-à-vis le cadran Saint-Eustache. »

***

L'avarice des petits bourgeois, si bien dépeinte par Molière, s'est renforcée en cette période d'inflation. D'Argenson conte l'accident mortel survenu au nommé Hinselin, ancien contrôleur de la Maison du roi, qui, sa charge vendue, laissera 500 000 livres à sa veuve : « Il conduisait lui-même son bâtiment par bon ménage — un immeuble en construction du quai des Célestins —, louait à ses ouvriers les outils dont ils se servaient et c'est en voulant faire placer une pierre de taille qu'on ne présentait pas à son gré, qu'il a passé précipitamment sur une planche mal assurée, dont la chute a causé la sienne[1]. »

Les rentiers sur l'Hôtel de Ville, plutôt que de faire queue aux guichets des trésoriers pour recevoir leurs arrérages, en confient le soin à des gagne-petit spécialisés, surnommés « grippe-sous ».

Le goût de la chicane, si bien moqué par Racine, est demeuré vif : « Grignon, plaideur opiniâtre, a trouvé le secret de ne

1. Bibl. nat. Manusc. français 8124, 22 mars 1706.

point payer la dot de sa fille en se faisant subroger aux droits des créanciers de son gendre, sous prétexte d'en tirer des conditions avantageuses, dont il veut seul profiter ; enfin, il a fait saisir judiciairement toutes ses terres pour ses différentes dettes, dont il s'est rendu concessionnaire, et il en a déjà consommé plus du tiers en frais. La fraude et la mauvaise foi lui sont devenues comme naturelles[1]. »

Ces défauts traditionnels de certains bourgeois n'empêchent malgré tout point leurs femmes de courir les maîtresses couturières dont certaines, telle Mme du Vignau, *A la Vieille Alliance*, sont « très fameuses » et emploient de nombreuses ouvrières, menées par une « première fille[2] ». Les couturiers font leur apparition et connaissent aussitôt la vogue : « Le nommé Lemaire est un tailleur pour femmes qui a l'honneur de travailler pour S. A. R. la duchesse de Berry. Il demeure place du Palais-Royal, est neveu du défunt Lemaire, aussi tailleur pour femmes, qui avait beaucoup de réputation. Celui-ci a carrosse. Il passe pour être fort riche et on assure qu'il a beaucoup de crédit à la cour. » On le soupçonne d'ailleurs d'en profiter pour intriguer et gagner plus encore en procurant des grâces aux condamnés[3].

La coquetterie masculine ou féminine trouve un point de rencontre chez les perruquiers, une des corporations les plus nombreuses, on le verra, avec sept cents maîtres. Ils montent leurs perruques — dont le prix minimum, pour les petits bourgeois, va de dix à quinze livres — sur des coiffes, ou cuisent au four des « pâtés de cheveux ». Les vieilles perruques, revendues aux fripiers, donnent lieu à un actif négoce. La levée, en 1706, d'un droit de marque sur les perruques, dont la perception a été confiée au fermier Fortin, soulève de violentes protestations. « Les perruquiers de Paris, écrit le contrôleur général des Finances, m'ont envoyé un nombre prodigieux de femmes qui m'ont dit se trouver sans occupation.

1. Bibl. nat. Manusc. français 8121, 17 juillet 1715.
2. Arch. nat. G[7] 1725, 23 janvier 1708.
3. Bibl. nat. Manusc. français 8125 f° 430.

Cela a l'air d'un esprit de révolte[1].» De son côté, la duchesse de Portsmouth sollicite, en 1706 également, un privilège de trente ans pour créer à Paris et dans les provinces des fours destinés à la cuisson des pâtés de cheveux, moyennant douze sols la pièce[2].

Les chapeaux d'hommes, vastes et de belle qualité — certains sont en castor —, atteignent un prix élevé. En 1698, le roi, sollicité par la corporation des chapeliers, « veut bien essayer les chapeaux que les jurés prétendent plus légers et meilleurs » que ceux de provenance étrangère[3].

* * *

Parmi les traits de mœurs de l'époque, citons les enrôlements forcés de compagnons, artisans ou jeunes bourgeois, qui ont lieu en général par violence, la nuit, ou par surprise dans les cabarets, après boire, avec la complicité de militaires. Si les victimes ne veulent pas signer de bon gré le billet d'enrôlement, on les entraîne dans des maisons appelées « fours », où on les bat jusqu'à ce qu'ils acceptent[4]. Chantepie, exempt du guet, est passé maître dans ce trafic abominable. « J'apprends tous les jours, écrit le secrétaire du roi à Duval, chevalier du guet, des choses nouvelles sur les enrôlements forcés, et le roi en est averti de toutes parts. Le dernier fait qu'on a entendu dire est d'un homme qui, arrêté par une escouade du guet pour être enrôlé, s'est donné de désespoir un coup de couteau dans le ventre. Vous devez recommander à tous les officiers des brigades et des escouades d'empêcher ces sortes d'enrôlements : c'est là une des principales parties de la sûreté publique ; faute d'y déférer, la confiance que le peuple a dans le guet s'évanouira[5].» La guerre ayant décimé la population en état

1. Arch. nat. G^7 10, 18 mai 1706.
2. d° G^7 10, 21 mars 1706.
3. d° 0^1 42, 18 juin 1698.
4. d° 0^1 363, 27 septembre 1702.
5. d° 0^1 367, 17 février 1706.

de porter les armes, on recrute aussi par tous moyens rôdeurs, noctambules, prisonniers, fraudeurs, faux-sauniers. L'Hôpital général est assailli de demandes d'officiers se procurant, parmi ses détenus, des soldats à bon compte.

En 1710, les enlèvements et rapts de jeunes hommes se poursuivent toujours ; d'Argenson entreprend une enquête approfondie afin de recenser les « chartres privées » (de *carcer* = cachot) existant à Paris. Une fois celles-ci découvertes, on fera « quelques exemples[1] ».

***

Bien qu'à la demande des médecins, les thaumaturges, guérisseurs et praticiens sans diplôme soient passibles de peines sévères, ceux-ci n'en continuent pas moins de prospérer, avec la complicité tacite du public. Le sieur du Hautoy, « de la société des gens d'affaires », presque toujours malade, et qui disait que son tempérament avait une antipathie naturelle pour la fortune et la liberté, vient de mourir, écrit d'Argenson en 1704 : « Son trépas serait l'œuvre de l'abbé Aignant qui, après avoir été son laquais, s'est érigé en médecin, se fait traîner par la ville dans une chaise, et sera bientôt fort riche si on n'y met bon ordre. »

Le roi s'intéresse aux progrès de la chirurgie et de l'appareillage des amputés, technique toute nouvelle. Son secrétaire signale à d'Argenson, en 1704, les expériences tentées sur un Suédois estropié des deux bras. « Le père Sébastien, Carme, qui, comme vous le savez, est un célèbre mathématicien, prétend pouvoir ajouter des machines disposées de telle manière qu'avec le mouvement du moignon, il peut faire agir ce bras artificiel et le rendre propre à plusieurs usages de la vie. Nous verrons s'il réussira avec cet étranger[2]. »

1. Bibl. nat. Manusc. français 21566, f° 46.
2. Arch. nat. O[1] 365, 23 mars 1704.

*
* *

Les duels continuent, mais à une cadence beaucoup plus lente qu'au début du règne.

En 1699, le chevalier de Croville, qui réside chez le duc de la Ferté, est blessé à mort rue de Tournon et « on prend soin d'en cacher le véritable sujet ». Dernier des trois fils naturels du comte d'Arcoux, ses frères ont été précédemment tués, l'un par le guet, l'autre au siège de Namur[1].

En 1702, nouveau duel, comique celui-là et qui égaie Paris. « La grande nouvelle, c'est que deux fermiers généraux se sont battus dans la grande salle à l'hôtel des Fermes. La singularité de ce combat m'ayant obligé d'en vouloir éclaircir la vérité, j'ai su que ce soir sur les cinq heures M. Bigodet — que sa mauvaise fortune a rendu fort impatient et fort célèbre — avait mis en effet l'épée à la main contre M. Brunet de Rancy, qui s'était défendu en retraite tout de son mieux, mais qu'il n'y avait eu personne de blessé. » Au cours de l'action, « Brunet de Rancy tomba par terre, se croyant blessé à mort, quoique Bigodet, qui tomba de son côté, fût toujours éloigné de plus de trente toises. De Rancy se fit porter et déshabiller dans une maison voisine, assurant qu'il était percé de deux coups mortels, tandis que Bigodet, qui n'eut guère moins peur d'avoir blessé son ennemi, et qui, d'ailleurs, fut fort maltraité par des commis, tomba sur le nez auprès d'une borne[2]. »

L'année suivante, une dernière affaire a lieu, pour le motif le plus futile : un renseignement mal interprété. Trois nobles en carrosse, passant à minuit place du Palais-Royal et sans doute pris de vin, demandent à des gens où ils pourraient aller au bal. On leur répond : faubourg Saint-Marcel. Ce faubourg populaire étant très éloigné, les amateurs de danse croient qu'on se moque, dégainent et embrochent un des « foutus marauts » qui les a renseignés. Le malheureux, Chambrun, est tué net[3].

1. Bibl. nat. Manusc. français 8119.
2. d° Manusc. français 8123, 2 août 1702.
3. d° 8123, février 1703.

***

Les Parisiens, bien que se piquant de liberté de conscience, demeurent superstitieux. Dès qu'une femme se dit possédée du diable, on accourt en foule la voir.

Je ne doute pas, écrit d'Argenson à Delamare en 1713, que vous n'ayez bien des fois entendu parler du prétendu esprit qui obsède la fille de M. Testart, fermier général, et devient à Paris une espèce de spectacle. J'apprends même qu'on doit supplier M. le cardinal de Noailles d'employer l'autorité de l'Église pour conjurer ce prétendu esprit par des exorcismes ; il sera de sa prudence de le défendre ou de le permettre. Si ce malheur était arrivé à quelque personne d'entre le peuple, j'aurais pris des mesures pour en empêcher au moins l'éclat et le scandale, comme j'ai fait en autres occasions fort semblables ; mais M. Testart n'a pu se résoudre à envoyer sa fille dans un couvent de province, où le prétendu esprit l'aurait apparemment oubliée. Il n'est presque plus le maître dans sa maison, dont il ne peut refuser l'entrée à quantité de personnes de la première considération, que la curiosité y attire de tous les quartiers de Paris. En sorte qu'il a désiré que je pourvusse à sa sûreté pendant quelques nuits[1].

Dans le même temps, d'Argenson mande à Delamare :

Vous savez que les maux extraordinaires ne doivent pas être rendus publics, surtout à Paris, où l'on se porte plus volontiers à croire les choses qui ne sont pas que celles qui sont, et où l'imagination et la superstition sont en usage de prévaloir sur la religion et sur la foi.

Je vous prie donc de faire en sorte que les personnes prétendues possédées soient tirées au plus tôt du lieu où elles sont pour être mises dans des maisons séparées, où l'on aura soin d'en dérober la connaissance au public. Je pense même que l'Hôpital général leur conviendrait parfaitement si leur famille ne veut pas faire la dépense de les mettre ailleurs. Et je suis persuadé que si elles étaient là, leur maladie cesserait bientôt[2].

1. Bibl. nat. Manusc. français 8125, 14 septembre 1713.
2. d° Manusc. français 21605, f° 79.

CHAPITRE III

CIRCULATION, SPORTS, CHASSE, PÊCHE ET CROISSANCE DE LA CAPITALE

DÉMESURÉMENT accrue par la multiplication des carrosses et des véhicules de louage, la circulation pose, à Paris après 1700, des problèmes devenus plus graves encore qu'à la fin du XVIIe siècle. On a pu croire un moment que le transfert de la cour et du gouvernement à Versailles, devenue métropole politique et administrative, épargnerait à la capitale une partie de ses encombrements. Ce remède se révèle à l'expérience éphémère : l'usage des carrosses s'est en effet étendu aux gens de robe, aux bourgeois, aux négociants ; l'accroissement rapide de la population a, de son côté, entraîné celui des transports destinés à l'approvisionner, ainsi que des moyens de déplacement individuel. Si bien que, la ville étouffant déjà à l'intérieur de ses limites, il faut parfois des heures pour se rendre d'un point à un autre, surtout dans le centre, où les embouteillages battent tous les records.

La Reynie avait eu, le premier, le mérite d'apporter des remèdes pratiques à cette situation, débarrassant d'autorité la voie publique des marchandises, emballages ou matériaux jusque-là abandonnés aux abords des boutiques, interdisant aux cochers de stationner dans les artères étroites où ne pouvaient circuler deux véhicules de front, créant des interdictions permanentes de stationnement dans les artères les plus fréquentées (rues Saint-Honoré, de Richelieu, Saint-Nicaise), ainsi qu'aux abords du palais du Louvre.

D'Argenson va envisager des mesures d'une beaucoup plus grande ampleur et, si ses projets n'aboutissent pas tous, ils auront du moins le mérite d'appeler l'attention du roi sur l'asphyxie progressive de la capitale.

***

La question la plus importante est celle — aujourd'hui encore plus que jamais d'actualité! — du déplacement des Halles, ou, plus précisément, des plus gênantes d'entre elles par l'intensité de leur trafic, celles au blé, à la volaille et aux veaux.

Le marché au blé et aux farines, qui occupe une bonne partie de l'ancien périmètre, suscite à lui seul d'innombrables charrois, soit par la porte Saint-Denis ou de la Chapelle, soit par celle d'Enfer ; ils commencent à la tombée de la nuit pour ne s'achever qu'après l'aube. Leur convergence suscite, les jours de marché, d'inextricables embarras et rendent la halle aux grains presque inaccessible. Les artères dans lesquelles la circulation est la plus difficile sont les rues Montmartre (rien de nouveau, on le voit, sous le soleil !), de la Comtesse-d'Artois, de la Lingerie et Saint-Honoré. On déplore en outre de nombreux accidents, souvent mortels. Enfin, la halle aux blés elle-même, devenue trop exiguë, ne répond plus à sa mission primitive. Des centaines de sacs, faute d'y trouver place, doivent demeurer à ses abords, exposés à la pluie ou à la neige en mauvaise saison.

Le marché de la volaille, très important par le nombre des fournisseurs forains qu'il rassemble, suscite des embarras analogues quai des Augustins, où poules, poulets, oies, canards, pintades et dindes sont exposés à découvert en toute saison, au milieu d'un grouillement de peuple. Les carrosses ne peuvent franchir le quai pendant les marchés et ce quai, l'un des plus élégants de Paris, « se trouve toujours couvert de paille ou arrosé du sang des animaux qu'on y tue, d'où une putréfaction incommode au public ».

Quant au marché aux veaux, le dernier pour animaux de boucherie vivants qui ait réussi à subsister dans Paris, il a fallu le déplacer déjà à plusieurs reprises devant les plaintes des riverains. L'emplacement actuel paralyse lui aussi la circulation. La réverbération du soleil, par temps chaud ou orageux, y rend le stationnement insupportable ; il est courant d'y voir le bétail périr d'insolation.

En vue de pallier ces nombreux inconvénients, une compagnie de financiers — parmi lesquels probablement le marquis de Sourches, l'auteur des *Mémoires* — propose en 1714 de rassembler les trois marchés dans un périmètre de 1 260 toises (2 457 mètres) de largeur et de longueur, clos de murs[1].

L'emplacement choisi se trouve au lieu-dit les « Petits Carreaux », situé au nord des Halles existantes, entre la porte Saint-Denis et l'extrémité des rues Montorgueil et des Poissonniers.

Dans l'enclos, on édifierait d'abord une halle aux grains et aux farines de 604 toises (1 178 mètres) de largeur et de longueur, soit 202 mètres de plus que l'ancienne halle. Les bâtiments seraient sur piliers et couverts.

Près de là, s'élèverait une seconde halle, également couverte, pour la volaille, de 260 toises au carré, soit 158 mètres de plus de chaque côté que l'emplacement du quai des Augustins.

Enfin, la nouvelle halle aux veaux aurait une superficie de 368 toises carrées, soit, là encore, 117 mètres de plus qu'auparavant de chaque côté.

On accéderait au futur enclos par quatre portes monumentales, dont deux proches de la porte Saint-Denis, les autres donnant sur la rue Montorgueil.

Entre les bâtiments neufs, des voies pavées modernes permettraient à deux charrettes de passer de front. Un sens unique serait institué : les charrettes ou véhicules entreraient pleins à une extrémité et sortiraient vides à l'autre, ce qui supprimerait tout embouteillage.

Le long de l'immense mur d'enceinte s'aligneraient en grand nombre des écuries édifiées en appareil léger, garnies

1. Arch. nat. G^7 441. Le dossier comporte un plan en élévation.

d'auges et de râteliers, afin d'héberger les chevaux des forains pendant les marchés. Enfin, deux auberges avenantes procureraient à ces mêmes forains repas et boissons.

Selon le procédé habituel à l'époque, les nouvelles halles seraient à péage, les taxes prélevées permettant de rémunérer la compagnie maître-d'œuvre. Les droits de « place, de halle et de couverture », d'ailleurs assez modiques, s'élèveraient à un sol par setier de grains (156 litres) et par panier de volailles, deux sols par veau, trois sols par agneau, un sol par attache de cheval dans les écuries.

Ce projet sérieux, hardi et mûrement étudié pourrait apporter à la capitale, pour un siècle au moins, une solution de base à son décongestionnement. Il se heurtera malheureusement à l'indécision du pouvoir, au délabrement des finances, aux intérêts particuliers coalisés et à la défaveur injuste qui s'est abattue sur Desmaretz, contrôleur général des Finances des années les plus noires du règne. Trop accaparé par ses propres problèmes, celui-ci préférera le conserver dans ses cartons en attendant une occasion meilleure, qui ne se présentera pas.

***

Faute d'obtenir le déplacement des Halles, d'Argenson s'attache à une série de mesures de détail moins ambitieuses qui, réunies, finissent malgré tout par procurer des remèdes efficaces.

Il fait supprimer diverses fontaines, barrières (postes) de sergents et égouts qui embarrassent la voie publique : ainsi seront déplacées, place Maubert, la barrière et la fontaine situées au pied de la montagne Sainte-Geneviève, en face de l'église des Carmes ; même transfert, aux abords du marché Neuf, dans la Cité, de l'antique barrière du pont Saint-Michel.

Des élargissements de rues anciennes sont proposés, entre autres rue de la Bûcherie, attenante au Petit Châtelet, afin de dégager la rue Galande, une des plus empruntées par les voitures les jours de marché. Les maisons de la rue de la

Bûcherie, très délabrées, sont d'ailleurs devenues des taudis ; deux d'entre elles se trouvent qualifiées de « masures ».

L'interdiction de doubler avec les charrettes est étendue à nombre d'artères, et l'on relève mainte contravention à ce sujet. Elles concernent surtout des bouchers[1].

L'interdiction de stationner, en obstruant le passage, est renforcée : le 22 février 1709, deux livres d'amende sont réclamées à une série de maquignons dont les charrettes, près du marché aux veaux, sont rangées côte à côte ; l'amende est même portée à 20 livres pour l'un d'eux, qui s'est moqué du sergent verbalisateur.

L'envoi en fourrière des véhicules en infraction est décidé : la police les remise en général dans des cours privées ou dans celles d'hôtelleries proches.

On renforce les poursuites contre les artisans ou commerçants qui, au mépris d'une ordonnance des trésoriers de France de 1683, encombrent abusivement les rues par des établis au-devant des boutiques, des auvents de dimensions excessives, des comptoirs débordants. Les rôtisseurs vendant « à la main », c'est-à-dire à emporter, ne peuvent plus placer d'âtres en saillie ni les bouchers d'étaux, sans concession préalable ; les boulangers ne sont pas admis à fendre leur bois sur le pavé, les maréchaux, charrons, menuisiers à placer devant leurs ateliers des pièces de bois ou des trains de carrosses, les marchands de fer, épiciers, cabaretiers à entreposer leurs fers ou tonneaux le long des maisons. Il n'est également plus permis d'étayer les immeubles vétustes sans autorisation.

***

Le stationnement des cochers et porteurs de chaises est plus sévèrement réglementé : il ne peut avoir lieu qu'en des points déterminés, usage nouveau d'où provient, sans doute, le nom de voitures de place. C'est ainsi qu'on interdit aux cochers stationnant devant les Jésuites de la rue Saint-Antoine de venir

1. Arch. nat. Y 9537, année 1709.

attendre les clients à l'extrémité du pont Marie, comme aussi « d'y incommoder la voie par la fiente de leurs chevaux et le foin qu'ils leur font manger». En 1707, le cocher d'un carrosse marqué... BB se voit ainsi infliger 15 livres d'amende pour s'être mal rangé rue aux Ours.

Les carrosses de louage, pour être plus aisément reconnus de la police, portent un numéro d'ordre et un signe distinctif, par exemple une fleur de lis.

Lorsque les cochers conduisent des clients au spectacle, puis les attendent pour les ramener à leur domicile, ils doivent prendre place dans une file et ne plus quitter leur siège. L'un d'eux est puni, en octobre 1713, pour s'être éloigné de son véhicule : pendant son absence ses chevaux, pris de peur, ont reculé, coinçant un piéton contre un mur. Aux abords des salles de spectacle sont en outre ménagées des « places de distinction » destinées aux personnes de qualité.

La désignation par la police des emplacements des véhicules de louage ne va pas toujours sans soulever des contestations. M. de Cavoye (Saint-Simon a conté ses aventures) se plaint au roi que d'Argenson ait interdit le stationnement des chaises à porteurs, dont il a la concession, près de la Croix du Trahoir, « lieu accoutumé et qui n'incommode pas le public ». Cavoye soupçonne la police d'avoir voulu, ce faisant, avantager un cabaretier dont les chaises entravent son commerce.

Les cochers, parfois pris de vin, souvent mal embouchés, provoquent des altercations dont ils deviennent les premières victimes : « Hier au soir, écrit d'Argenson à Pontchartrain en 1704, deux jeunes gens, dont l'un est fils de l'argentier de M. le duc du Maine, après avoir battu tout de leur mieux un cocher de louage de la rue Saint-Antoine à coups de canne et de plat d'épée, lui donnèrent un coup de tranchant sur le poignet dont les chirurgiens craignent qu'il ne demeure estropié. Ils furent aussitôt conduits en prison. »

Les accidents de la rue demeurent assez fréquents. En novembre 1711, les chevaux du carrosse du munitionnaire général Forgez s'emballent ; le cocher choit de son siège ; Forgez, ayant pris le parti de sauter du marchepied, est écrasé.

La police, faute de pouvoir réglementer la vitesse, tente au moins d'éliminer une cause assez particulière d'accidents : les acquéreurs de chevaux sont dans l'usage de faire galoper les montures en pleine rue ou sur les places, à toute bride, afin de vérifier leurs aptitudes, ce que l'on interdit. Le secrétaire du roi se montre d'ailleurs sceptique sur les résultats de cette méthode. On croit ainsi, écrit-il, déceler leur bonté ou leurs défauts, mais « avec toutes les précautions, les meilleurs connaisseurs ne laissent pas d'y être souvent trompés ».

***

Sauf en cas de travaux urgents de réfection de la chaussée ou de circonstances exceptionnelles, la police évite au maximum d'interrompre la circulation. Au titre des cas exceptionnels on doit mentionner :

— Les crues de la Seine, qui mettent en danger la résistance des ponts et l'assiette des maisons édifiées sur leur tablier. Une lettre de d'Argenson précise les précautions à prendre en pareil cas[1] : « L'inondation étant beaucoup augmentée et les premières arches du Petit Pont, du pont Saint-Michel et du pont au Change se trouvant presque bouchées, l'évidence du péril et l'ébranlement de quelques maisons, que M. le prévôt des marchands et moi avons visitées ce matin, nous a fait prendre la résolution d'obliger les habitants à déloger et à faire emporter tous leurs meubles.

« Nous avons donné ordre qu'on fermât ces trois ponts par des pieux et par le moyen des chaînes qui sont aux entrées. Quelques escouades assurent l'observation de ces défenses. Si l'eau baisse cette nuit, nous rendrons libres pour la journée ces trois passages pour empêcher les embarras infinis que leur interdiction pourrait causer : mais, pour peu que le péril continue, nous n'exposerons pas le public aux accidents funestes qui en pourraient arriver. »

1. Arch. nat. G^7 1727, 1er mars 1711.

— Autre cas exceptionnel, qui en dit long sur l'importance des grands de ce monde : « Mme la princesse de Conti, dont, vous le savez, — écrit d'Argenson à Pontchartrain — la santé est très délicate, désire qu'on mette des pieux à l'entrée de la rue de Guénégaud pour en fermer le passage. Quoique cette rue soit une des plus nécessaires de Paris, j'ai cru que la nécessité publique devait céder à la commodité particulière d'une personne de ce rang. Mais avant que ces pieux fussent placés, avec certaines précautions qui préviendront une partie des inconvénients qu'on en pourrait craindre, j'ai été bien aise que vous en fussiez informé[1]. »
— Dans le même ordre d'idées, le roi, revenant sur une tolérance déjà ancienne, décide d'empêcher à l'avenir chariots, charrettes, fourgons et autres voitures publiques de traverser les parcs de Vincennes et de Versailles. On rétablira pour ces véhicules les chemins longeant les murs d'enceinte.
— Lors des cérémonies, les grandes artères et certaines routes sont neutralisées. Pour la revue annuelle du régiment des gardes, à Versailles, l'accès du pont de Sèvres et celui de l'avenue de Versailles sont interdits à tous carrosses autres que ceux des princes et princesses du sang, ambassadeurs et ministres ; la circulation est détournée par Saint-Cloud.

***

Les grandes fêtes nationales ou processions solennelles, telles les cérémonies de 1699, suivies d'un grandiose feu d'artifice sur la Seine, font surgir un autre problème de sécurité. Les gens riches édifient en pareil cas des échafauds (ou tribunes), et en obtiennent permission du prévôt des marchands pour un jour seulement, tout devant être démoli le lendemain. Le commissaire Delamare, dans une lettre du 12 août 1699, évoque le conflit qu'il a eu à ce sujet avec le prévôt : « J'avais donné hier les mesures aux marchands du Pont Neuf pour-

1. Bibl. nat. Fonds Clairambault 867, 10 février 1699.

leurs échafauds. Ils y faisaient travailler ce matin et nous devions les visiter avec les jurés charpentiers cette après-dînée. Mais M. le prévôt des marchands y est présentement, qui fait tout abattre, faute d'avoir pris sa permission. » D'Argenson répond : « Il ne saurait y avoir trop peu d'échafauds et, si j'avais été le maître, il n'y en aurait pas un seul. Dieu veuille que ceux qui restent ne donnent pas lieu à des accidents fâcheux. J'attends avec impatience que la journée de demain soit finie et le peuple un peu revenu de la licence qui accompagne ordinairement les fêtes publiques[1]. »

Les craintes de d'Argenson sont fondées. Les tribunes à deux étages édifiées par le tapissier Lopinot, contre un des pavillons du collège Mazarin, s'effondrent, blessant plusieurs femmes. Deux autres, situées au voisinage et exagérément chargées, subissent un sort identique, ce qui « dégoûte les bourgeois de louer des places dans les échafauds du quai Malaquais, qui se trouvent presque abandonnés ». Huit à dix personnes seulement ont utilisé les tribunes de l'hôtel de Bouillon, lesquelles tombent par deux fois ! « Les places des unes et des autres qui, la veille, n'étaient pas louées moins d'un écu, sont données à quatre ou cinq sols, et le désordre n'est pas moins grand du côté du Louvre. » Le commissaire Bizoton, épris d'égalité, souligne que, dans des fêtes de cette qualité, le spectacle « devrait être libre et gratuit, le peuple ne pouvant souffrir qu'on retranche une partie du territoire public pour en faire, à son préjudice, des places de distinction et de réserve, où l'on n'est admis qu'en payant ».

*
* *

L'accroissement de la circulation entraîne une autre conséquence imprévue. Le foin, nourriture de base des chevaux avec l'avoine, joue à l'époque le même rôle que l'essence de nos jours. La police estime donc de son devoir d'écarter toute spéculation sur le prix du fourrage. Chaque année, après la

1. Bibl. nat. Manusc. français 21693.

fenaison, le lieutenant général s'enquiert auprès des intendants de l'importance de la récolte et des stocks existants ; il entend ensuite marchands et inspecteurs des foins, puis taxe en connaissance de cause le fourrage pour les douze mois à venir.

Les bottes doivent être liées de trois liens de « foin de pareille qualité », le tout étant « bon, sain, sec et non mêlé ». Chacune d'elles, en tenant compte de la perte d'humidité, doit peser, selon la qualité, 12 à 14 livres - poids entre la récolte et la Saint-Remy, 10 à 12 livres de la Saint-Remy à Pâques, 9 à 11 livres entre Pâques et la récolte suivante. Sur ces bases, la taxe pour l'année 1714 va de 17 à 20 livres les cent bottes, plus une redevance de 4 livres 12 sols.

Les procès-verbaux soulignent les fraudes multiples auxquelles les marchands de foin se livrent pour échapper à ce dirigisme pointilleux. Les uns vendent des bottes qui ne font pas le poids légal, et l'on ramène alors, par exemple, 100 d'entre elles à 75. D'autres proposent au prix fort des marchandises de basse qualité. D'autres encore transportent en fraude, sans souscrire aucune déclaration. Le commissaire Duchesne confisque ainsi un bateau de foin qu'on déchargeait sur la Marne, contenant près de six mille bottes ; les trois quarts en sont vendus d'autorité, le reste demeure acquis au fisc[1].

Les rues ne servent pas seulement à la circulation des véhicules : les moins passantes d'entre elles, ainsi que les petites places, constituent autant de terrains de jeux pour une jeunesse souvent livrée à elle-même. Le Grand Siècle possède, lui aussi, ses « blousons noirs », dont les rapports de police nous révèlent les violences.

D'aucuns s'attroupent le dimanche derrière les murs du champ de l'Alouette et des Capucins du faubourg Saint-Jacques, s'y battent à coups de fronde, insultent et maltraitent

1. Arch. nat. Y 9498, 6 août 1714, et Y 9537, septembre 1711.

les passants. Ils blessent, le 16 août 1701, un clerc tonsuré ; le père du frondeur coupable, un maître charron, répond en justice de l'accident.

D'autres jouent au bâtonnet places Vendôme et des Victoires, crevant parfois les yeux de leurs partenaires ou endommageant le cuir chevelu des badauds. Les Savoyards, presque tous frotteurs de parquets, sont experts à ce divertissement. Gare au piéton qui proteste au passage : nos montagnards se rameutent et lui font un mauvais sort.

On s'amuse aussi, dans les endroits tranquilles, au volant (ce qui endommage de temps à autre les lanternes), aux quilles, au cerf-volant et surtout aux boules. En 1700, dans le mail du Cours-la-Reine, un tailleur reçoit une boule sur le front, le fautif étant un pointeur maladroit : d'Argenson interdit ce jeu tant au Cours-la-Reine que dans ses environs.

Aux périodes de grand froid, valets de chambre, pages et laquais « crossent » dans les rues verglacées et menacent d'armes à feu ceux qui « pensent leur en remontrer ».

Le tir à l'arc est demeuré populaire, entre autres parmi les jeunes apprentis des faubourgs Saint-Denis et Saint-Lazare, qui tirent des flèches ferrées de plus de deux pieds de longueur, à l'aide d'un arc tendu avec force. La police défend à Jacques Amiot, compagnon menuisier, de poursuivre la fabrication de telles flèches et son fils doit ôter toutes celles qu'il a malignement fichées dans les portails du voisinage[1].

D'aucuns se hasardent même, en plein Paris, à tirer les hirondelles sur les berges de la Seine à coups de fusil ou de pistolet, exercice d'adresse cruel et plutôt fâcheux pour la sécurité des passants ou des baigneurs.

Ces pratiques étant elles aussi défendues — de même que les tirs de pétards, fusées, « saucissons » sur la voie publique —, les jeunes gens utilisent leurs armes pour jouer entre eux à la petite guerre, en tirant à blanc, dans les terrains vagues de la colline de Montmartre, dans les chemins de traverse de la « Nouvelle France » ou près du moulin Briolet, dont le meunier

1. Bibl. nat. Manusc. français 21693.

vend du vin le dimanche. Parfois, on charge subrepticement les pistolets à balles pour faire « plus vrai », ce qui « cause de grands accidents ».

***

Du tir « pour jouer » à la chasse, il n'y a qu'un pas. Chacun sait que ce sport est réservé aux gentilshommes et une tradition tenace veut que le braconnage ait toujours été, sous l'Ancien Régime, puni de mort. La réalité est assez différente : la grande ordonnance de Colbert sur les Eaux et Forêts de 1669 a humanisé la répression, en abolissant la peine suprême, sauf lorsqu'au délit de braconnage s'ajoute un homicide.

Désormais, la « chasse à feu » et l'entrée de nuit dans les forêts royales ou particulières ne sont punies que d'une amende de cent livres, et d'un châtiment corporel sans grande gravité, s'il échet. Les individus surpris à tendre des lacs, tirasses, tonnelles, traîneaux, bricoles de corde ou de laiton, rets, colliers, lacets de fil ou de soie ne sont de leur côté condamnés qu'à trente livres d'amende et au fouet. Seule la récidive est vraiment dangereuse, puisqu'elle entraîne le flétrissement et le bannissement pour cinq ans. En fait on se contente d'envoyer à l'Hôpital général ou à Bicêtre les récidivistes chevronnés.

Les nobles ne sont pas, en revanche, exempts de peines assez lourdes s'ils chassent sans autorisation soit dans les forêts ou plaines royales (15 000 livres d'amende), soit à moins d'une lieue de celles-ci pour le petit gibier, et de trois lieues pour les animaux de vénerie. La chasse aux chiens d'arrêt, considérée comme trop destructrice, leur est interdite, même sur leur propre domaine. Si celui-ci — cas fréquent dans la région parisienne[1] — se trouve inclus dans le périmètre d'une capitainerie de chasse, le propriétaire ne peut percer dans les murs de clôture ni trous, ni « coulisses » permettant le passage du gibier. Les capitaines de chasse peuvent même s'opposer à ce

1. La maîtrise de Paris comprenait cinq grueries : Brie-Comte-Robert, Montlhéry, Corbeil, les bois de Boulogne et de Vincennes, enfin une seule véritable forêt, celle de Livry, de 1 177 arpents.

qu'un grand tire dans son parc et le contraindre à recevoir leurs gardes : ce sera le cas pour le prince de Léon en 1706[1].

En outre, si le braconnage a cessé d'être puni de manière exemplaire, la chasse permise s'est, de son côté, largement démocratisée, puisqu'un arrêt du Conseil de 1659 en a conféré le droit à tous les propriétaires d'offices royaux, domaniaux, de justice, de police et de finance. Bénéficient des mêmes avantages les officiers des princes, seigneurs, ou « dames », ainsi que les marchands, artisans, bourgeois, paysans s'ils possèdent des fiefs nobles (avec seigneurie et droit de haute justice). Des dizaines de milliers de chasseurs sont ainsi venus s'ajouter aux gentilshommes faisant courre « à bruit » dans les forêts ou chassant à l'oiseau. Les nouveaux venus préfèrent en général la chasse à tir.

Le gibier des domaines royaux est extrêmement abondant, ce qui explique l'étendue du braconnage aux portes de Paris : Dangeau rapporte, entre cent exemples, qu'à Marly, le 5 septembre 1710, Monseigneur et ses trois enfants ont tué deux cent cinquante faisans, qui sont « en quantité prodigieuse dans ce parc et dans celui de Versailles ».

En fait, si les parcs royaux sont bien et sévèrement surveillés, il n'en va pas de même pour les vastes capitaineries de chasse de banlieue. Chacune possède un effectif de gardes, les uns à pied, les autres à cheval, commandés par des officiers, mais ces gardes sont en bien trop petit nombre pour assurer une surveillance efficace, d'autant qu'ils ont en général affaire à des délinquants de profession « chassant jour et nuit à force ouverte, et menaçant de tuer ou de brûler les opposants ».

Les attendus d'une ordonnance de 1719 soulignent à quel point les Parisiens se livrent aux plaisirs défendus, se « licenciant à porter fusil ou autres armes à feu, à tendre des lacs ou filets, à laisser aller leurs chiens dans les plaines royales, ce qui cause la ruine du gibier ». D'autres braconnent de nuit soit à la lanterne, soit à l'aide de traîneaux ou engins ; il s'agit souvent de

1. Arch. nat. 0^1 367, 25 août 1706. — Il y avait des parcs royaux à Versailles, Saint-Cloud, Saint-Germain, Fontainebleau, Marly, et des plaines royales à Saint-Denis, Gennevilliers, La Varenne.

paysans, mécontents d'être dépossédés du droit de chasse sur les terres qu'ils cultivent. Un garde aposté dans la plaine aperçoit ainsi, en « six endroits et plus, des gens qui chassent au feu dans les chaumes, avec des filets tendus » et qui tuent au bâton les perdrix endormies. Certains « portent du feu dans un sabot ». Ils agissent en bande et sont armés[1].

Afin d'éviter le braconnage le plus destructeur, opéré à l'aide de traîneaux et de filets, les capitaines obligent les paysans à parsemer les plaines royales de buissons d'épines irrégulièrement disposés, à raison de cinq buissons par arpent. Certains ont subsisté jusqu'à nos jours. Chaque année le capitaine procède, après la moisson, à la visite des terres « non épinées » et sanctionne les propriétaires défaillants.

D'autres braconniers s'attaquent aux faisans, par exemple à Clamart, et le juge du lieu procède contre eux[2]. Les plus enragés sont les soldats aux gardes qui, aussi bien Suisses que Français, se livrent en bandes armées au rabat des animaux de vénerie dans la forêt de Sénart ou le bois de Verrières, et y abattent un si grand nombre de cerfs, biches, daims et sangliers que, lors d'une chasse, Monseigneur découvre plusieurs cerfs tués. Il s'agit, comme trop souvent encore de nos jours, de gagner de l'argent en vendant la viande des animaux.

En juillet 1703, le secrétaire du roi demande aux brigades du prévôt de l'Ile de prêter main-forte, si nécessaire, aux gardes-chasse. D'Argenson, de son côté, ordonne de veiller à ce qu'il n'entre point à Paris « de chairs de bêtes rousses sans qu'on sache d'où elles viennent ». Mais nombre de nobles vendent leurs prises, pour se dédommager des frais élevés d'équipage et de meute. L'inspecteur Pelletier, chargé de visiter les quartiers de gibier, ne « pourra et devra donc pousser ces visites que jusqu'à un certain point ». On compte surtout sur l'affichage de l'ordonnance pour intimider les braconniers. En outre, on interdit aux pâtissiers, rôtisseurs ou cabaretiers d'acheter du gibier aux soldats et paysans, sauf dans les marchés[3].

1. Bibl. nat. Manusc. français 8123.
2. Arch. nat. 0^1 363, 8 février 1702.
3. Bibl. nat. Manusc. français 21660.

*
* *

Par précaution, on réglemente, en octobre 1699, la vente de la « poudre à giboyer », qualité réservée à la chasse, distincte de la poudre « à mousquet » ou à « munir les vaisseaux ». Elle est délivrée au détail à 26 sols la livre et on en trouve, ainsi que des cartouches, chez les papetiers détaillants. De « faux-poudriers », à partir du salpêtre et du charbon de bois, fabriquent eux aussi de la poudre vendue en fraude aux paysans. Ils sont punis, si on les prend, des mêmes peines que les faux-sauniers.

Le plomb de chasse, importé d'Angleterre et de Hollande, est revendu cinq sous la livre. Les balles ou « dragées » de plomb demeurent en dehors du commerce.

Vivant sur les lieux mêmes des chasses royales ou seigneuriales de la banlieue parisienne, les cultivateurs sont astreints à diverses obligations impopulaires : ne pas couper leur sainfoin avant la Saint-Jean (pour sauvegarder les couvées de perdreaux), planter, nous l'avons vu, des buissons d'épines, ne pas tolérer la divagation des chiens, lesquels, même dans les villages, doivent porter le billot au col et avoir le jarret coupé. Les bergers doivent rentrer à l'écurie avant le coucher du soleil et repartir aux champs après son lever. Les riverains de la Seine ne peuvent se rendre dans les îles, alors nombreuses, au temps de la ponte des perdrix, canards sauvages ou sarcelles, ni faucher les prairies ou couper l'osier dans les bordages avant la mi-juin.

Enfin, dans les pièces de blé, les chardons doivent être ôtés au plus tard en mai. En 1713, le capitaine de Saint-Germain refuse la permission de le faire ultérieurement, les perdrix commençant à pondre, « bien que les chardons et mauvaises herbes étouffent le blé, et vont diminuer la récolte d'un tiers ». Le contrôleur général des Finances, saisi d'une plainte des propriétaires, qui s'indignent devant tant de sévérité, car « les princes ne chassent jamais dans le canton », laisse traîner le dossier et répond, en juin, qu'il est trop tard pour accorder la permission sollicitée[1].

1. Arch. nat. G^7 440, 22 juillet 1713.

En contrepartie de leurs obligations, les laboureurs sont protégés — c'est bien le moins ! — contre toute chasse sur leurs terres lorsque « le blé est en tuyau », ainsi que dans leurs vignes, entre le 1er mars et la vendange.

***

Quant à la pêche « à la verge », c'est-à-dire à la ligne, elle est libre à Paris, selon une coutume remontant à saint Louis, sur le parcours de la Seine autre que « l'eau du roi », entre la pointe de la Cité située derrière le chevet de Notre-Dame et Villeneuve-Saint-Georges. Les amateurs de pêche peuvent utiliser barques et bachots. La prise des brochets, carpes, barbeaux et brèmes est prohibée au-delà d'une taille déterminée.

Lorsque les intéressés veulent vendre le produit de leur pêche, ils l'apportent rue de la Cossonnerie, « sur les tables accoutumées, à sec et sans eau ». Les pêcheurs forains font de même. Des jurés spécialisés viennent visiter la marchandise avant sa mise en vente. Elle passera, au temps de d'Argenson, sous la compétence des jurés vendeurs de marée, puis, en mai 1708, des jurés vendeurs de poisson d'eau douce.

***

De même qu'avant 1700, la modernisation de Paris se poursuit, mais il s'agit moins de monuments et d'édifices publics nouveaux — le Trésor est bien incapable de les financer — que d'immeubles privés ou d'ensembles d'urbanisme, favorisés par la dépréciation incessante de la monnaie, qui fait de la pierre la meilleure des valeurs - refuge, avec le blé et l'or.

En 1699, après diverses tribulations que nous avons contées ailleurs[1], les terrains de l'actuelle place Vendôme, d'abord acquis par le roi, puis revendus à la ville, sont cédés aux particuliers à soixante livres la toise de façade, sous réserve qu'un

1. *Les Financiers sous Louis XIV*, chap. XI.

plan d'ensemble revisé, dû à Mansart, sera respecté par les maîtres d'œuvre. Une compagnie foncière, animée par le prête-nom de grands financiers, Jean Masneuf, se charge du lotissement, qui porte sur 3 hectares 75. Les lots sont bornés en juin 1705, la compagnie prenant à sa charge la construction des façades, dessinées par Mansart, la ville procurant le pavage et les consoles des lanternes. Au centre s'élèvera la fameuse statue équestre de Louis XIV, due à Girardon, haute de 6 mètres 50. Parmi les premiers propriétaires riverains figureront notamment Antoine Crozat, le comte d'Évreux son gendre, La Vieuville, Paparel, trésorier général de l'extraordinaire des guerres, Reich de Pennautier, le fermier général Lelay, Villemaré — ami de Pontchartrain — et Poisson de Bourvalais, le plus détesté des traitants : son palais sera confisqué après la mort de Louis XIV pour devenir l'actuel ministère de la Justice. Le contrôleur général des Finances Chamillart se fera construire, un peu à l'écart, un hôtel financé, en 1700, par le produit d'une nouvelle taxe levée sur les gens d'affaires !

Le roi s'inquiète parfois de tant d'édifices superbes — sont-ce des maisons particulières, sont-ce des temples? dira un moraliste — et écrit à d'Argenson[1] : « Il se fait auprès de la maison de M. de Ménars, faubourg de Richelieu, un bâtiment considérable dont on parle diversement et dont personne ne connaît le maître. Je veux savoir précisément qui le fait édifier et à quoi il est destiné. Faites-vous en rendre compte par l'architecte et, s'il faisait difficulté de déclarer à qui il est, obligez-l'y en faisant cesser le bâtiment. Je veux savoir, de même, à qui est un petit pavillon fait depuis peu hors de la porte Saint-Honoré, en tournant à droite sur le rempart[2], vis-à-vis le bâtiment qu'avait fait Lulli, et s'il n'est point en dehors des limites. »

Vers 1700, on s'ingénie, afin d'embellir la ville et de faciliter la circulation des piétons en haut du pavé, les jours de grande pluie, à remplacer par des tuyaux de descente les gargouilles

1. Arch. nat. 0^1 365, 29 mai 1704.

2. Les actuels Grands Boulevards.

moyenâgeuses, d'où tombaient des torrents d'eau. D'abord en plomb — ce qui les expose à des vols fréquents —, ils sont bientôt fabriqués en fer.

***

Depuis le début du XVIIe siècle, Paris s'est couvert d'hôtels particuliers, homologues des châteaux campagnards, qui permettent non seulement aux nobles, mais aussi à nombre de parvenus, d'éblouir leurs contemporains, en y donnant soupers, concerts, galas, en y abritant collections de tableaux, d'antiques, de médailles, de curiosités, voire aussi des serres pour plantes rares. Le pouvoir s'émeut, en 1704, de cette débauche de luxe roturier et charge d'Argenson d'une enquête générale sur les hôtels et châteaux, dans le dessein, sans doute, d'asseoir quelque taxe nouvelle. Ceci nous vaut deux lettres pleines d'esprit et d'intérêt :

Jamais aucune ordonnance, écrit le lieutenant général de police, n'a déterminé la condition des personnes qui peuvent mettre sur le frontispice de leurs maisons l'inscription d'hôtel. La naissance et les dignités ont seules établi cette distinction, sans l'autorité des lois, et je ne vois pas que, jusqu'à présent, on ait beaucoup abusé de cette liberté *(sic !)*.

A l'égard du droit de mettre des barrières à l'entrée des maisons, il peut y avoir des règles et des principes, puisque ce droit présuppose celui d'avoir des gardes. Ainsi MM. les connétables, chanceliers, gouverneurs de Paris, colonels généraux de l'infanterie, grands maîtres de l'artillerie de France ont toujours été dans cet usage, que l'ont peut étendre à tous ceux qui, par le privilège de leur charge, peuvent et doivent avoir un corps de garde à leur porte.

Je chercherai parmi nos règlements quelque trace de cette prérogative, surtout par rapport aux règnes de Charles V et Louis XI, où les rangs n'étaient pas confondus comme ils l'ont été depuis, par l'inclinaison des Français, qui aiment naturellement à se croire égaux et ne cèdent volontiers qu'à leur souverain[1]...

Après des investigations approfondies[2], d'Argenson, expliquant l'usage des Romains et celui du Moyen-Age, puis justi-

1. et 2. Bibl. nat. Fonds Clairambault 490, 5 et 7 février 1704.

fiant les anciennes dénominations d'hôtel, de castel et de « séjour », remarque au passage :

Le goût du souverain a toujours fait en France celui des sujets, tant que le génie naturel de la nation n'a point été troublé par des impressions étrangères ou forcé par des mouvements de révolte : ainsi, quand les rois ont honoré Paris de leur présence, les seigneurs, les magistrats et les principaux bourgeois n'avaient point de maison de campagne, et se contentaient des promenades publiques ou de quelques jardins particuliers, qu'ils louaient dans les quartiers les plus éloignés et à qui l'on donnait le nom de *séjour*.

Mais, depuis qu'il a plu au roi de préférer la campagne et de l'embellir par les monuments les plus magnifiques et les jardins les plus superbes, chacun a cru qu'il lui était indispensable d'avoir une maison de plaisance détachée de la ville. On s'est même fait une loi d'orner ces maisons avec quelque soin, et quelques personnes de la plus basse bourgeoisie ont porté cette espèce de luxe jusqu'au dernier excès.

***

Un mot, pour terminer, du palais du Louvre, abandonné par Louis XIV pour Versailles vers 1678-1680. Il est devenu le séjour ordinaire de nombreux privilégiés, artistes, artisans d'art, ainsi que le siège de plusieurs académies, sous la direction de Mansart et d'une sorte de gouverneur, le commandant Seguin.

Pour y loger, il faut obtenir une permission spéciale du souverain, assez libéralement dispensée d'ailleurs, puisqu'on relève parmi les bénéficiaires M. de Vienne, avec sa femme et sa belle-mère, les La Chesnaye père et fils, Maréchal, le premier chirurgien du roi, voire le nommé Lagrange, garçon de la chambre du roi, qui obtient un appartement de deux pièces et d'un entresol dans l'attique.

Certains locataires apparaissent même être sans droits ; d'Argenson doit enquêter sur l'abbé Archon, dont Louis XIV « ne se souvient point pour quelle raison, ni en quel temps, il a été logé au Louvre ».

Une autorisation spéciale est nécessaire pour l'entrée des carrosses dans les cours ; elle ne s'étend pas aux invités des locataires.

Mansart établit, dans le palais, les médailles, et l'imprimerie dans le logement de Coypel. En septembre 1704, le roi autorise une exposition de l'Académie de peinture dans la grande galerie, « depuis la porte du petit escalier jusqu'aux Tuileries ».

Le gouverneur se plaint que « toutes sortes de personnes se donnent la liberté de faire dire des messes dans la chapelle et d'y communier ». On réduit à sa demande les offices à un seul par jour.

Quatre portiers se trouvent aux entrées, dont l'un « observe ce qui se passe dans les cours et les bâtiments commencés », c'est-à-dire la première colonnade, la nouvelle aile sud et la nouvelle façade, devant celle de Le Vau.

Détail pittoresque : afin de protéger le Louvre contre mendiants et clochards venus des Halles, on ferme en 1702 la porte donnant du côté de Saint-Germain-l'Auxerrois. Le curé, pour la commodité de ses paroissiens demeurant dans le palais, suggère qu'elle soit rouverte. Le roi, sur avis du gouverneur, maintient l'ordre de fermeture. Le curé proteste et d'Argenson doit enquêter. Finalement, on rouvre la porte litigieuse, mais en y plaçant un portier « attentif à chasser les mendiants ».

CHAPITRE IV

PREMIÈRES PRÉOCCUPATIONS SOCIALES LES HOPITAUX « DE CORRECTION »

A LA FIN du règne de Louis XIV, les problèmes sociaux — au sens moderne du terme — apparaissent pour la première fois dans les préoccupations du pouvoir. Il ne s'agit pas d'ailleurs d'une politique délibérée, moins encore systématique : il se trouve simplement que la réalité quotidienne pose à l'administration des problèmes humains douloureux, que celle-ci s'efforce de résoudre tant bien que mal.

Jérôme de Pontchartrain, supérieur hiérarchique direct de d'Argenson et simultanément ministre de la Marine, ainsi que divers intendants, tels Clairambault et Bégon, se feront sans cesse auprès du roi les interprètes apitoyés d'une population misérable, dont il ne faut pas « insulter la pauvreté ». Pontchartrain, notamment, témoigne vis-à-vis des matelots d'un esprit de bienveillante équité et de compréhension attentive « pour tous ceux que leur condition risque de livrer sans défense à l'arbitraire de leurs supérieurs ou des classes privilégiées[1] ».

Cet esprit nouveau se manifeste aussi dans la police.

Tel est le cas, tout d'abord, de la prévention des accidents du travail dans certaines professions dangereuses.

1. M. GIRAUD : *Tendances humanitaires à la fin du règne de Louis XIV*, dans *Revue historique*, avril-juin 1953.

En 1704, deux compagnons employés par le menuisier Robillard sont tués par l'effondrement soudain du premier étage d'un hangar chargé à l'excès, sous lequel ils travaillaient à leur établi. D'Argenson ouvre une enquête : on constate de graves négligences de l'employeur : le plancher reposait sur « des soliveaux de sapin simplement posés sur des corbeaux, sans tenons ni mortaises ». Le tribunal de police condamne l'intéressé à une amende, dans un jugement aux attendus nouveaux : « La plupart des marchands de bois à bâtir et des menuisiers de cette ville, y lit-on, plus attentifs à ménager leur terrain qu'à pourvoir à la sûreté de leurs ouvriers, négligent de prendre les précautions nécessaires pour rendre solide la construction de leurs hangars et chantiers, en y élevant des piles de bois et de planches d'une hauteur excessive et en bâtissant des hangars en état de tomber au premier coup de vent. »

A la suite de ce jugement, une ordonnance exige que les hangars soient constitués de bon bois, comportent des poteaux de soutènement d'au moins 9 pouces de diamètre, assis sur des semelles de chêne ou des dés de pierre de taille. Quant aux piles de bois, soumises désormais à toute une série de spécifications techniques, elles ne pourront avoir plus de 8 pieds (2,60 m) de hauteur.

La même année, un second texte réglemente la sécurité des échafaudages posés par les entreprises du bâtiment. « On a souvent remarqué, indique-t-il, que des marchands, bourgeois ou ouvriers, pour épargner la dépense des échafauds ou faire travailler plus promptement à des réparations d'enseignes, auvents ou fenêtres donnant sur des rues fort étroites et très fréquentées, y font poser des échelles portatives sans aucune précaution ; en sorte que les ouvriers sont en danger d'être renversés à tout moment par les carrosses ou charrettes. »

Afin d'écarter ce risque, on devra désormais poster au pied des échelles « quelques manœuvres ou domestiques pour empêcher qu'il n'arrive aucun accident ». Au cas, néanmoins, où il en surviendrait, les « propriétaires, locataires et ouvriers en seront solidairement et civilement responsables, tenus de tous les dépens et condamnés, la première fois, à cent livres d'amende».

A diverses reprises, notamment en 1705, de malheureux gagne-deniers, loués pour curer des puits infectés ou des latrines, y périssent asphyxiés, ainsi que leurs camarades tentant de les secourir. Une ordonnance défend de conclure de tels marchés et astreint les propriétaires à s'adresser à des maîtres vidangeurs, à peine de trois cents livres d'amende. Même les maîtres maçons ne pourront se charger de ce genre de travaux. La police va plus loin : un puits infecté, situé au coin des rues Montorgueil et Saint-Sauveur, doit être comblé aux frais du propriétaire, la « vie des ouvriers qui pourraient y travailler n'étant pas en sûreté». L'intéressé fera creuser à ses frais un autre puits « hors des infiltrations des latrines voisines[1] ».

Toujours pour des raisons de sécurité — et aussi d'ordre public — la police protège par des grilles solides les vieux égouts à ciel ouvert qui bordaient certaines rues et ordonne aux maraîchers, jardiniers ou bourgeois de clore, dans les jardins et « marais» de Paris, les puits, fossés ou tonnes à eau d'arrosage par des « défenses de pierre, pieux ou palissades». Un enfant de neuf ans, neveu du jardinier Goret, s'est en effet noyé dans un de ces puits à fleur de sol.

***

Les accidents causés à des tiers par des véhicules ouvrent désormais droit à des réparations civiles et la police intervient pour faire respecter les droits des victimes. « Je vous envoie, écrit le secrétaire du roi à d'Argenson, ce placet d'une pauvre femme à laquelle je vous prie de rendre par charité tout le service qu'il dépendra de vous, en excitant ses parties à lui rendre justice.» De même, on presse d'Argenson de s'informer

1. Bibl. nat. Manusc. français 21657 et 21725.

de ce que le duc d'Aumont fera « à l'occasion de l'enfant du nommé Sarrat, maréchal, qui a été tué par son carrosse[1] ».

Le droit à pension est reconnu à certains travailleurs, telle l'ancienne chanteuse Louise Moreau qui, par acte particulier conclu avec M. de Francine, titulaire du privilège de l'Opéra, devait toucher une rente de quatre cents livres par an. C'est là une dette de l'Opéra, estime d'Argenson : « Il y a une vraie charité à ne pas souffrir qu'une personne qui a consommé toute sa jeunesse et affaibli sa santé par un chant presque continuel, ne perde pas la seule récompense qui lui en reste. S'il le faut, à l'occasion du renouvellement du privilège, on en déduira le montant de la pension de M. de Francine[2]. »

Le roi lui-même intervient pour que de vieux serviteurs impécunieux soient abrités décemment à l'hôpital, comme cet ancien laquais de sa favorite, la duchesse de Fontanges. « S. M. m'ordonne de savoir de vous s'il est de qualité à être admis par l'hôpital et ce qu'il faudrait faire pour l'y recevoir. » La même sollicitude s'applique à un ancien garçon d'office de Versailles, atteint de folie. « Il y a apparence, écrit le secrétaire du roi, que sa maladie ne serait pas sans remède s'il était soigné et médicamenté à l'hôpital de Charenton [...] Si on ne veut pas l'y recevoir pour cent cinquante à deux cents livres par an, il faut chercher une autre maison en province pour l'y traiter[3]. »

La police, et ce n'est pas l'aspect le moins attachant de son rôle, sert parfois aussi à adoucir le sort des humbles. N'est-elle pas typique, cette lettre du commissaire Delamare au lieutenant général, du 4 octobre 1704 : « C'est un véritable miracle, Monsieur, que la conversion de Farcy : d'un violent, d'un ivrogne et d'un impie qu'il était avant son emprisonnement à la Bastille, c'est à présent un homme sage et assidu à son commerce. Il lui reste à surmonter son engagement au régiment des gardes. Il s'est accommodé avec M. de Caraman, son capitaine : en lui donnant un homme, il lui donnera son congé.

1. Arch. nat. 0^1 362.
2. Bibl. nat. Manusc. français 8124, 19 janvier 1705.
3. Arch. nat. 0^1 365, 9 juillet et 30 janvier 1704.

Il vous supplie de bien vouloir lui permettre de voir à l'hôpital ou dans les prisons s'il ne pourrait point y trouver ce secours. Cette famille, qui était dans le désordre, se rétablit par la protection que vous avez eu la bonté de lui accorder depuis sa sortie de prison[1]. »

***

Également pour des motifs de paix sociale, Louis XIV s'acharne à faire disparaître les témoignages trop visibles d'un luxe insolent, qui soulève l'indignation des milieux populaires. Les libellistes, les protestants, la propagande hostile des pays en guerre contre le royaume ont beau jeu, en effet, d'opposer la fortune excessive des financiers et des traitants, enrichis par les innombrables taxes qu'ils prélèvent sur les artisans et compagnons, à la misère de ces derniers, réduits massivement au chômage.

En mars 1700, un édit somptuaire condamne le luxe et s'attaque, notamment, aux « dorures et ornements des carrosses, chars roulants et chaises à porteurs ». Le même texte, complétant ceux qui avaient jusque-là prohibé la vaisselle d'or et d'argent, les lamés ou velours tissés de métaux précieux, les épées à garde d'or, etc., interdit en outre l'emploi des dorures dans l'ornementation intérieure des hôtels particuliers. L'usage des boucles d'oreilles en métaux précieux est proscrit, en 1702 sauf — on ne voit guère pourquoi —, aux femmes et filles des greffiers, commissaires, notaires, procureurs et huissiers des cours supérieures. Six commissaires du Châtelet sont désignés pour faire observer le nouvel édit.

Le secrétaire du roi relance sans cesse d'Argenson à ce sujet : « Il y a longtemps que vous ne m'avez rien mandé sur l'observation du règlement. Je ne sais si je dois imputer ce silence à son exacte exécution ou à quelque relâchement. Le roi m'a dit aujourd'hui qu'il était informé qu'il y avait plusieurs carrosses dorés dans Paris et même que quelques gens se vantaient d'en

1. Bib. nat. Manusc. français 21725, f° 194.

avoir de vous la permission. Pour moi, j'ai ouï dire que plusieurs faisaient dorer leurs carrosses et que, sur la dorure, ils faisaient mettre une couleur de bronze, moyennant quoi ce bronzé était beaucoup plus beau qu'à l'ordinaire. C'est à mon sens un étrange abus.»

A la fin de 1703, les relances se poursuivent : le luxe« reprend vigueur à Paris», notamment en ce qui concerne les dorures des appartements, ce qui est le cas pour des financiers de la place Louis-le-Grand, les Crozat et Thévenin ; de leur côté, les marchands vendent des étoffes de luxe « bien au-delà du prix fixé». A la cour, M. de Torcy et plusieurs autres courtisans en portent. « En vérité, vous devriez songer davantage à la vivacité du roi sur cet édit.»

Finalement, Louis XIV fait parler aux Crozat et à Thévenin par Chamillart, qui leur demande de supprimer les dorures de leurs galeries, « ce qui sera d'un grand exemple pour contenir les ouvriers et ceux qui auraient dessein de faire faire des dorures dans leurs maisons».

En avril 1705, d'Argenson se voit enjoindre « absolument de ne pas souffrir des carrosses dorés dans Paris» et d'obliger ceux qui en ont à« les surcharger d'une autre couleur». Le roi tient « si fort à cœur l'observation de l'édit sur le luxe qu'il en parle souvent aux seigneurs de sa cour, afin qu'ils n'ignorent pas ses intentions».

Après enquête, le lieutenant général de police avoue son embarras : les carrosses dorés appartiennent généralement à des étrangers, qui ont le droit de s'en servir ; les quatre ou cinq autres, en possession de Français, sont à les entendre des « carrosses de cuivre d'Allemagne», dorés au bronze. Il est aussi des véhicules que leurs propriétaires, en vue de tourner les règlements, font successivement dorer, puis bronzer. Comment s'y reconnaître sans faire appel à des experts? Et où trouver des experts assez indépendants pour incriminer leurs confrères?

De guerre lasse, d'Argenson envoie au roi des échantillons dorés à l'or et d'autres à l'or imité avec du cuivre : il est vrai qu'on peut s'y tromper ! Force est de s'en tenir à de fréquents contrôles chez les artisans doreurs, source de tous ces embarras ; on les condamnera sévèrement, avec confiscation des objets frauduleux, s'ils sont pris sur le fait. Mais il semble impossible d'empêcher les ouvriers fabriquant des carrosses à parures de cuivre de gagner leur vie.

En novembre 1706, les abus se remarquent encore, à la grande colère de Louis XIV, qui s'indigne que Madame et la princesse de Conti, soient les premières à lui désobéir. On somme d'Argenson de ne faiblir sous quelque prétexte que ce soit puisque, « jusqu'à Madame, le roi désapprouve cette contravention[1] ». Pauvre monarque absolu, que son pouvoir est donc devenu faible !

***

On tente aussi de régler certains problèmes relatifs à la santé publique en accordant à la police des prérogatives qui s'ajoutent à ses pouvoirs antérieurs en cas d'épidémies (notamment de peste) ou d'insalubrité.

Le lait destiné aux vieillards et aux nourrissons est particulièrement surveillé : une ordonnance du 4 novembre 1701 défend d'alimenter les vaches avec de la drêche corrompue ou du « marc d'amidon », nuisibles à la santé des consommateurs.

Le nombre des bureaux de placement pour les nourrices, dirigés par des « recommanderesses », est porté de deux à quatre. On les dote d'un monopole afin de mieux les contrôler ; il est donc interdit désormais aux sages-femmes ou aubergistes de recevoir ni loger des nourrices venues de la campagne, ou des « meneuses » chargées de les rabattre. Chacun des bureaux de placement possède un registre sur lequel la recommanderesse inscrit le nom, l'âge, la paroisse de la nourrice, la profession de son mari, l'âge de son propre bébé. Lorsqu'une cliente retient une nourrice ainsi présentée, on prend note aussi du nom et du domicile du père de l'enfant.

1. Arch. nat. O[1] 364, 20 juin, 28 septembre, 6 et 10 octobre 1703 ; O[1] 366, 28 janvier, 22 avril, 2, 23 et 27 mai, 9 décembre 1705 ; O[1] 367, 13 octobre et 3 novembre 1706.

Les nourrices ne peuvent accepter deux bébés à la fois, sous peine du fouet et de cinquante livres d'amende contre leur mari. Il leur est également interdit de rendre aux parents ou de renvoyer les nourrissons, même pour défaut de paiement, sans en avoir au préalable averti par écrit les père et mère, puis reçu un ordre exprès de leur part.

Cette réglementation, justifiée en soi, est trop nouvelle pour connaître le succès. De plus, les bureaux de placement sont pour la plupart mal situés, alors qu'on trouvait plus commode de s'entendre avec les « meneuses » de nourrices, aux portes de Paris. Les nourrices se raréfient au point que les grandes familles se les arrachent à prix d'or.

Dans un domaine voisin, une déclaration du roi de 1708 rappelle que toute femme enceinte doit déclarer sa grossesse : il s'agit de décourager les avortements.

On voit enfin la police s'intéresser à la composition... des produits de beauté. En 1712, d'Argenson fait expérimenter un amidon spécial, fabriqué par les nommés Grimont et Hérault, qui sollicitent un privilège alors que la production de l'amidon ordinaire est libre. Les essais aboutissent à une conclusion négative : « L'emploi de cette drogue serait nuisible ; non seulement elle dessécherait les cheveux au lieu de les nourrir, mais elle est d'une qualité trop corrosive pour se mêler dans les pâtes ou parfums » — et à fortiori dans la couverture des dragées, pour la confection de laquelle l'amidon ordinaire demeure préférable[1].

Les problèmes de santé publique et d'hygiène nous amènent à jeter au passage un coup d'œil sur la situation de certains hôpitaux (nous consacrons d'autre part, à propos de la famine de 1709, un développement à l'Hôpital général).

Le sinistre Bicêtre, si justement craint des petits délinquants, abrite un nombre considérable de ceux-ci, mêlés à des malades

1. Bibl. nat. G^7 1728, 30 mars 1712.

incurables. Les détenus qui se conduisent bien couchent en dortoir et peuvent apprendre un métier : tisserand, tourneur, menuisier, cordonnier par exemple. Les détenus par lettre de cachet sont enfermés à double tour dans une chambre de sûreté. Il existe aussi des maisons de force, où l'on confine les criminels dangereux, astreints au travail obligatoire. Un dortoir spécial est réservé aux paralytiques et aux malades mentaux, tel Pierre Nauroy, soixante-seize ans, ancien tapissier du roi, capturé à demi nu par les archers des pauvres dans la rue, auquel « le vin a tellement échauffé la tête qu'on ne peut ni lui faire entendre raison, ni comprendre ce qu'il veut dire». Les fous furieux ont les pieds entravés par des fers, comme les galériens. On les concentre, eux aussi, dans un pavillon spécial.

Selon leur comportement, les détenus bénéficient, ou non, d'une liberté très appréciée : celle de se promener dans les cours.

Il n'est qu'un moyen de sortir de cet hôpital-prison : simuler un repentir sincère et faire pénitence. La crise des finances publiques ne permet en effet d'entretenir qu'un nombre limité de pensionnaires, et l'on ne demande qu'à élargir ceux qui peuvent, sans risques pour l'ordre social, reprendre une activité. Les plus jeunes possèdent une autre porte de sortie : l'engagement sous les drapeaux. On les remet à un capitaine de confiance, qui s'engage à les dénoncer en cas de désertion. Les recrues de bonne taille sont affectées aux troupes montées, les autres aux « petits corps».

La durée de la détention, à la discrétion de l'autorité ayant décidé l'internement, dépend surtout de la nature des délits. Ceux d'ordre moral ou religieux laissent peu d'espoir de libération rapide : c'est le cas des protestants « opiniâtres», qu'un recteur affecté à Bicêtre s'efforce, presque toujours en vain, de ramener au catholicisme romain. C'est aussi celui des prêtres apostats ou blasphémateurs, qu'on garde souvent jusqu'à leur mort par crainte d'un scandale : tel Thomas Sihy, ecclésiastique irlandais, qui avait dit la messe dans la chapelle de Versailles après « avoir passé la nuit avec des femmes du dernier scandale et bu jusqu'au matin à l'excès». Point de pitié non plus pour certains détenus par lettre de cachet : Antoine Dupont de la Chiquetière, entré le 1er avril 1704, demeure à Bicêtre jusqu'à la fin de ses jours, car il « est prévenu d'un crime énorme qu'il est bon de cacher au public » ; le roi a lui-même fixé sa peine, « ne voulant pas de procès ».

Parfois aussi la détention a comme terme, bien incertain, le « retour de la paix ». Ainsi en va-t-il pour un auteur de gazettes, Jacques Pringault, qui « se mêlait de transcrire des nouvelles et en faisait un fort grand débit, tant à Paris qu'en province ». Il n'a pour tout bien, note la police, que « sa main et sa plume ». Même attitude du pouvoir vis-à-vis des « suspects de fanatisme et d'intelligence avec les ennemis de l'État » ou des étrangers entrés sans passeport.

Pour peu qu'ils se conduisent bien et dévotement, les autres détenus sont libérés assez vite. Louis Duval, écrivain public, dont les tréteaux étaient installés à la porte de la Chancellerie, lieu idéal pour la rédaction des suppliques, entre à Bicêtre en février 1707. On le soupçonne, non sans raison, de recel de vaisselle volée, car on découvre à son domicile, dans une cachette, des lingots d'argent qu'il a fondus lui-même. Mais on ne parvient pas à le confondre par des preuves formelles. Faute de pouvoir l'envoyer aux galères, on se contente de Bicêtre, d'où il est libéré quelques mois plus tard et relégué dans sa province.

***

La population de Bicêtre[1], on l'imagine, est fort pittoresque : on y trouve un nombre élevé de prêtres « libertins », enfermés parce qu'ils ont tenté de fonder un foyer, vivant en concubinage. Il s'y ajoute des moines en rupture de cloître ; ces deux catégories représentent, à elles seules, environ la moitié de l'effectif.

1. Pour l'ensemble des problèmes relatifs à Bicêtre, Bibl. nat. Fonds Clairambault 985.

Parmi les autres détenus, il faut mentionner les « sodomites », dont bon nombre de jeunes laquais et d'écoliers arrêtés dans les promenades, aux Tuileries ou à la foire Saint-Germain. Ils se retrouvaient dans des auberges ou tavernes spéciales, notamment au quartier Saint-Jacques. L'opinion de la justice a varié à leur sujet ; lorsqu'ils étaient encore en petit nombre, on les disait « infâmes » ; maintenant qu'ils sont trop, on parle de « malheureux ». Évoquons, entre autres, le cas de Regnault, entré en 1708, qui se prostituait aux Tuileries ; devenu « pulmonique » et considéré comme mourant au début de 1710, il bénéficiera d'une rémission de sa tuberculose et sera élargi en juillet de la même année. Les sodomites atteints de maladies vénériennes, s'ils sont riches ou peuvent fournir des répondants, se font traiter aux dépens de l'économe, qu'il leur faut ensuite rembourser.

Viennent ensuite les voleurs n'ayant pu être convaincus en justice. Parmi eux, mentionnons un chef de bande dans le cabaret duquel se réunissaient chaque soir des filous pour préparer leurs mauvais coups. Le cabaretier s'était « rendu arbitre de leurs vols ».

Enfin Bicêtre abrite le menu fretin traditionnel des prisons d'hommes : médecins « empiriques », avorteurs (dont l'un utilisait une « aiguille à ressort »), moines appréhendés à l'occasion de rixes sanglantes, donneurs d'avis (entre autres Alexis Dupin, arrêté au palais de Versailles, dont il parcourait sans cesse appartements et bureaux), braconniers récidivistes maintenus pour « la conservation des capitaineries royales », joueurs de bonneteau, « furieux » qui terrorisaient leur quartier, etc.

Combien est-il émouvant de rencontrer, dans cette morne foule de prisonniers, un vieillard de quatre-vingt-dix ans, Jean Blondeau, enfermé depuis 1692. Saint homme, vivant en ermite dans une grotte près de Seignelay, il affirmait avoir été arrêté à la suite d'un procès intenté à Colbert, au sujet de la jouissance de son ermitage. Connaissant la rapacité de Colbert, ce n'était pas impossible. En tout cas, le pouvoir semblait avoir mauvaise conscience à l'égard de Jean Blondeau, car celui-ci bénéficiait d'une chambre particulière et d'une « nourriture distinguée ». D'Argenson se mit en tête de le libérer. Préférant demeurer là, plutôt que de rentrer dans son pays si on ne lui rendait pas sa grotte, l'ermite mourut entre les hauts murs de l'hôpital-prison en 1708[1].

***

A la Salpêtrière, on renferme, souvent d'ailleurs au cachot, les femmes « forcenées ou dangereuses ». L'établissement, administré par la supérieure des « maisons » de l'Hôpital général, possède une annexe, célèbre à l'époque, le « refuge Sainte-Pélagie », plus connu sous le nom de maison du Refuge, que le cardinal de Noailles prétend être « la plus douce et la plus convenable des maisons de retraite et de correction pour les jeunes filles ».

Optimisme de commande, semble-t-il : en 1701, on y transfère, venant de la Salpêtrière, une détenue dangereuse, la femme Froidy, qui a menacé d'étrangler la supérieure. Ce transfert la rendant furieuse, elle met tout en pièces autour d'elle ; deux gardes parviennent non sans peine à la maîtriser ; elle a défoncé sa porte, déchiré sa couverture en lanières, mis ses draps en morceaux. Pourquoi ce déchaînement ? Parce que le Refuge est, à ses yeux, un lieu de détention plus rude que la Salpêtrière.

Informé, d'Aguesseau juge nécessaire d'autoriser les directeurs à maintenir à la Salpêtrière les « filles qui lui paraissent incapables d'une plus douce discipline. Il est (de plus) très avantageux à la police de la maison du Refuge que les directeurs puissent effrayer et contenir dans le devoir les filles qui y sont enfermées, par la crainte de la Salpêtrière. Le gouvernement des gueux, des criminels et des fous, ajoute philosophiquement d'Aguesseau, ne demande pas moins d'attention que celui des riches et des sages. »

1. Bibl. nat. Fonds Clairambault 985.

La Salpêtrière, encombrée de détenues, devait être une maison animée et vivante, tandis que la vie au Refuge ressemblait assez, semble-t-il, à celle d'un couvent. La femme Froidy nous a fait connaître ses préférences pour la Salpêtrière bien que, selon ses dires, au Refuge — où l'on n'était reçu que contre versement d'une pension —, les prisonnières fussent « mieux nourries et servies plus proprement ».

D'Argenson lui-même, démentant le bel optimisme du cardinal de Noailles, demande en 1701 le retrait du Refuge d'une jeune noble meurtrière, Marie-Ursule de Mandeville, pour l'envoyer au couvent. « Elle ne peut que se gâter par les mauvais exemples de celles qui souffrent impatiemment leur détention et conservent le souvenir de tous leurs désordres[1]. »

A l'imitation de la capitale, d'autres maisons de Refuge sont créées en province, le plus souvent dans des couvents. Selon une lettre de Le Guerchois à Pontchartrain[2], celle de Besançon « est si petite et le logement s'y trouve si resserré — à cause d'un bâtiment neuf que les religieuses font élever — qu'il n'y a pour toutes les filles enfermées qu'une seule chambre, ou plutôt qu'un seul grenier, dans lequel elles couchent. On n'y fait point de feu. »

On comprend que, confinées dans des conditions aussi peu humaines, les pénitentes astreintes à correction se soient fréquemment évadées. L'une d'elles, reprise à Besançon, sera placée au Refuge de Paris en 1713.

1. Bibl. nat. Clairambault 985 et Manusc. français 8123, 20 novembre 1701.
2. d° Manusc. français 8125.

CHAPITRE V

L'ÉMANCIPATION DE LA FEMME

DES INDICES nombreux et concordants soulignent que l'émancipation de la femme accomplit, entre 1700 et 1715, de rapides progrès dans une opinion en partie gagnée aux idées libérales. Une jeune épouse courageuse, Mme Baudouin, que ses parents ont, à la fleur de l'âge, unie pour de mesquines raisons d'intérêt à un marchand de vins, atteste la force de ce vent nouveau qui souffle sur l'institution du mariage.

Agée de seize ans seulement, elle proclame, au grand étonnement de d'Argenson, qu'elle « n'aimera jamais son époux, qu'il n'y a point de loi qui l'ordonne, que chacun est libre de disposer de son cœur et de sa personne comme il lui plaît, qu'enfin c'est une espèce de crime de donner l'un sans l'autre ». Son brave homme de mari est « au désespoir » devant la rebelle. Je n'ai pu, ajoute d'Argenson, « m'empêcher d'être surpris des raisonnements dont cette femme appuie son système. Le mariage n'est proprement qu'un essai, selon son idée ; quand l'inclination ne s'accorde pas avec le contrat, il n'y a rien de fait. Elle veut vivre et mourir dans cette religion et, plutôt que de demeurer avec son mari, se ferait huguenote ou religieuse. » Son mari, certes, passerait volontiers l'éponge et accepterait de la reprendre, si elle ne disait à tout moment qu'« elle le hait plus que le diable ». Lorsqu'on tente de l'adoucir et de la raisonner, elle répond qu'« elle ne saurait mentir, que l'honneur d'une femme consiste à dire vrai et qu'elle se tuerait sur l'heure si elle prévoyait qu'elle dût avoir pour son mari la moindre tendresse[1].» Vingt ans auparavant, considérée comme scandaleuse et révoltée, elle eût été jetée dans un cachot ou recluse à vie au couvent. D'Argenson, ne sachant trop que faire de cette chatte en colère qui « n'a que trop d'esprit», suggère une mise au Refuge pour deux ou trois mois. C'est « trop fort, répond le secrétaire du roi : contentez-vous de lui parler»...

Gouverneur de Rennes, le marquis de la Hautonière épouse une d'Angennes. La mésintelligence suit de près le mariage ; la jeune épouse abandonne le domicile conjugal et le crachin rennais pour vivre seule, et libre, à Paris. La loi permet certes à son mari de la contraindre à réintégrer le domicile conjugal, mais il n'ose l'invoquer, craignant l'issue défavorable de l'instance ; aussi se contente-t-il, assez bassement, de démeubler l'appartement parisien de sa femme, puis de le louer à des tiers. « Elle a méprisé toutes ces procédures et l'a traduit à l'officialité, où elle prétend avoir des raisons essentielles pour faire casser son mariage.»

Rendu furieux par cette résistance, notre gouverneur, faute de locataires, doit laisser sa femme séjourner dans un appartement sans meubles et sans feu, qu'elle fait fièrement visiter à qui le désire, afin de souligner la cruauté des hommes. « Il n'a de commerce avec elle que par des exploits d'huissier, qui se succèdent les uns les autres de trois en trois jours.» Elle y répond par des railleries ou des injures. « Le public est charmé de la scène qu'on lui donne et personne n'a eu encore la charité de tirer le rideau pour cacher un spectacle si ridicule[2].» Là encore ni prison, ni couvent, ni violences d'aucune sorte : c'est la femme qui met les rieurs de son côté.

Dernier cas typique : Mme Aubry, belle-fille du receveur général des finances de Rouen, personnage en vue, quitte elle aussi le domicile conjugal en 1705. D'Argenson nous conte alertement son odyssée : « Elle laissa sur la table de son cabinet une grande lettre qu'elle écrivait à son mari en forme d'apologie,

1. Bibl. nat. Manusc. français 8123, 12 novembre 1703.
2. d° Manusc. français 8124, 22 juillet 1704.

dont la principale raison était que, ne pouvant compatir avec l'humeur de son beau-père, elle avait résolu d'aller chercher ailleurs un climat plus doux et une compagnie moins gênante.» Que fit le mari abandonné? Il se contenta d'attendre! Aubry « fut charmé de cette lettre, plaignit le chagrin de sa femme, différa son retour avec une simplicité digne d'un véritable Parisien. Enfin, cette aimable personne est revenue, après avoir reconnu, sans doute, qu'il n'y avait point de lieu dans le monde où celles de son sexe jouissent d'une plus parfaite liberté qu'à Paris, et Aubry, charmé de son retour, s'est abstenu par prudence ou par bonté de cœur de lui demander aucun compte de son voyage.» Instruit de l'aventure, Pontchartrain, pour faire sourire le roi, mande à d'Argenson : « Vérifier et savoir ce qu'on dit. Qui est-elle, et sa figure et son âge[1]?»

Il ne suffit plus, comme autrefois, de la plainte d'un mari, d'un père, d'une épouse délaissée ou d'un proche parent pour faire enfermer une femme adultère ou une concubine, s'il n'y a pas « scandale public». Le marquis de la Tour ayant sollicité du roi une lettre de cachet contre son épouse, une enquête préalable approfondie est menée avant qu'on lui réponde. La police doit s'informer de la conduite de la marquise, des procès qu'elle a en cours, du rapport que ces derniers peuvent avoir avec le mari ; le roi entend aussi savoir s'il n'y a pas, dans la plainte de l'époux, « quelque motif qui le fasse agir autre que la mauvaise conduite de sa femme[2]». Au médecin Pazzy, qui accuse la sienne de débauche, on répond d'en faire informer par la police et d'assembler les parents pour recueillir leur avis. Ce sera déjà beaucoup « que le roi, par son autorité, lui épargne les poursuites qu'il serait obligé de faire en justice pour obtenir qu'on l'enferme[3]».

1. Bibl. nat. Manusc. français 8124, 22 mars 1706.
2. Arch. nat. 0^1 44, 18 août 1700.
3. d° 0^1 364, 28 février 1703.

La prudence du souverain ne protège pas seulement les femmes de condition ou les bourgeoises, grandes ou petites : elle s'étend même au peuple. Il refuse d'enfermer à l'Hôpital général la nommée Leblanc, concubine de l'huissier Berryer, car « ce seul commerce ne suffit pas pour lui faire subir une telle punition ». Il faut être sûr que la prostitution soit publique et rechercher si, la femme de Berryer vivant elle-même dans un grand désordre, ce dérèglement n'est pas la cause de celui du mari[1]. Avant d'incarcérer plusieurs filles vivant en débauche avec des gens mariés, le roi entend également qu'on consulte les époux de ces infidèles, afin qu'ils précisent « ce qu'ils veulent qu'on en fasse[2] ».

Le Parlement, de son côté, s'est érigé en défenseur de la liberté individuelle. Il s'oppose avec vigueur, notamment, à l'usage ancien qui permet à la police, sur plainte des voisins, d'obliger les prostituées à vider leur appartement dans les plus courts délais. Règle dont les commissaires ne se privent pas d'abuser, puisque une certaine Villemont est chassée « de huit ou dix quartiers en un an ». Le président de Nouvion évoque ce problème avec le secrétaire du roi en 1704 et s'insurge à propos d'une sentence de police rendue contre une femme prétendue de mauvaise vie. Le secrétaire du roi écrit séance tenante à d'Argenson : « Sur une simple plainte, sans information ni sans observer aucune des formalités prescrites par l'ordonnance, vous l'avez condamnée à déloger et à une amende. L'avis de la Tournelle était, en infirmant votre sentence, de vous défendre d'en donner de semblables. Mais le président de cette chambre se chargera de m'en parler, afin de vous en avertir[3]. »

En 1711, le Parlement va plus loin encore. Il exige :

— que les plaintes formulées contre les prostituées ou prétendues telles soient publiques et non plus secrètes ;

1. Arch. nat. 0[1] 42, 18 mars 1698.
2. d° 0[1] 41, 6 juin 1697.
3. Bibl. nat. Manusc. français 8121, 23 octobre 1711.

— que les commissaires de police se transportent sur les lieux « suspects de débauche » pour s'assurer par eux-mêmes de la vérité du désordre ;

— enfin, avant d'enjoindre de déguerpir, qu'il soit procédé à une information judiciaire.

D'Argenson aura beau alléguer que les plaintes vont révéler les dénonciateurs, « ce à quoi nos bons artisans et nos meilleurs bourgeois ne veulent pas s'exposer par la crainte des suites funestes que de pareilles notifications leur attireraient de la part des scélérats qui soutiennent ordinairement ces personnes, à cause de l'utilité qu'ils en retirent » : force reste au Parlement, défenseur des libertés[1].

La prostitution, avec l'afflux à Paris des gens de guerre, s'est considérablement étendue : les filles forment désormais l'essentiel de l'effectif des audiences de police. Suivant en cela la tradition du Moyen Age, qui réservait certaines rues à leur « profession », elles sont « coureuses de remparts » ou s'attroupent sur les boulevards des portes Saint-Denis et Saint-Martin, rue de la Courtille, ainsi qu'aux abords de certains cafés ou lieux de spectacle. D'autres « travaillent » dans des maisons closes, où surviennent de fréquents incidents : « Deux ou trois jeunes gens qui sortaient d'un lieu qui n'est guère moins public que la Comédie, écrit d'Argenson, se vengèrent sur un pauvre cocher de louage du mauvais succès de leur visite. Étant revenus hier dans ce même logis pour y demander raison de leur déconvenue et n'ayant plus trouvé les mêmes demoiselles (que le commissaire avait entre-temps pris soin d'éloigner), on les observa et on en prit un, M. de Dampierre, mousquetaire de la seconde compagnie[2]. »

Le soir, les prostituées couchent souvent en dortoir. Un rapport du commissaire Daminois signale trois d'entre elles,

1. Bibl. nat. Manusc. français 8121, 23 octobre 1711.
2. d° Manusc. français 8121, 16 novembre 1701.

vivant dans un galetas meublé d'un petit lit sans rideaux, de quatre chaises et d'une table[1]. Ces filles sont presque toujours « protégées » par quelque souteneur, qui les incite à tirer le plus d'argent possible de la clientèle. Le commissaire Lefrançois assigne ainsi au tribunal de police, en 1714, neuf femmes, dont l'épouse d'un soldat aux gardes ; elles ont débauché de jeunes garçons dans un cabaret à bière, près de la porte Saint-Martin et obtenu d'eux « de l'argent, du linge, de la dentelle et des nippes » dérobés à leurs parents. L'un de ces fils de bonne famille est « atteint du mal vénérien[2] ».

Les querelles entre souteneurs et clients avinés ou mauvais payeurs tournent parfois au drame. En 1701, Gratien, qui protège « la Piémontaise », juge bon de la refuser au baron de Pallenc, gentilhomme du Rouergue et à un jeune homme qui l'accompagne. Ceux-ci, révoltés par un tel affront, percent Gratien de deux coups d'épée, dont le mauvais garçon meurt sur-le-champ[3]. L'année suivante, en octobre, vers onze heures du soir, un règlement de comptes à l'épée a lieu rue de la Ferronnerie à la sortie d'une maison close. Les comptes sont parfaitement apurés d'ailleurs, puisque chaque antagoniste tue son adversaire. Le premier, Chartier, ex-valet de chambre du comte de Neuville, avait quitté sa femme « pour s'attacher tout entier à la protection de cinq ou six malheureuses, qui lui ont sans doute attiré cette mauvaise affaire ». L'autre mort est « du même commerce ». Cette aventure, ajoute le rapport de police, « arrivera l'un de ces jours au nommé Daymard, qui met à contribution toutes les maisons de débauche de la rue des Vieux-Augustins ». Ses ennemis sont si nombreux qu'il ne « couche jamais trois nuits dans le même logis ». On peut certes tenter de l'arrêter pour vagabondage, mais il rapportera aussitôt un « certificat de quelque aubergiste officieux ou d'un scélérat logeant à un sol par nuit et, selon la jurisprudence du Châtelet, c'en sera assez pour le tirer d'affaire[4] ».

1 et 2. Bibl. nat. Manusc. français 8123, 15 décembre 1701.

3 et 4. d° Manusc. français 8123, 6 août 1702.

Il y a tant de prostituées, et si peu de place disponible à l'Hôpital général, qu'à partir de 1701, le secrétaire du roi, dans les ordres qu'il expédie pour les interner, spécifie, ce qui ne s'était encore jamais vu, le temps de la détention — en général fort court. « Il faut, ajoute-t-il à l'intention de d'Argenson, que vous ayez attention à les en faire sortir le plus tôt qu'il se pourra et, pour cela, que vous fassiez souvent la revue des gens ainsi enfermés, qui se trouvent en grand nombre suivant une liste qui m'en a été envoyée par les administrateurs de l'Hôpital général[1]. » Seules désormais les pénitentes les plus coupables attendent longtemps leur pardon : « Geneviève Lefèvre, qui est à la Salpêtrière, ne sera point mise en liberté. Informez-vous où est le prêtre avec qui elle a eu tant d'enfants, et faites-moi savoir si sa fille qu'elle lui a voulu livrer en dernier lieu consentit à la chose[2]. »

Un échelon au-dessus des prostituées, se situent les femmes entretenues, « demi-mondaines » de l'époque, que ce bref tableau nous dépeint : « La dame Durobin, après avoir été hier interrogée sur la sellette en habit magnifique, mouchetée et fardée, a été convaincue d'avoir eu part au vol d'une pièce d'étoffe et, pour réparation, condamnée au fouet devant la porte du marchand et au bannissement pour cinq ans[3]. »

C'est devenu une mode pour les financiers, les marchands, les membres des professions libérales et nombre de nobles ou d'officiers d'afficher leur liaison avec ces femmes voyantes. Le curé de Saint-Sulpice envoie, en 1697, un placet au roi contre la nommée Loriot, déjà enfermée pour ses désordres. Fille d'un ancien maître chirurgien, et ayant eu plusieurs enfants de son premier ami, « gentilhomme d'une naissance distinguée », elle a ensuite vécu avec un mousquetaire, puis un commis de

1. Arch. nat. 0^1 362, 9 août 1701.
2. d° 0^1 363, 28 octobre 1702.
3. Bibl. nat. Manusc. français 8123, 27 novembre 1712.

la douane qui a presque abandonné sa famille pour elle et lui a donné quatre autres enfants. Ce commis « dissipe son bien et on craint pour ceux de la ferme des douanes[1] ».

L'indolence et la fainéantise sont la marque la plus courante de ces femmes. Une nommée Ulrich, qui s'est associée à la demoiselle de Villemont, demeure au lit tout le jour, se lève et sort à six heures du soir pour gagner un carrosse où l'attend son ami, et ne se couche habituellement qu'à cinq heures du matin. Elle paraît cependant, aux dires de d'Argenson, « âgée, laide, infirme, artificieuse et insolente ». Ces défauts ne l'ont pas empêchée, en 1702, de « gagner le cœur du sieur Pélissier, fils aîné d'un fermier général, qui la tient en chambre, l'entretient à grands frais et loge avec elle sans garder aucune mesure ». D'Argenson les fait sermonner séparément « par des gens de confiance qu'ils ne croient pas venir de sa part ». La femme Ulrich leur répond qu'« il faut bien qu'elle profite d'un reste de bonne fortune » et le jeune homme, que « cette femme l'a ensorcelé sans qu'il puisse dire quand le sortilège finira ». On finit par enfermer l'amante trop habile, qui « se pique de donner des breuvages et de composer des poudres », au Refuge pour plusieurs années[2].

Après avoir utilisé plusieurs pseudonymes ronflants et s'être décidée pour celui d'Anastasie, une autre demi-mondaine, qui a fait ses premières armes avec le chevalier de Colbert, est venue, en 1703, s'établir devant l'hôtel des mousquetaires, « lieu le plus convenable à son commerce et le plus fertile en jeux ». Ex-femme d'un cabaretier de Beaucaire, elle s'est acoquinée à Marseille à des « jeunes gens, des négociants étrangers, des soldats, des laquais puis, finalement, à un forçat de la galère *L'Héroïne*, le nommé Lagrange ». A Aix, le président Califer « lui donna des marques de cette espèce d'hospitalité générale qu'il exerce, dit-on, un peu trop volontiers avec les personnes de cette espèce[3] ».

1. Bibl. nat. Manusc. français 8122, 20 août 1697.
2. d° Manusc. français 8123, 22 oct. 1700, 10 déc. 1701, et 8120, 1er avril 1702.
3. d° Manusc. français 8123, 20 avril 1703.

S'il y a scandale public, débauche de jeunes gens à des fins matrimoniales ou plaintes fondées d'une épouse abandonnée, le roi se décide à sévir. Il accueille favorablement les doléances de Mme de Fresquesne, veuve d'un président à mortier de Rouen, contre la demoiselle Bressieux, qui, « après avoir débauché son fils dans ses études et lui avoir fait dépenser plus de vingt mille livres, a l'insolence de vouloir passer avec lui à l'étranger pour l'épouser ». La mère du jeune homme est prête à payer une pension de deux cent cinquante livres pour qu'on enferme la séductrice à l'Hôpital général[1]. De son côté, Claude de Lorraine, prince de Ligne, obtient l'incarcération aux Madelonnettes d'une belle danseuse de corde, la « grande Margot » ; elle mène une vie déréglée avec un de ses gentilshommes, qu'elle ruine et dupe au profit d'un valet de chambre[2].

Il est un moyen commode pour les femmes légères d'éviter les sanctions ou d'interrompre les peines, si elles ont été prononcées : c'est de trouver un mari. Mlle de Boussens, fille « aventureuse » éduquée à Saint-Cyr, devenue la maîtresse du commandant de la garde suisse, Stouppe, dont elle a eu un enfant, est internée à l'hôpital. De nombreux prétendants s'offrent à la délivrer. Elle préfère à plusieurs candidats suisses un gentilhomme impécunieux du Languedoc, Dumont de Blaignac.

Il n'a pour tout bien, écrit d'Argenson, qu'un procès contre son beau-frère et son beau-père, dont il a perdu — à mon rapport — les principaux chefs, et je doute fort que les suites de cette affaire lui soient plus heureuses. Le libertinage, ni l'accouchement de sa femme ne lui sont inconnus et je ne crois pas qu'on trouve de pareilles lettres que les siennes dans aucun roman, sans en excepter le fameux don Quichotte, qui ne se piquait pas d'être si difficile que les autres héros.

Il s'agit maintenant de faire sortir de l'hôpital cette indigne personne et de la remettre au sieur Dumont de Blaignac, qui ne sera

1 et 2. Bibl. nat. Manusc. français 8125, 20 avril 1713 et 8 juillet 1714.

pas sans embarras s'il se met en tête de la bien garder ; mais il y a beaucoup d'apparence qu'en mari complaisant, dont la fortune n'est pas bonne, il ne se rendra pas scrupuleux sur sa conduite, pourvu qu'elle le veuille bien souffrir dans ses parties de plaisir et partager avec lui l'argent de ses dupes[1].

En décembre 1703, le curieux mari écrit à un proche :

Le tendre penchant que j'ai pour Mlle de Boussens m'ayant fait passer par-dessus toutes les réflexions qu'un homme de ma condition, et moins passionné que moi, aurait pu faire, j'ai enfin, pour lui procurer la liberté et ma propre satisfaction, aujourd'hui fait le dernier pas en l'épousant[2].

En fait, c'est le Suisse Stouppe qui semble tirer les ficelles de cette comédie, pour conserver indirectement sa belle.

Après avoir fourni tous les frais du mariage, disposé et meublé l'appartement des nouveaux mariés, il se fait, écrit d'Argenson, une espèce de gloire d'avoir trouvé un Français encore plus facile et moins délicat que les Suisses en amour... Mais je pense que le pauvre mari n'a consulté que sa mauvaise fortune et a conclu qu'il valait mieux avoir du pain avec une femme infidèle que de manquer de toutes choses[3].

On peut aussi interrompre des poursuites pour libertinage en invoquant un procès en cours : la volonté du roi elle-même s'incline en général devant la toute-puissance des tribunaux et la nécessité de conserver à un sujet sa liberté de défense. Le baron de Saint-Georges, par exemple, « après avoir été renfermé à Charenton par un ordre qu'il croit avoir été obtenu par sa femme, voudrait bien à son tour la faire mettre dans un couvent ; mais deux raisons également décisives semblent résister à sa demande : la première, *qu'ils sont actuellement en procès par devant les juges ordinaires*, etc.[4]. »

1 et 2. Bibl. nat. Manusc. franç. 8123, 29 et 30 décembre 1703.

3. d° Manusc. français 8124, 10 janvier 1704.

4. d° Manusc. français 8121, 28 avril 1706.

Des femmes dissolues abusent parfois de cette bonne excuse, telle la demoiselle Poliard, qui vit avec l'avocat Pipault, après avoir longtemps été la maîtresse du chirurgien Dutartre. D'Argenson raconte avec humour ses aventures :

...Le sieur Dutartre et la demoiselle Poliard vivaient depuis plusieurs années dans une habitude scandaleuse lorsque le dégoût, la jalousie ou un esprit de conversion les brouillèrent ensemble. Cependant, le sieur Dutartre, qui avait prodigué son bien en faveur de cette fille, née demoiselle, souffrait impatiemment qu'elle le consommât avec un jeune avocat, Pipault, plus connu par son libertinage que par sa profession.

Il lui fit proposer par quelques-uns de ses amis de se retirer dans un couvent et offrit de payer sa pension. Elle rejeta ses offres, se lia de plus en plus avec Pipault et, regardant les propositions de Dutartre comme injurieuses — peut-être craignant que l'éclat de son désordre n'excitât le ministère de la police —, elle rendit sa plainte par-devant un commissaire du Châtelet et la porta dans une juridiction criminelle, où elle obtint une permission d'informer.

Dutartre soutint que la demoiselle Poliard était mal fondée et qu'ayant eu de lui plusieurs enfants, qu'il avait élevés et dont il payait actuellement la pension, il était surpris qu'elle osât lui demander une réparation d'honneur. Dans ces circonstances, l'aîné, qui était dans le faubourg Saint-Antoine chez un maître d'école, fut représenté en justice par Dutartre : mais la demoiselle Poliard l'ayant désavoué et soutenu qu'il était fils d'une de ses cousines, dont elle ne croyait pas devoir déclarer le nom, Dutartre demanda qu'il lui fût permis de prouver qu'elle en était la mère.

Une cause aussi extraordinaire que celle-là n'a pas fait moins de bruit et de scandale que l'intrigue qui l'avait excitée ; mais, après plusieurs audiences, Dutartre a été admis à faire la preuve, et je crois que le Parlement a confirmé la sentence de feu M. le lieutenant criminel.

La demoiselle Poliard, un peu étonnée par ce double jugement, a gardé d'abord plus de mesure : mais toutes ses précautions se sont réduites à se retirer dans la communauté du Saint-Esprit, établie à l'extrémité du faubourg Saint-Germain sans lettres patentes, et dont les religieuses et les pensionnaires vivent (*avec*) une liberté presque égale.

La demoiselle en sortait presque tous les jours dans un carrosse que Pipault prenait soin de lui amener. Cependant, cette retraite, toute commode qu'elle est, n'a pu convenir à son humeur libertine et j'apprends que, depuis un mois, elle est revenue chez Pipault où, sous prétexte de son procès — qu'elle ne poursuit point et dont l'événement ne paraît pas lui devoir être avantageux —, elle vit avec la dernière licence, ce qui fait murmurer le peuple et scandalise les gens de bien[1].

D'Argenson s'avoue fort embarrassé pour en finir avec ce « scandale ». Si le roi ordonne à la demoiselle de se retirer en province, elle invoquera la légitimité de sa défense dans le procès en cours, qui la retient à Paris ; s'il veut l'enfermer dans un couvent, on aura bien du mal à en trouver un qui veuille l'accepter.

Finalement on fait entendre à l'intéressée que, si elle ne quitte la capitale avant la fin du mois, elle sera enfermée aux Madelonnettes.

***

Certains concubinages et certaines évasions de femmes, mariées ou non, enfermées dans des couvents, sont demeurés célèbres. Parmi les concubinages, il suffit de rappeler ceux du roi avec ses favorites et, en dernier lieu, avec Mme de Maintenon, avant leur mariage secret, ou bien celui de la Grande Mademoiselle et de Lauzun. Le même Lauzun, en 1700, oubliant le personnage qu'il joue, a le front de faire enfermer à la Madeleine Mme de Montpouillant, sous prétexte qu'elle a été débauchée par le surintendant de la duchesse de Bourgogne !

Une des demoiselles de la Ferté, que nous n'avons pu identifier avec certitude, car elles étaient toutes fort galantes[2], devient éperdument amoureuse de son cocher, Albert Delalande, dit Chaumont. Leur vie en commun fait tant de bruit qu'en 1706 Pontchartrain, par lettre de cachet, préfère envoyer le cocher à Bicêtre : il est alors âgé de quarante-quatre ans. Selon d'Argenson, ce serviteur, après avoir déshonoré Mlle de

1. Bibl. nat. Manusc. français 8120, 4 avril 1701.

2. L'une d'elles eut du chevalier de Longueville un bâtard qu'elle fit légitimer à la demande du procureur général de Harlay, afin de créer un précédent juridique permettant ensuite de légitimer sans trop de scandale les bâtards du roi.

la Ferté jusqu'à l'excès, la battait de temps à autre « pour l'obliger de fournir à ses débauches ». Plutôt que de s'étioler à Bicêtre, Delalande cherche à s'engager dans l'armée, « persuadé que sa maîtresse donnera jusqu'à sa dernière pistole pour le racheter ». Mais sa taille ne convient guère au service, et l'équité comme le respect des convenances commandent de le garder sous clef « pour laisser à cette pauvre demoiselle tout le temps dont elle a besoin pour se guérir de son malheureux entêtement ».

L'année suivante, rongée par le remords et l'amour, Mlle de la Ferté propose en vain d'accorder à Bicêtre une rente de mille écus, à condition qu'on libère son cher cocher. On la voit rôder dans les champs voisins du pavillon où elle le croit logé, criant son nom dans la nuit, indifférente au temps qu'il fait. Quelquefois aussi, son esprit s'étant dérangé, elle s'agenouille devant l'entrée de Bicêtre et « y tient des discours qui mériteraient qu'on la renfermât ».

En 1709, elle lui envoie, pour le distraire, un chien qu'elle aime fort, mais « il ne fait pas grand cas de ce mauvais présent » ; cette tentative n'a servi « qu'à faire connaître qu'elle est plus folle que jamais ».

En 1710, d'Argenson suggère la libération du cocher qui, sans avoir commis aucun délit, est emprisonné depuis quatre ans. Pontchartrain répond qu'il est « trop tôt encore ».

L'année d'après, un prisonnier libéré de Bicêtre, connaissant la folle passion de Mlle de la Ferté, feint d'aller la trouver de la part de son amant et « lui attrape pour 1 500 livres d'argent et de nippes sous prétexte de solliciter sa sortie ».

En 1713, aucune déconvenue ne la rebutant, et son « entêtement augmentant avec les années », la voilà qui donne de nouvelles preuves de sa passion : « Elle rachèterait, dit-elle, la sortie de son domestique de tout son sang et de tout son bien. » D'Argenson décide, en 1714, de l'obliger à se retirer dans un couvent, sa raison s'affaiblissant de plus en plus. Quant au cocher, il demeurera longtemps encore à Bicêtre[1].

1. Bibl. nat. Manusc. Fonds Clairambault 985.

*
* *

Dans ces couvents où, contre le gré des abbesses, on cloître de belles pénitentes accusées de ridiculiser leur mari, les évasions sont d'autant plus nombreuses que, souvent, le manque volontaire de surveillance des nonnes et leur résistance passive facilitent les tentatives. La duchesse de Mazarin, marquise de Richelieu, s'envole, avec la complicité de sa femme de chambre, du couvent des Filles anglaises le 29 mars 1703, puis s'enfuit à l'étranger[1]. La chanoinesse de Bretteville s'évade elle aussi des Ursulines de Châteaubriant.

On comprend ces réactions désespérées de la part de malheureuses dont bon nombre étaient venues se cacher d'abord à Paris, « asile ordinaire de toutes les femmes de province qui haïssent leur mari de tout leur cœur ou qui font gloire de le mépriser ».

Certaines sont l'objet de véritables persécutions de la part d'époux non moins haineux qu'elles. Mme de Montmorency, nièce de l'évêque de Montauban, est conduite en 1698 au couvent des bénédictines d'Issoire en vertu d'une lettre de cachet, comme une voleuse, par cinq archers ; d'Argenson, apitoyé, insiste auprès du mari pour qu'il laisse au moins auprès d'elle une suivante. Les bénédictines protestent : le mari, appuyé par d'Ormesson, supplie alors qu'on transfère l'infidèle à Limoges dans une « bonne abbaye royale, bien expérimentée et conditionnée pour ces personnes-là ». Devant un nouveau refus, on la conduit à Bourges, chez les filles de la Visitation, qui s'empressent, une fois encore, de s'en débarrasser. Finalement, non sans se plaindre aigrement des « peines et dépens que toutes ces sorties lui causent », le mari cherche à l'enfermer à Châteauroux ou à Issoudun.

Mme de Montmorency prie Jérôme de Pontchartrain, que tout le monde, dit-elle, sait « ennemi des violences », de lui laisser au moins « le choix de sa prison » en lui épargnant l'hôpital. « On m'a conduite dans divers couvents, ajoute-t-elle,

1. Arch. nat. 0^1 364, 17 février et 30 mars 1703.

en charrette, avec des gens de sac et de corde ; je me trouve réduite à la dernière nécessité, mon mari jouissant de mes biens sans m'accorder la moindre pension. »

Libérée en 1702, elle loge à Paris chez le chevalier Pidou, derrière Saint-Sulpice ; son mari en profite pour se plaindre encore qu'on « la voit tous les jours dans des carrosses de louage à la promenade et dans les cafés, ce qui donne l'occasion d'entretiens scandaleux[1] ».

1. Bibl. nat. Manusc. Fonds Clairambault 1192 et suivants.

CHAPITRE VI

VAGABONDS, VOLEURS ET PRISONNIERS

Sur le plan économique et social, nous le verrons plus loin, le règne de Louis XIV s'achève en cauchemar, dans une détresse générale. L'agriculture, richesse fondamentale, est ruinée, les manufactures en pleine décadence, le commerce international arrêté par le blocus, le négoce intérieur réduit à peu de chose. Conséquence de ces maux conjugués, un chômage général frappe la classe laborieuse. On n'a guère idée, aujourd'hui, de l'intensité de cette longue misère, qui entraînera finalement la malédiction du roi : en 1700, par exemple, on trouve Mme de Moussy, veuve d'un maître des comptes, morte dans sa chambre. La police indique : « Il y a beaucoup d'apparence que la pauvreté y a plus contribué que la maladie[1]. » En 1706, un compagnon rubanier se pend dans son galetas, car il ne peut payer les frais d'un petit procès où il a été condamné aux dépens. On trouve un exploit d'huissier dans une de ses poches et, dans l'autre, les pensées de Sénèque[2]. Mlle de Sallaine, quoique d'une naissance distinguée et bien alliée, se voit contrainte à vendre dans une échoppe de la bougie du Mans. Son commerce périclite, on va saisir ses marchandises et ses hardes. Le roi, miséricordieux, lui accorde une pension de deux cents livres[3].

1. Bibl. nat. Manusc. français 8122, 30 octobre 1700.
2. d° Manusc. français 8124, 3 août 1706.
3. d° Manusc. français 8125, 7 septembre 1712.

Selon une pente naturelle, l'excès de misère finit, de chute en chute, par pousser des milliers de gens sans emploi et sans ressources vers le vagabondage ou le vol : Réaux, ancien capitaine de l'armée de Picardie, dérobe une petite nappe d'autel dans l'église Saint-Denis-de-la-Chartre. On l'appréhende. C'est le fils d'un secrétaire du roi, sa femme possède du bien au soleil, mais il vit séparé. Il manque souvent de pain. « On a reconnu, dit d'Argenson, que la misère et le désespoir l'avaient porté à voler cette nappe : à peine a-t-on été chez le commissaire du quartier qu'il est tombé dans un évanouissement qui a duré près d'une heure. On lui a fait prendre ensuite un peu de nourriture, dont il avait le dernier besoin[1]. » Les voleurs se livrent eux aussi bien souvent à leur coupable activité, les faits l'attestent, plus par misère que par perversité. Le guet arrête l'un d'eux, porteur de galons d'or dérobés non loin de là. La police perquisitionne dans sa mansarde. Elle n'y trouve qu'une botte de paille — son lit — et un « rossignol » — son moyen d'existence[2].

Mendiants et clochards, qui sont plusieurs dizaines de milliers à Paris, s'abritent la nuit dans les maisons en ruine, sous les ponts, dans les bateaux de paille ou de foin et souvent, l'hiver, dans des dortoirs collectifs tenus par des gens de la pègre, où ils paient un sol ou deux par nuit. Une rafle effectuée en janvier 1701 dans des « maisons suspectes », permet d'appréhender trente dormeurs, dix-neuf hommes et onze femmes, tous sans profession, biens, domicile ni aveu, « les uns bannis ou de retour des galères, les autres chassés de Paris ou déjà convaincus de mendicité[3] ». Certains cabarets, notamment au Roule, logent également cette clientèle de miséreux, sur un lit de paille, dans leurs arrière-salles.

Organisés en bandes commandées par des chefs brutaux et respectés, les mendiants connaissent cent façons d'apitoyer et de duper les passants, se disant de retour de pèlerinage,

1. Bibl. nat. Manusc. français 8120, 5 février 1703.

2. d° Manusc. français 8123, 15 décembre 1701. — Le rossignol sert à crocheter les serrures.

3. d° Manusc. franç. 8120, 30 janvier 1701.

anciens commerçants ruinés, victimes d'un incendie, exhibant de fausses plaies ou des infirmités supposées. En ces temps de guerre, ils ont trouvé une façon inédite d'appeler sur eux l'attention. « Le genre de gueux qui s'étaient mis en société pour demander l'aumône, contrefaisant les officiers volés, est fort nouveau, et l'on ne peut avoir trop d'attention pour couper court à cet abus », écrit le secrétaire du roi en 1703[1]. Certains — on n'arrête pas le progrès ! — quêtent même à cheval. D'autres gueux gagnent leur vie en trichant aux dés ou aux cartes, déplumant les naïfs : Jourdain, qui s'intitule pompeusement chevalier de Breteuil, possède 18 sols lorsqu'il est appréhendé. « Il est réduit au pain du roi et à des charités qu'il ne mérite pas. C'est un vagabond dangereux, ne vivant que de dupes, engageant des jeunes gens de famille dans des parties où ils ne gagnent jamais. Il porte l'épée et joue souvent à la foire Saint-Germain[2]. »

Dans cette armée en haillons se rencontrent des femmes (l'une d'elles est trouvée couchée, habillée en homme, entre deux vagabonds[3]) et des prêtres, tel Maenerheny, « qui demande insolemment l'aumône en injuriant ceux qui la lui refusent ». On l'incarcère, « pour l'honneur du sacerdoce », dans les humides prisons de l'officialité.

***

Afin de paraître en règle, les pauvres doivent être munis de divers certificats : des officines de faussaires se montent pour les leur fournir. Un mendiant, arrêté en 1701, exhibe ainsi deux attestations, l'une du cardinal de Noailles, l'autre du curé de Montreuil, fabriquées par Damèze, un des nombreux écrivains du charnier des Innocents, qui est conduit au Châtelet[4]. Un autre miséreux, âgé de quatorze ans, quêtant

1. Arch. nat 0^1 364, 11 juillet 1703.
2. Bibl. nat. Manusc. français 8124, 3 septembre 1706.
3. Arch. nat. 0^1 363, 1er novembre 1702.
4. Bibl. nat. Manusc. français 8120, 6 mai 1701 et 6 mai 1707.

avec son initiateur, un certain Boileau, se dit « sorti d'une famille très illustre des Cévennes, qui a péri par les mains de protestants fanatiques ». Ces derniers lui ont laissé la vie sauve, mais non sans lui couper la langue. Il feint donc d'être muet, et porte sur sa poitrine, bien en évidence, de faux certificats. Les passants, apitoyés, lui donnent volontiers l'aumône. Il paie son compagnon quarante sous par jour[1].

Comme les mendiants submergent Paris, les pratiques finissent par devenir rares. On en vient, pour forcer le destin, à mendier avec menaces de mort. Nicolas Chauveau, prétendu cadet de Normandie, écrit à une dame Thévenin que « pour ne pas se faire d'affaire » il serait bon qu'elle lui envoie, par l'entremise du porteur de la lettre, trente pistoles. En cas de refus « sept ou huit officiers sans pain l'attendront dans la rue pour lui faire un mauvais parti ». Ce dangereux individu bénéficie, depuis cinq mois, de la charité du roi à l'église Saint-Roch et reçoit huit livres de pain par semaine. « Ces lettres séditieuses, écrit d'Argenson, se multiplient par l'impunité et passeront bientôt en usage si l'on ne profite de la découverte de cet accusé[2]. »

Devant cette marée montante de la mendicité, le roi s'inquiète et, confondant oisiveté et misère, exige qu'on recoure, avec le maximum de sévérité, à l'arrestation des vagabonds pour les incarcérer à l'Hôpital général, son « grand œuvre », où ils sont astreints au travail pour se racheter : ceux capturés par la brigade de Passy en 1705 doivent, sur son ordre, « être gardés longtemps et appliqués au travail le plus pénible dont ils se trouvent capables[3] ».

Le durcissement du pouvoir se remarque surtout à partir de 1700. « Il a été fait une infinité de bons règlements sur les

1. Bibl. nat. Manusc. français 8120, 6 mai 1701 et 6 mai 1707.
2. d° Manusc. français 8125, 24 janvier 1710.
3. Arch. nat. 0^1 366, 11 juin 1705.

mendiants à Paris, écrit le secrétaire de Louis XIV. S'ils étaient exécutés, on ne serait point dans l'embarras dans lequel on se trouve à présent à cet égard[1].» En réalité, la police, devenue impuissante, doit faire face à une situation qui, par son ampleur, dépasse de loin ses possibilités d'action ; on renforce cependant la réglementation avec l'illusion de pouvoir en finir : surveillance accrue des laquais sans emploi, contrôle rigoureux des hôtels, garnis et dortoirs clandestins, nouvelle déclaration contre les mendiants, recherche inlassable des bannis cachés dans la capitale ; mais rien ne peut endiguer le flot. Le roi insiste, demande qu'on renvoie dans leur pays « tous ces gueux de profession en état de travailler » (mais à quoi ?) et qu'on se contente de placer à l'Hôpital général les gens âgés ou infirmes.

Louis XIV, dont on sait qu'il règle les plus infimes détails, se penche même sur le cas des mendiants aveugles — qui protestent contre sa dernière déclaration — et sur celui des « décrotteurs », profession que chaque clochard prétend maintenant exercer pour échapper aux rigueurs. Ces derniers sont bien, dit-il, des vagabonds, et il faut empêcher les progrès de « cette vermine dans Paris. Pour moi, je crois que décrotteur n'est point un métier et que cette profession doit être regardée comme celle des bouquetières qui, sous prétexte de vendre des fleurs, demandent l'aumône[2].»

Les nouveaux textes condamnent, entre autres, les mendiants à la peine du fouet. Mais l'opinion, le Parlement et les tribunaux ordinaires se montrent si hostiles aux mesures frappant ceux qui ne sauraient trouver aucun remède à leur misère, qu'on s'empresse de recommander « d'éviter autant qu'il se peut ce spectacle désagréable ». Le mieux serait de « faire fouetter publiquement les plus coupables et de donner de temps en temps des exemples », en faisant « châtier les autres dans l'hôpital avec toute la sévérité possible[3] ».

1. Arch. nat. O^1 44, 21 avril 1700.
2. d° O^1 44, 29 septembre 1700 et O^1 362, 5 octobre 1701.
3. d° O^1 362, 26 août 1701.

Déférant aux objurgations du roi, d'Argenson fait arrêter en masse les mendiants : en 1702 on en comptera 7 874, puis 9 000 à l'Hôpital général[1] ; près de 10 000 en 1708[2] ; en 1714 et 1715, le nombre hebdomadaire d'arrestations tombera aux alentours de cinquante. La mortalité est effrayante : 4 350 décès en 1712 !

Décidées dans leur principe par la police, les arrestations sont en général confiées aux archers des pauvres ou « chasse-coquins », qui portent — vers 1720 — une longue veste d'allure militaire à gros parements de couleur aux manches, une épée au côté, une perruque à catogan ornée du classique petit nœud de ruban et un tricorne. Cachés sous les porches ou embusqués dans les ruelles étroites, ils encerclent les malheureux mendiants, leur passent les menottes, puis les enchaînent pour plus de sûreté. Ils ont mis au point un expédient particulier pour appréhender ceux qui s'approchent des carrosses. Leur métier est dangereux, la population se solidarisant presque toujours spontanément avec les gens arrêtés. On ne craint pas, à l'occasion, de tirer l'épée contre eux, voire de les tuer, les poursuivant parfois jusque dans les églises[3].

D'Argenson semble écartelé, dans l'accomplissement de sa tâche, entre les ordres exprès du roi, la tendance libérale des tribunaux et le désir des administrateurs de l'Hôpital général d'alléger, pour des raisons budgétaires, leurs effectifs pléthoriques. On l'astreint à visiter chaque mois cet établissement en vue de s'assurer de sa discipline ; discipline toute relative d'ailleurs, car les rébellions deviennent fréquentes. Un nommé Lamoureux participe à toutes celles qui éclatent ; c'est « une espèce de furieux, capable de tuer ses parents les plus proches et de se venger au péril de sa vie ».

En 1706, le roi accorde à l'hôpital deux cents livres afin d'armer ses gardes[4], plusieurs d'entre eux venant d'être assassinés par des prisonniers.

1. Arch. nat. 0^1 363, 28 octobre 1702.
2. Bibl. nat. Manusc. français 8120, 5 novembre 1708.
3. Arch. nat. 0^1 363, 3 septembre 1708.
4. d° 0^1 367, 6 janvier 1706.

***

Entre la mendicité et le vol, le pas est vite franchi. Aussi les voleurs sont-ils très nombreux, eux aussi, et perfectionnent-ils leurs méthodes. Les uns se spécialisent dans l'art de subtiliser chapeaux et perruques, notamment aux Tuileries, tel un jeune garçon de quinze ans, dont la précocité gêne fort le secrétaire du roi. « Je crois, écrit-il à d'Argenson, que vous et le lieutenant criminel seriez fort embarrassés si vous aviez à prononcer une peine capitale contre un enfant de cet âge, et pour un tel vol. Le mieux est de le donner à quelque capitaine, s'il a la force de porter le mousquet[1]. » D'autres dérobent des valises aux abords des messageries et des voitures publiques, épiant le départ ou l'arrivée des cochers, puis profitant de la bousculade des voyageurs. On dérobe de plus en plus des carrosses, notamment au contrôleur général des Finances Chamillart, au marquis de Beringhen, au roi lui-même à Versailles. Les auteurs de ces vols sont exécutés en 1701, ce qui n'empêche point, quelques mois plus tard, la disparition de plusieurs autres carrosses de l'hôtel d'Estrées[2]. La cassette de pierreries de la princesse d'Angleterre, longue de deux pieds, s'évanouit elle aussi à Saint-Germain le 2 juillet 1703. On en fait faire aussitôt, dans tout Paris, « la recherche exacte », envoyant aux orfèvres, comme à l'accoutumée, une liste descriptive des pierres et bijoux dérobés[3]. Deux de ces orfèvres, retour de Reims, se font soutirer 150 000 livres par une bande organisée qui se réunissait dans un cabaret bien nommé : *A bon chat, bon rat*, tenu par le nommé Grattelard. On y trouve dans un caveau des sacs de 1 000 livres, puis 11 000 livres dans une autre cachette, ménagée aux Tuileries, en bas du grand escalier de la terrasse. Six voleurs sont roués vifs, puis pendus, dont le fils, âgé de trente-huit ans, de d'Effita, l'ancien lieutenant

1. Arch. nat. 0^1 364, 17 octobre 1703.
2. d° 0^1 362, 5 janvier, 2 février, 11 mars, 18 septembre 1702.
3. d° 0^1 364, 3 juillet 1703.

criminel ! Sa femme attend son onzième enfant... Le cabaretier est condamné aux galères à vie[1].

Pour prévenir dans une certaine mesure les vols par effraction, une ordonnance de 1701 oblige les propriétaires à laisser du personnel de garde dans leur maison lorsqu'ils vont à la campagne.

Le roi s'étonne de la fréquence et de l'importance des vols commis de nuit : « S.M. est surprise de voir qu'ayant tant de gens préposés pour la sûreté de Paris, on ne puisse parvenir à arrêter ni découvrir aucun de ces voleurs. » Louis XIV est d'ailleurs persuadé que les « officiers et archers de la compagnie du lieutenant criminel de robe courte connaissent la plupart de ces fripons » et qu'il y a « nécessairement de l'intelligence entre eux[2] ». D'Argenson, dès 1697, a dénoncé ce honteux commerce « dans lequel sont les officiers de faire rendre partie des choses volées et de partager le surplus avec les recéleurs ». Le 17 novembre de la même année, on prend sur le fait un exempt du lieutenant criminel, qui vient de négocier avec les gens qu'il était chargé d'arrêter. Le roi entend procéder contre lui avec « la dernière rigueur ». Mais d'Argenson, épris de légalité, soulève des objections quant à la procédure d'arrestation. « Faut-il, écrit le secrétaire du roi, que sa qualité d'exempt l'empêche d'être arrêté, outre que le lieutenant criminel est rempli de bonne volonté pour faire punir les officiers de sa compagnie ? La justice manque-t-elle de force et d'officiers pour s'assurer d'un tel personnage[3] ? »

En 1700, le roi proteste plus vivement encore contre « le peu d'exactitude des commissaires du Châtelet » et la complaisance qu'ils témoignent aux criminels. Un exempt, Bourgoin, ayant arrêté six prévenus de vols par effraction, le commissaire Daminois n'en a-t-il pas, après interrogatoire, relâché cinq, alors qu'il eût fallu envoyer tout le monde en prison pour « éclaircir la vérité par une procédure dans les règles » ? Si ce

1. Bibl. nat. Manusc. français, N. acq. 4037, 18 décembre 1709 et 12 mars 1710.
2. Arch. nat. 0^1 44, 18 décembre 1700.
3. d° 0^1 41, 6 juin, 17 novembre 1697.

commissaire récidive, « S. M. ne pourra se dispenser de lui donner des marques publiques de son indignation[1]. »

Fouetté par cet avertissement, d'Argenson découvre un mois plus tard une trentaine de filous et de vagabonds qui croyaient bénéficier de la plus sûre des retraites en logeant... chez les archers du guet ! Le fait, on l'imagine, surprend à Versailles : « On ne doit plus s'étonner des désordres qui arrivent tous les jours, puisque les voleurs trouvent un asile assuré dans les maisons mêmes de ceux qui sont préposés pour leur faire la guerre[2]. »

Afin d'épurer la capitale, le lieutenant général de police finit, en 1705, par proposer une mesure extrême : l'astreinte à résidence, loin de Paris, de tous les relégués. Le roi n'ose se rallier au projet. « Un homme natif de Tours, dit-il, sans biens et d'une naissance abjecte, après avoir fait plusieurs friponneries à Paris, en sera chassé. Comment voulez-vous l'assujettir à aller demeurer à Tours, comment pouvez-vous même l'obliger à fixer le lieu de sa retraite, où il ne sera pas sûr de trouver sa subsistance ? »

***

Le guet qui, nous venons de le voir, n'échappe pas à la vénalité et au relâchement général de l'administration, est commandé par le chevalier Francœur, auquel son titre permet d'entrer à toute heure à Versailles et d'accéder auprès du roi. Après avoir acheté fort cher sa charge, il entend jouir de ses revenus sans en faire les fonctions, ce qu'on « veut bien tolérer ». Cet absentéisme ne l'empêche d'ailleurs point de se livrer à de bas trafics : il reçoit trois cents livres de pot-de-vin d'un candidat au poste de cavalier, oblige les archers à octroyer quatre livres de gratification annuelle à son secrétaire, vend des charges alors qu'aucun poste n'est vacant, favorise des officiers en les dispensant du service[3].

1. Arch. nat. 0^1 44, 31 décembre 1700.
2. d° 0^1 362, 12 janvier 1701.
3. d° 0^1 365, 31 décembre 1704.

En 1701, le guet à cheval se trouve composé de neuf brigades, dont la « major » comprend plus de cavaliers que les autres. On les divise, selon les besoins, en deux ou trois factions qui parcourent un grand nombre de rues à la fois, puis se retrouvent en un lieu convenu.

Le guet à pied compte environ deux cents archers — tantôt plus, tantôt moins, selon les saisons et la longueur des nuits —, qui se rassemblent dans leurs corps de garde (ou barrières), puis empruntent des itinéraires constamment modifiés. Seuls six sergents demeurent aux barrières pour recueillir les plaintes. La surveillance de Paris a lieu en deux factions, la première jusqu'à minuit, la seconde de minuit à l'aube. « La brigade qui ne se lève qu'à minuit fait à elle seule plus d'effet que toutes les autres et il se passe peu de nuits sans qu'elle fasse quelque capture ou qu'elle surprenne quelque locataire qui déménage en fraude de son hôte[1]. » A l'entrée du Pont-Neuf, sur la rive gauche, en un point considéré comme très central, stationne en permanence une brigade ou une escouade, « afin que le public, en étant instruit, y trouve un secours certain ».

Les places d'archer à cheval sont recherchées ; ceux qui les postulent doivent attendre pour les obtenir. « Le sieur de Langlade, écrit le secrétaire du roi, est un honnête garçon que j'ai l'intention de placer dans le guet, comme cavalier. » Puisqu'il n'y a pas de place vacante, « il veut bien servir à ses dépens jusqu'à ce que l'occasion s'en présente ; faites-le monter à cheval aussitôt qu'il sera en équipage ».

Le guet doit prêter main-forte à la police, mais de part et d'autre on s'estime médiocrement. D'Argenson écrit malignement, à propos d'un archer blessé d'un coup de sabre par des malfaiteurs, qu'il conviendrait de lui donner cent livres de récompense, car « il se fait peu d'actions dans ce genre de milice dont le succès soit plus malheureux ni l'entreprise plus vigoureuse ». La blessure de l'archer devra être « pansée aux frais de la compagnie ; si cet usage n'y était pas encore connu, il serait juste de l'établir à cette occasion[2] ».

1. Bibl. nat. Manusc. français 8123, 1 décembre 1701.
2. d° Manusc. français 8121, f° 348 v°.

En 1700, rendu inquiet par la recrudescence des vols, d'Argenson propose, sans succès semble-t-il, d'augmenter les effectifs du guet et d'en financer les frais par une taxe sur les maisons, additionnelle à celle des boues et lanternes, ce qui ne manque pas de logique. Faute pour le pouvoir de suivre cette suggestion, les malheureux archers souffriront, comme tous les officiers, des vicissitudes financières de la fin du règne. Il sera dû à leur compagnie, en 1712, plus de 149 000 livres et d'Aguesseau écrira au contrôleur général : « Vous savez la continuité et la nécessité du service des archers du guet pour la sûreté et la tranquillité de cette grande ville. Ils remplissent exactement leur devoir et il n'y a jamais eu moins de crimes nocturnes qu'à présent. Le défaut de paiement de leur solde et la cherté des denrées, surtout de l'avoine, les réduit à une si grande extrémité que plusieurs sont sur le point d'abandonner absolument le service[1]. » Cette situation fait mieux comprendre, sans les excuser pour autant, les compromissions de certains archers privés de leur solde avec les voleurs ou les receleurs.

* * *

Les « grands chemins » qui convergent vers la capitale, sillonnés par les charrois, diligences ou carrosses, sont gardés par des brigades spéciales, tirées de la compagnie du prévôt de l'Ile et placées sous l'inspection générale d'un certain Pelletier. Le roi s'étonne sans cesse de l'inaction de cette gendarmerie : « De la manière dont vous disposez vos brigades, fait-il écrire à Pelletier en 1704, il semble que vous ne vous souvenez plus de leur destination. Elles sont faites pour la sûreté des grands chemins des environs de Paris et non pour être à l'entrée des faubourgs et des cours, dans une inaction continuelle, à voir les passants ; ce qui est une occasion aux officiers et archers d'entrer dans Paris et d'abandonner le service. Il faut donc que chaque brigade parcoure son détroit[2]. »

1. Arch. nat. G^7 439.
2. d° 0^1 365, 19 avril 1704.

L'indolence de l'inspecteur général Pelletier encourage l'insubordination de ses sous-officiers. Toujours en 1704, le chef de brigade de Bondy lui désobéit ouvertement. On retranche, à titre de sanction, un quart de ses appointements et il reçoit ce blâme sévère de la part du roi : « Peu s'en est fallu que je n'aie rempli votre place d'un autre officier ; si vous ne changez pas de conduite, vous ne l'occuperez pas longtemps. » D'autres chefs de brigade partent en congé sans prévenir les supérieurs et abandonnent à leurs hommes la surveillance des routes. A Pelletier, qui s'en plaint, on répond à juste titre : « Vous n'êtes inspecteur que pour empêcher cet abus et vous devez m'avertir à la moindre contravention. Il est bien désagréable que je me voie obligé de vous donner à vous-même un inspecteur[1]. »

Indiscipline et mauvais esprit semblent dus, là aussi, à l'insuffisance et au retard du paiement des soldes. Il faudra en venir, en 1704, à accorder aux officiers et aux archers, pour les conserver, une prime d'assiduité[2] !

***

Les prisons sont à peu près pleines en permanence et, comme partout ailleurs, la concussion n'y semble point rare, les geôliers étant sensibles aux arguments trébuchants et sonnants. Des laquais ont fait des violences dans un cabaret des Porcherons, écrit le secrétaire du roi. On dit qu'il faut en chercher la cause dans « l'impunité des coupables, qui sortent de prison pour une médiocre somme (18 livres, selon d'Argenson), ce que le roi trouve fort étrange[3] ». A la prison du Fort-l'Évêque, on joue au lansquenet et à d'autres jeux de hasard interdits. Le prisonnier Lambert s'y distingue par ses « jurements et ses insolences » : on le transfère au Châtelet.

Les fréquentes évasions témoignent du relâchement de la surveillance. En octobre 1700, cinq prisonniers s'échappent

1 et 2. Arch. nat. 0^1 365, 30 avril, 19 novembre, 24 décembre 1704.

3. d° 0^1 365, 4 juin 1704.

ensemble du Fort-l'Évêque ; parmi eux figure un abbé. Un des fugitifs faisait l'objet d'une ordonnance de mise en liberté et le savait : « Il a néanmoins mieux aimé sortir cette nuit par la fenêtre que ce matin par la porte. » La bande a scié les barreaux de cette fenêtre, située au 3e étage et ouvrant sur le quai de la Seine. « Après les avoir enlevés, ils ont attaché à un autre barreau une corde de puits et quelques draps, par le moyen desquels ils se sont coulés jusqu'à bas, sans justaucorps et presque en chemise[1]. » Du même établissement pénitentiaire un ex-directeur de la monnaie de Nantes, Lorgerie, et le receveur des tailles Allard s'enfuiront eux aussi, en août 1708. « Cette prison, écrit d'Argenson, est si sujette à de pareils incidents par les vues qu'elle a sur le quai de la Mégisserie et par le peu d'attention des geôliers qui, depuis longtemps, ont presque toujours été prisonniers eux-mêmes, qu'il serait du service du roi de pourvoir à sa sûreté par de nouvelles précautions[2]. »

La situation apparaît identique à l'hôpital-prison de Bicêtre, d'où huit détenus s'enfuient en 1703, puis Fabrice, faux-monnayeur, avec plusieurs autres détenus en 1713, ainsi que le prêtre Pozé l'année suivante, après avoir percé le mur de sa cellule. Ce dernier, qui estimait Bicêtre une « prison très horrible », se trouvait en procès depuis le début du siècle avec l'archevêque de Lyon au sujet d'un bénéfice, et était parvenu, de procédure en procédure, à obtenir un exécutoire contre lui. Le pouvoir, désireux d'éviter la publicité du procès, l'avait fait enfermer comme « mauvais ecclésiastique[3] ».

De l'antique prison monacale de l'abbaye de Saint-Germain-des-Prés, mobilisée pour enfermer le trop-plein des prisonniers, treize soldats aux gardes détenus pour violences s'évadent en 1701 : on incarcère aussitôt le geôlier[4] à leur place.

1. Bibl. nat. Manusc. franç. 8122, 30 octobre 1700.
2. Arch. nat. G^7 1725, 24 août 1708.
3. d° G^7 1728, 13 juin 1713 et 28 juillet 1714.
4. d° 0^1 362.

***

En dépit de ses murs d'enceinte, de ses tours majestueuses et de son organisation rigoureuse, la Bastille n'est pas à l'abri de telles mésaventures. On y envoie en 1707 un curieux personnage, le faux abbé Dubuquoy. C'était, écrit d'Argenson avec humour, « un fripon et un scélérat, capable de tout entreprendre. Il changeait d'état suivant ses besoins ou ses vues, étant tantôt capitaine, religieux de la Trappe, séminariste, bourgeois et pèlerin. Il s'érigeait même quelquefois en théologien et en philosophe[1]. » On comprend que cet homme protée ait souhaité ajouter à sa panoplie le titre de prisonnier évadé. Tout penaud, l'officier chargé de sa garde, de Bernaville, narre en 1709 les péripéties de cette aventure :

> Je l'avais toujours tenu dans des lieux bas, sans feu et sans lumière, qu'autant qu'il en fallait pour boire et manger. Mais la rigueur de l'hiver a excité ma compassion. Je l'en ai fait sortir et l'ai mis dans une bonne chambre bien grillée, mais pas encore assez pour lui, puisqu'il en est sorti et a monté, avec son échelle de corde, sur le corridor avec ses deux camarades, où ils ont trouvé une sentinelle, qui a fait son devoir et tiré son mousqueton. Mais, comme la nuit était fort noire et qu'il faisait grand vent, le corps de garde ne l'a pas entendu. Aussi elle n'a été secourue que par l'officier et le soldat qui allaient la relever, et qui arrivèrent un moment trop tard...
>
> Je ne puis vous dire, Monsieur, l'affliction des officiers et la mienne. Nous sommes tous au désespoir. Pour moi, j'ai été deux nuits sans dormir, quasi sans manger et à marcher tout le jour[2].

Malgré les affirmations de Bernaville, les prisonniers — sauf ceux au cachot — disposent de beaucoup de liberté, puisqu'on en voit certains « travailler à la dissolution des métaux et autres choses qui semblent vouloir dire qu'on fait de la fausse monnaie[3] » et d'autres tenter de communiquer avec l'extérieur, tel le prieur des Prémontrés. Celui-ci a brodé patiemment sur une bande de toile, avec des fils tirés d'une écharpe de

1 et 2. Bibl. nat. Manusc. français 8124.

3. Arch. nat. 0^1 365, 13 septembre 1704.

soie noire, le texte d'un appel au secours, promettant dix louis d'or à qui signalerait son « malheureux état à M. Duvaux, correcteur des comptes, rue de la Truanderie ». L'étrange missive est découverte et saisie à temps. Voici, écrit M. de Saint-Mars, officier de la Bastille, un échantillon de ce « dont se servait M. Foucquet pour écrire sur du linge sans plume ni encre. Il faisait tout cela à merveille, écrivant également sur du linge non apprêté et sur des rubans, sans qu'on pût voir aucune lettre que par le feu[1]. »

***

D'Argenson reçoit l'ordre de visiter deux ou trois fois l'an les diverses prisons, puis de remettre ensuite à chacun des secrétaires d'État la liste des gens détenus à leur demande, afin de procéder, dès que le temps de détention apparaît suffisant, à des libérations. Ceci n'empêche pas de regrettables « oublis », car il subsiste des malheureux enfermés depuis un grand nombre d'années et parfois, les signataires de leur lettre de cachet sont morts. En octobre 1704, le détenu Blondeau envoie de l'Hôpital général un placet sollicitant le pardon du roi : il s'y trouve, dit-il, depuis trente ans, sur l'ordre de feu Colbert[2] ! En 1703, d'Argenson signale, dans le même établissement, la présence de la femme Lantinau, enfermée depuis quatorze ans pour débauche et infidélité ; le secrétaire du roi trouve bien longue cette pénitence, sans d'ailleurs se souvenir qu'en 1698 d'Argenson lui avait déjà écrit : « Ainsi, voilà une femme enfermée assez légèrement et je crains qu'il n'y en ait d'autres dans ce cas, ce qui, à mon sens, est une grande faute de la part de ceux qui sont en état de veiller à ces emprisonnements[3]. »

A Saint-Lazare, le président de Poissy, chargé d'une inspection par le Parlement, trouve de son côté en 1703 un détenu,

1. Bibl. nat. Manusc. français 8123, 11 juin 1700.
2. Arch. nat. 0^1 365, 27 octobre 1704.
3. d° 0^1 366, 30 mars 1705.

La Noue, qui excite sa pitié. Vous savez, écrit-il au roi, que ces messieurs de Saint-Lazare sont depuis longtemps accusés « de tenir les prisonniers avec beaucoup de dureté et même d'empêcher que ceux qui y sont envoyés comme faibles d'esprit ou pour leurs mauvaises mœurs ne fassent connaître leur meilleur état, afin de les garder plus longtemps[1] ». D'Argenson est, cette fois encore, chargé d'enquêter afin de dresser une liste des internés, avec indication du temps et des motifs de leur détention. Il accomplit ensuite la même besogne à Charenton, chez les frères de la Charité, qui abritent les déments ou prétendus tels.

Au vu des listes, le secrétaire du roi décide ou non d'avertir les familles qui se sont ainsi débarrassées, moyennant une pension, de quelque parent indésirable. En novembre 1703, il avertit le député au conseil du Commerce, Savary, que son oncle, Ragueneau de Charron, détenu à Saint-Lazare depuis 1697, va être élargi, « S. M. n'ayant pas jugé que les motifs de sa détention soient suffisants pour le retenir plus longtemps dans un tel lieu ». Des dépêches analogues sont envoyées au président de l'élection de Noyon, M. de Précelles, pour son beau-frère Bonaventure Forcroy ; au receveur des tailles de Saint-Lô, Lasnon, dont le neveu « ne peut pas toujours être ainsi enfermé » ; au sieur Mirault, dont « le fils est bien revenu de ses égarements ».

D'Argenson lui-même se voit reprocher de détenir abusivement des accusés sans les interroger. Au Fort-l'Évêque, lui dit le secrétaire du roi, Lespinasse, arrêté le 15 novembre n'a été interrogé que le 30, Lafeuillée que six semaines après son entrée. « Et pendant ce temps-là, ces deux hommes ont été tenus dans des cachots. On prétend que le grand nombre des affaires dont vous êtes chargé vous empêche de donner à toutes en particulier les soins et l'attention qui sont nécessaires. Soyez en garde à ne pas vous éloigner des règles de la justice. »

1. Arch. nat. O[1] 364, 10 octobre 1703.

***

La situation des prisonniers pour dettes est particulièrement pénible, puisqu'ils tombent dans l'entière dépendance de leurs créanciers. Ces derniers leur doivent — au moindre prix, on l'imagine — les aliments (six sous par jour). Une institution charitable, la « Compagnie de délivrance des pauvres prisonniers pour dettes », s'est donné pour mission d'adoucir leur sort. Créée vers le milieu du XVIIe siècle, elle a étendu son action plus tard grâce à un legs de 20 000 livres de la marquise de Sénarpont, bientôt suivi d'autres donations notables.

Dirigée par un supérieur, un secrétaire et un « dépositaire », la compagnie s'assemble deux fois la semaine, à heures fixes. Elle comprend surtout des ecclésiastiques ; son bureau délibère valablement lorsque sept voix peuvent être réunies.

Avant d'inscrire le nom d'un détenu sur la liste des charités on enquête sur ses mœurs, sa pratique de la religion, sa bonne foi dans les affaires et on note si, dans sa prison, il est « au lit ou à la paillasse ».

Une fois le candidat accepté, la compagnie s'efforce de composer avec les créanciers en vue d'obtenir soit une décharge totale, soit, au moins, un sursis de deux ans à la contrainte par corps pour le solde des dettes demeurant à acquitter.

Elle présente des requêtes en vue de libérer sur-le-champ les septuagénaires et peut contribuer au règlement des « gîtes et geôlages », mais non des dettes contractées pendant la détention envers les gargotiers ou les « prévôts ». Elle peut aussi régler aux juges les frais de justice et épices, s'ils sont d'un montant modique et constituent le dernier obstacle à la mise en liberté.

La compagnie s'emploie rarement pour les prisonniers détenus à la demande des fermes publiques et pour les cabaretiers. Quant aux vendeuses de marée, de beurre, d'œufs et de volailles, elles doivent attendre six mois au moins avant d'être « écrites sur la feuille » et d'obtenir une démarche auprès de leurs créanciers.

Au moment de leur levée d'écrou, les débiteurs rédigent un mémoire « sur les désordres et abus » constatés dans leur prison.

Cette association charitable crée, pour la première fois, des « visiteuses » chargées d'apporter la bonne parole aux détenus. De grands noms figurent parmi les membres du bureau : le duc de Mazarin (1681), le conseiller d'État d'Argouges, le président de Novion.

Une centaine de personnes, en moyenne, peuvent ainsi être secourues chaque année et bénéficier d'un amortissement progressif de leur dette[1].

1. Bibl. nat. Manusc. Fonds Joly de Fleury 1304 et 1305.

CHAPITRE VII

LES PREMIERS SAPEURS-POMPIERS PROGRÈS DANS L'HYGIÈNE, LA TOILETTE ET L'ÉCLAIRAGE DE PARIS.

Au nº 30 de l'austère et froide rue Mazarine, derrière l'Institut, une modeste plaque indique : « Dans cette maison est mort le 21 juin 1723, Du Mouriez du Périer, d'Aix-en-Provence, introducteur en France de la pompe à incendie, créateur du corps des pompiers de la Ville de Paris. » Si le premier hôtel des pompes se trouvait bien autrefois en ce lieu, l'inscription qui en rappelle le souvenir n'est pas exacte : l'homme qui modernisa la lutte contre l'incendie se nommait en réalité François Dupérier ; il devint directeur général des pompes après 1716 ; et c'est l'un de ses nombreux enfants (il en eut 32), lieutenant dans la compagnie des pompiers en 1722 sous les ordres de son frère, François, survivancier du privilège, qui prit le nom ronflant de Dumouriez-Dupérier. Il eut pour petit-fils le célèbre général Dumouriez.

L'invention de la pompe à incendie, rappelons-le, est attribuée au Hollandais Jean van der Heyden (1673). Après diverses mises au point locales, l'invention se répand lentement dans les grands pays d'Europe ; à Paris, La Reynie s'y intéresse peu avant de quitter la lieutenance générale de police. D'Argenson, son successeur, appliquera le premier cette innovation, d'ailleurs sur d'autres bases. Il en fait parler au roi dès le début de 1698, et le secrétaire de Louis XIV lui répond : « Non seulement le roi trouve bon que vous suiviez la pensée que vous avez eue pour les pompes à la mode des Flandres, afin de s'en servir dans les occasions d'incendie, mais S. M. vous demande un mémoire de ce à quoi pourrait monter cette dépense[1]. »

Le commissaire Delamare est chargé de l'établissement du devis, qu'on attend en haut lieu avec impatience. Il a été réclamé à « un des meilleurs ouvriers qui soient sur le quai des Morfondus[2] pour les ouvrages de mathématiques », auquel on a soumis un plan sommaire de la pompe hollandaise. L'artisan, améliorant le dispositif, conçoit une lourde machine dotée de roues très basses et de deux corps de pompe verticaux, mus par des leviers à bras ; ces corps sont reliés en commun à un tuyau d'évacuation en cuir[3].

Après examen de la proposition par des techniciens, d'Argenson passe commande, fin 1698 ou début 1699, d'un prototype à quatre roues d'orme « bien frettées et ferrées », sur lequel doit être fortement assujettie une caisse solide, en bois épais de deux pouces, munie d'un timon permettant de l'orienter à volonté. Sur la caisse — assemblée à rainures pour pouvoir contenir de l'eau — seront fixés les deux corps de pompe en cuivre de huit pouces de diamètre et leurs coudes de refoulement, aboutissant à un tuyau commun, monté sur la fourche. L'engin « jettera l'eau à la grosseur d'un pouce », l'élèvera à sept ou huit toises (13,65 à 15,60 m) et coûtera 1 180 livres.

Son maniement est confié à François Dupérier. Enthousiaste, il écrit en 1701 que, grâce à lui, il a pu, depuis moins de douze mois, sauver quatre maisons et éviter que le feu ne se communique aux immeubles contigus. L'expérience étant jugée concluante, Dupérier s'engage à fournir à chacun des directeurs des dix-sept quartiers de Paris (nombre porté à vingt en 1702), une pompe « capable d'éteindre en très peu de temps un feu, quelque grand et de quelque nature qu'il soit », sans recourir aux barbares démolitions des maisons voisines, jusque-là de

1. Arch. nat. 0^1 42, 16 avril 1698.
2. Aujourd'hui quai de l'Horloge ; il tirait son nom des files d'attente des plaideurs exposés, l'hiver, à la bise glaciale.
3. Voir le plan à la Bibl. nat. Manusc. français 21681 f° 99.

règle pour faire leur part aux sinistres. L'intéressé fournira aussi des « loges de bois » fermant à clef pour abriter les pompes, se chargera de l'entretien des engins pendant trois ans, et fera accomplir l'exercice aux ouvriers préposés pour leur service : le tout moyennant 1 200 livres par pompe, payables à la livraison.

***

Il n'est pas encore question, on le voit, de créer un corps de sapeurs-pompiers. Les ouvriers instruits par Dupérier et son fils aîné François sont des artisans — en majorité des cordonniers —, assistés de marchands de tabac, fruitiers, vinaigriers, serruriers, etc. Ils accourent au son du tocsin pour accomplir leur mission, reçoivent une gratification et portent le titre de « gardiens des pompes ». On en compte soixante au total, pour vingt pompes[1].

Une loterie est ouverte, en 1704, en vue de rassembler les fonds servant à financer la dépense[2].

Dupérier sauve, grâce à son parc d'engins, le palais des Tuileries en 1704, l'église du petit Saint-Antoine en 1705, l'ancien hôpital Saint-Denis, trois maisons des Halles près du pilori et plus de vingt autres immeubles.

Le délabrement des finances publiques, en général, et de celles de la Ville de Paris, en particulier, ne permet plus, à partir de 1708, de rémunérer Dupérier, qui cesse d'entretenir son matériel et doit faire appel à des volontaires en cas de sinistre. Il écrit à ce sujet une lettre indignée au contrôleur général des Finances en 1714. Le feu s'est en effet déclaré le 13 mai vers quatre heures du matin rue de la Barillerie, près du Parlement, et aurait pu embraser vingt maisons sans le secours des pompes. « Me portant partout pour l'éteindre, je me suis mis en péril plus d'une fois d'être écrasé sous les ruines de cette maison brûlante, et cela, monseigneur, parce que je n'avais pas pour m'aider un seul homme qui fût instruit

1. Une pour chacun des dix-sept quartiers, plus l'appareil prototype et deux engins de secours abrité par l'Hôtel de Ville.

2. Arch. nat. G^7 442.

au maniement des pompes. S'il y avait eu (comme il doit y avoir dans un Paris) des gens préposés et payés pour les servir, non seulement cette unique maison n'aurait pas été endommagée, mais encore on aurait sauvé la vie à un pauvre compagnon, que la crainte de brûler fit précipiter d'un quatrième étage dans la rue, et empêché que sa femme, qui prit le même parti, n'eût tous les membres fracassés sur le pavé.»

Pour prévenir le retour de tels malheurs, dont la capitale, qui compte encore nombre de maisons de bois, est chaque jour menacée, Dupérier transmet à la cour un mémoire, appuyé par le prévôt des marchands et le maréchal de Villars, réclamant l'ouverture d'une nouvelle loterie de 800 000 livres, sur le produit de laquelle 200 000 livres, constituées en rentes perpétuelles à 4 % sur l'Hôtel de Ville, seraient affectées à l'entretien des pompes et de leurs « gardiens ».

Cet appel au bon sens est entendu. Une ordonnance royale du 23 février 1716, modifiant de façon heureuse le système de financement proposé, assigne sur le Trésor un fonds annuel de 6 000 livres, qui sera remis à Dupérier pour restaurer les pompes et prendre à gage des ouvriers dûment instruits et exercés. Quatre engins demeureront à l'Hôtel de Ville, les autres étant répartis non plus dans chaque quartier, mais par groupe de quatre dans un certain nombre de couvents : aux Augustins près du pont Neuf, aux Carmes de la place Maubert, à la Merci, près de l'hôtel de Guise, à la maison des Augustins déchaussés, voisine de la place des Victoires.

Le corps des sapeurs-pompiers est créé à cette occasion : il compte à l'origine 16 gardiens recevant 100 livres par an et 16 sous-gardiens en touchant 50. Chacun dispose d'au moins deux hommes pour le servir, ce qui correspond à un effectif minimum de 96 hommes. Gardiens et sous-gardiens sont dotés, non pas encore d'un uniforme, mais d'un « bonnet particulier, pour le porter dans les incendies, afin qu'ils y soient plus facilement reconnus, distingués et commandés parmi les autres ouvriers qu'on y emploie». Dupérier, son fils François et son autre fils, Antoine Dumouriez-Dupérier — promu lieutenant —, enseignent à leurs cadres l'exercice et le maniement des pompes « par le sifflet », afin de s'en faire entendre et « de diriger leurs différentes manœuvres avec plus d'assurance ».

On avertit le public par affiches, renouvelées chaque semestre, des lieux de dépôt des pompes ainsi que des noms et résidences des gardiens ou sous-gardiens, astreints désormais à loger à proximité de leur pompe. Chacune est visitée au moins une fois par an par le lieutenant général de police et le prévôt des marchands. Tout gardien inapte est retranché des rôles. De même si, lors d'un incendie, on ne trouve pas à son domicile le gardien et son adjoint, ils sont passibles d'une amende et on les remplace sur-le-champ.

Chaque groupe de servants se nomme une brigade, chaque dépôt un magasin.

La famille Dupérier loge rue Mazarine, à l'hôtel des Pompes, qui, en réalité, n'en a jamais abrité aucune.

***

Ce progrès considérable accompli dans la défense de la capitale contre l'incendie est complété, grâce à d'Argenson, par diverses mesures de prévention judicieuses.

Il renouvelle les règles de construction des foyers et cheminées édictées par son prédécesseur : en 1702, l'entrepreneur ayant bâti une maison sinistrée, située près de la place Royale, est déféré à la police pour construction d'un foyer défectueux. En 1705, il en va de même pour Thomas David, fabricant de chandelles au moule : il exerce son dangereux métier rue de Lourcine, dans une cabane en planches au toit de bois, adossée à une maison. On trouve chez lui un stock de matières combustibles : suif, cire neuve, « quantité de ruchers remplis de mouches à miel[1] ».

D'Argenson rappelle aussi, à la suite d'un sinistre survenu aux Halles en 1706, l'obligation pour certains artisans du bâti-

1. Arch. nat. Y 9537, octobre 1705.

ment — maçons , charpentiers et couvreurs — de se transporter avec leurs compagnons sur les lieux dès la sonnerie du tocsin. Il ne s'agit plus désormais d'abattre en hâte les maisons voisines du foyer d'incendie, mais d'étayer les planchers des étages supérieurs inondés par les pompes, pour empêcher leur écroulement. Les réfractaires peuvent être déchus de leur maîtrise et leurs ouvriers exclus de la corporation pendant un an.

Le ramonage des cheminées est imposé pour la première fois aux propriétaires et locataires, sous peine de deux cents livres d'amende en cas de feu de cheminée. On faisait alors appel aux services, non des petits Savoyards, mais de Lombards des villages de Craveggia, Malescho et Villeto. Le métier de ramoneur ne nourrissant pas son homme, ils pouvaient en outre par privilège spécial vendre du cristal taillé, de la quincaillerie et de menus articles d'orfèvrerie. Lors des feux de cheminée, nos ancêtres tiraient à balles ou avec des cartouches de gros plomb dans les conduits de fumée, persuadés qu'ainsi ils détachaient les plaques de suie incandescente et arrêtaient le feu. Cette pratique, risquant de crever les conduits et d'étendre les sinistres, sera interdite en 1726, le « tir à sel, à cendrée ou menu plomb » demeurant seul toléré.

Autres mesures de précaution : il est interdit aux gagne-deniers de fumer la pipe dans la halle aux blés, surtout entre les piles de sacs, et d'allumer des feux ; défense, aussi, de brûler de la paille dans le périmètre des Halles, d'en faire des torches pour s'éclairer la nuit, d'entrer dans des greniers ou des écuries avec des chandelles allumées ; défense, enfin, aux autres personnes que les propriétaires de chargements de foin venus par eau de dormir dans les bateaux — qui offraient auparavant, surtout en hiver, un refuge aux miséreux.

La Reynie s'était attaché, pour disposer d'eau en cas d'incendie, à tenir en état les puits publics et privés, les faisant garnir notamment de cordes, de poulies et de seaux de bois. Dans le même esprit, les habitants de la partie haute de la rue Saint-Jacques sont astreints, en 1699, à réparer le puits public du petit marché de la porte Saint-Jacques, dont la voûte s'est effondrée. Ce lieu de Paris, le plus élevé de la rive gauche, ne disposait pas en effet de fontaines permettant d'alimenter les pompes et le percement de nouveaux puits était impossible, le sous-sol étant truffé d'anciennes carrières gallo-romaines.

***

D'Argenson se porte souvent l'un des premiers sur les lieux des incendies graves. Fontenelle, dans le discours prononcé à l'Académie après la mort du lieutenant général, rappellera qu'à l'occasion de l'incendie des chantiers de bois de la porte Saint-Bernard, qui risquait de provoquer un embrasement général, il franchit seul le rideau de feu, se fit suivre des plus audacieux et permit par sa bravoure d'arrêter le sinistre. « Il eut une partie de ses habits brûlés et fut plus de vingt heures sur pied. »

Lorsqu'il s'agit de nécessiteux, les victimes des sinistres sont secourues, sur proposition de la police, par des aumônes prélevées sur le Trésor royal : trois cents livres en octobre 1701 pour un incendie survenu rue de la Mortellerie, six cents livres en juillet 1704 au profit d'un sculpteur et de plusieurs familles de la butte Saint-Roch[1]. Mais l'état des finances publiques limite l'importance de ces secours et le roi préfère que les victimes soient indemnisées par des quêtes spéciales faites à leur profit dans les églises. Il ne faut pas, écrit le secrétaire de Louis XIV en janvier 1706, « laisser perdre cette habitude, en venant ainsi directement au roi en toutes occasions », ce qui n'empêche pas le Trésor d'allouer, une fois encore, cinq cents livres aux propriétaires d'une maison proche des Gobelins, détruite par la foudre. « Plutôt que d'entrer dans les discussions d'un partage, il est recommandé d'utiliser cette somme à réparer la maison, ce qui profitera à tous. »

Les aumônes privées recueillies par les curés sont d'un montant élevé : 112 000 livres, à l'occasion du sinistre qui, dans

1. Bibl. nat. Manusc. français 21681.

la nuit du 27 au 28 avril 1718, a détruit sur le Petit Pont vingt maisons et en a endommagé quatorze, appartenant en grande partie à la Ville. Le rôle de distribution permet de connaître pour l'essentiel la nature des commerces sinistrés. On y relève : neuf marchands de linge, d'étoffes ou de galons, un barbier, un peintre, un quincailler, un épinglier, un gantier, un imagier et un mercier[1].

***

Avec la lutte contre les incendies, le problème du nettoiement demeure une préoccupation constante de la police, aiguillonnée par des rappels à l'ordre du secrétariat du roi : « Je ne puis m'empêcher de vous dire, écrit-on à d'Argenson en 1702, que les rues de Paris m'ont paru bien sales. Je vous prie de ne point souffrir de négligence à cet égard car, en vérité, le public qui paie de grosses contributions pour l'enlèvement des boues, a tout lieu de se plaindre du peu d'exactitude de ceux à qui ce soin est commis. »

Au surplus, en 1707, l'État lui-même consacre plus de 125 000 livres par an à cet effet, tandis que chaque directeur de quartier prélève, par voie de rôle, une taxe sur les propriétaires ou principaux locataires des maisons de son ressort, qu'il s'agisse de roturiers ou de nobles, de maisons bourgeoises, d'hôtels, de collèges ou de couvents. Les directeurs choisissent les entrepreneurs de nettoiement — en général des laboureurs des villages voisins —, leur fixent un programme précis (certaines rues sont nettoyées de une à quatre fois la semaine, d'autres chaque jour) et les astreignent à fournir le nombre voulu de tombereaux pour l'enlèvement des ordures et boues. Depuis 1701, il existe des receveurs pour la rentrée des taxes. Leur création a d'ailleurs soulevé un vif mécontentement et l'on a dû rassurer les contribuables : les nouveaux offices, a-t-on affirmé, n'entraîneront pas un surcroît de charges,

1. Bibl. nat. Manusc. français 21681.

car « les revenants-bons, avec l'imposition à faire des maisons qui ne le sont pas », suffiront à les rétribuer[1].

La police se montre attentive à punir les infractions aux règles du nettoiement, mais elle doit se battre sans cesse contre la négligence, la paresse et le manque d'hygiène des Parisiens. La lecture des sentences ou des rapports de commissaires est instructive à cet égard.

Place Dauphine, des particuliers viennent « journellement faire leurs ordures, même dans les allées et cours de leurs maisons » ; le dimanche, le peuple s'y assemble, joue aux quilles, se querelle, casse des vitres à coups de pierre, excite les chiens contre les passants. Les bourgeois riverains ont dû se cotiser pour louer les services d'un balayeur, à neuf sols par jour, mais celui-ci ne peut faire son travail, les bourgeois « du quai des Orfèvres et du Grand Cours d'eau, dont les maisons percent place Dauphine, y envoyant des ordures à toute heure du jour et de la nuit ».

Aux abords du charnier des Innocents, les riverains déversent par leurs fenêtres eaux usées, voir pis ; d'Argenson s'y est transporté et a vu ces profanations, sans en découvrir les auteurs. On condamne cependant la veuve Rancé, saisie ultérieurement sur le fait.

Même état de choses dans le quartier Saint-Denis, où les fenêtres servent de vide-ordures, surtout la nuit, « dans un temps, écrit naïvement un commissaire, où l'on ne peut pas facilement reconnaître l'endroit d'où provient la contravention ». Une enquête est ouverte : elle établit que nombre d'immeubles n'ont pas de latrines, ou que leurs fosses sont pleines. On oblige les propriétaires à y remédier, sous peine de fermeture de leurs maisons.

Quai d'Orléans, dans l'île Notre-Dame, les conducteurs des tombereaux du nettoiement en déchargent le contenu sur le quai, au-dessus du parapet, pour qu'il soit évacué par des bateaux. Les riverains se plaignent, en été, de la puanteur de l'air ; elle interdit d'ouvrir les fenêtres « sans en être engloutis

1. Bibl. nat. Manusc. français 17436, Chamillart à Harlay, 17 novembre 1701.

et, de surcroît, décolore et ternit tout ce qu'il y a de meubles, d'argenterie, de dorures et de glaces». Pour comble de disgrâce, les cochers et loueurs de chevaux du voisinage, inspirés par cet exemple, ont pris l'habitude d'évacuer de la même façon leurs fumiers ; quant aux éboueurs, ils laissent stationner jour et nuit leurs files de tombereaux nauséabonds sous les fenêtres des plaignants...

Les équarrisseurs n'ont rien trouvé de mieux, après avoir décharné les carcasses avariées, que de les amonceler aux environs du faubourg Saint-Antoine et des avenues conduisant à Vincennes : d'où une infection « qui diminue fort (on s'en doute !) l'agrément des promenades dont il a plu au roi de rendre l'usage public». Trois équarrisseurs sont condamnés à cent livres d'amende.

La pointe sud de l'île Saint-Louis, qui n'a jamais été pavée, est transformée abusivement en décharge de terres, gravats et immondices, si bien que le niveau en est relevé jusqu'au faîte des parapets des quais. Deux chevaux de carrosse, trompés par ces apparences, choient dans la Seine. En février 1705, au cours d'une assemblée de direction tenue chez le premier président du Parlement, on décide d'évacuer ce trop-plein, d'araser le monticule au niveau de la chaussée, et de sabler la petite place ainsi créée. Mais les abus se poursuivent, et il faut l'enclore de barrières fermées à clef. Le président Lambert écrit au commissaire Delamare : « Tout le monde me tourmente pour faire finir la pointe de notre Ile et se prend à moi de ce qu'on ne l'achève point. Faites-moi, je vous prie, le plaisir de finir cette affaire ; sans cela je ne serai point en sûreté dans mon quartier et l'on m'y lapidera.»

***

Contre ces abus sans cesse renaissants, la police multiplie les amendes — on en relève parfois une vingtaine par jour pour un seul quartier — et, sur ordre du roi, les applique, lorsqu'il s'agit d'hôtels particuliers où résident des gens de qualité, non aux propriétaires mais à leurs maîtres d'hôtel, qui vendent à leur profit le fumier des chevaux aux maraîchers ou vignerons de banlieue.

On interdit enfin :

— l'élevage à Paris de porcs, lapins, lièvres, pigeons, poules ;

— l'abandon par les jardiniers, sur le sol des Halles, des feuilles d'artichauts ou cosses de pois et fèves ;

— la nourriture des chevaux des carrosses de louage à même le pavé ; ceux-ci doivent être maintenant avoinés dans leur écurie. En cas de contravention les cochers s'exposeront non seulement à une amende de cent livres mais aussi à la saisie du véhicule et à l'envoi des chevaux en fourrière ;

— l'épandage dans les jardins du contenu des latrines, qui devra être voituré hors de Paris par les « fifis » ou maîtres des basses œuvres. Ces vidangeurs, particulièrement surveillés, doivent véhiculer leur malodorante cargaison dans des tonneaux clos, les « boêtes » ; commencer leur travail seulement à la nuit tombée et le cesser à la pointe du jour ; ne pas embarrasser la voie publique ; ne pas jeter leurs matières dans la rivière ou les puits — ce qu'ils faisaient parfois pour se venger de clients avares leur refusant « la chandelle ou l'eau-de-vie ». Il leur est, en outre, interdit de s'arrêter en chemin pour entrer dans un cabaret. Les paysans auxquels ils livrent ne peuvent fumer leurs terres avant que les « matières » se soient réduites et reposées pendant au moins trois ans, afin de ne pas communiquer un mauvais goût aux grains, légumes et plantes maraîchères.

L'été, la police vérifie que les bourgeois arrosent devant chez eux en vue d'accroître « la salubrité de l'air », laissant, le long des murs, une partie sèche pour la commodité des piétons.

L'hiver, elle veille à l'enlèvement des neiges et au rétablissement d'une circulation normale. Témoin cette intéressante lettre de d'Argenson à Delamare[1] :

1. Bibl. nationale, Manusc. français 21687, 15 février 1708.

Les glaces et les neiges demandent de nouveaux soins et un travail extraordinaire. Mais je vous prie de vous attacher principalement à faire casser les glaces qui sont aux environs des fontaines, afin que les passants et ceux qui y vont puiser de l'eau ne soient pas en danger de faire des chutes fâcheuses.

Comme la neige commence à devenir assez épaisse pour faire craindre que les demi-roues[1] puissent l'entraîner tout d'un coup au commencement du dégel, il est à propos de l'amonceler et je vous prie d'y donner ordre. Je compte aussi que vous vous attacherez à piocher les ruisseaux des rues, surtout aux environs des gargouilles et des égouts, afin qu'ils ne se trouvent pas engorgés dans le temps du dégel.

La neige étant assez abondante pour en rendre le transport nécessaire, vous y tiendrez la main et chargerez les entrepreneurs de la décharger dans les endroits les moins incommodes...

... Il est (aussi) à propos que chaque particulier amoncelle dans sa cour la neige qui est tombée, pour en rendre l'écoulement moins précipité et que vous défendiez en général de la jeter ni voiturer dans la rue, où elle causerait une inondation et embarrasserait.

Il faut enfin que vous, et messieurs vos confrères, vous distribuiez tous les matins dans les rues qui composent votre quartier, afin que tous les bourgeois agissent de concert et que les neiges y soient mises en piles, puis enlevées successivement, avec l'attention et la précaution convenables.

*
* *

L'éclairage nocturne des rues, de son côté, continue à bénéficier de sensibles progrès. En 1704, un Italien, Landini, protégé de la duchesse Sforza, propose de nouvelles lanternes éclairant mieux, dont la matière combustible est une pâte de dérivés du phosphore. Elles présentent, selon l'inventeur, l'avantage de ne pouvoir s'éteindre même par vents forts, lesquels jusque-là soufflaient plus de la moitié des chandelles. Chamillart consacre 950 livres à cette expérience[2]. Deux ans plus tard, un fabricant de bougies provençal, Marius, soumet à son tour de nouvelles bougies de sa façon, qu'on transmet

1. Racle de bois semi-circulaire, dotée d'un long manche et servant à pousser la neige.

2. Arch. nat. G^7 1725.

pour examen aux marchands épiciers. Puis on les compare, quant à leur temps de combustion totale, avec des bougies de pure cire.

Les chandeliers, responsables des fournitures de l'éclairage public, trichent encore trop souvent sur la qualité, « mêlant leurs chandelles de mauvais beurre et de graisse, qui brûlent mal ». L'un d'eux, Meny, est condamné à cent livres d'amende en 1713.

Les propriétaires ou locataires des maisons sur lesquelles sont fixées les boîtes contenant la corde d'une lanterne, doivent descendre cette dernière chaque jour à une heure déterminée. Il existe, par groupe de rues, un commis chargé de l'allumage, lointain prédécesseur des allumeurs de réverbères, eux aussi disparus aujourd'hui. Il reçoit en dépôt un stock de chandelles, afin de remplacer en temps opportun celles aux trois quarts consumées. Ces commis n'échappent pas à la tentation de s'enrichir en fraudant : en février 1709, Manigot, marchand de vins commis pour allumer les lanternes, délègue ses pouvoirs à la veuve d'un miséreux. Au lieu d'y placer des chandelles neuves, elles les garnit de bouts de chandelles attachés avec des cartes à jouer : on condamne son « patron » à soixante livres d'amende.

Il existe enfin des entrepreneurs chargés de la fourniture des cordes, de l'entretien des lanternes et du nettoyage de leurs vitres, qui s'effectue une fois par mois. Celui du quartier Montmartre est puni pour son incurie : il s'acquitte si mal de sa tâche que, sur les 299 lanternes de son ressort, on peut à peine en lever quatre ou cinq par jour[1].

L'éclairage s'étend aux monuments et palais : à la demande de Pontchartrain, on pose sous les guichets du Louvre, en décembre 1709, des lanternes qu'on allume chaque soir[2].

En dépit d'ordonnances souvent renouvelées, de jeunes vandales ne craignent pas d'exercer leur adresse sur les vitres des malheureux lumignons publics ou de briser les poteaux

1. Arch. nat. Y 9537.
2. Bib. nat. Manusc. français 8121.

sur lesquels s'accroche la corde qui les soutient. En une seule nuit de mars 1705, ils brisent ainsi presque toutes les lanternes de la rue Sainte-Avoye et des voies proches, étendant leur exploit aux vitres des maisons. Les bourgeois témoins de tels faits ont ordre de saisir les briseurs de lanternes, puis de les arrêter sur-le-champ. Mais ils n'osent pas toujours en prendre le risque.

Un dénombrement opéré en 1715 atteste à Paris la présence de 5 577 lanternes, le quartier le mieux éclairé étant celui de la Cité — centre administratif, judiciaire et religieux —, avec 413 lanternes ; le moins bien éclairé, celui de la Verrerie (173 lanternes).

Ajoutons que, depuis 1697, l'obligation d'éclairer les rues a été étendue aux principales villes du royaume[1].

1. Arrêt du Conseil du 25 juin 1697.

CHAPITRE VIII

LES ÉCRIVAINS ET LE POUVOIR

LA CONDITION des écrivains, à la fin du Grand Siècle, ne s'est guère améliorée par rapport aux brillants débuts de celui-ci. Le tirage des œuvres de l'esprit s'étage entre 1 000 et 2 000 exemplaires seulement, ce qui suffit d'ailleurs pour atteindre l'élite cultivée du pays. Les ouvrages scolaires et de piété font seuls exception à cette règle.

Le livre demeurant un objet relativement rare et luxueux, les auteurs n'en tirent que de faibles revenus, à moins d'en vendre la préface à quelque grand. Auteurs de théâtre et romanciers traitent en général à forfait avec le libraire ou l'imprimeur, auxquels ils cèdent leur manuscrit contre argent comptant : tel sera le cas de Benserade, Rotrou, Corneille, La Fontaine, Molière. Quelques écrivains en renom, fidèles à une vieille tradition, refusent cependant d'agir de la sorte et de recevoir une somme à titre de pot-de-vin, ainsi qu'un certain nombre d'exemplaires d'auteur. Ils estiment ce commerce indigne d'un homme de lettres et, comme l'écrit Boileau, «faisant d'un art divin un métier mercenaire»; ceux-là continuent de vendre des préfaces à une classe nouvelle de mécènes, qui tend à supplanter les grands, celle des financiers. De son côté, le roi accorde à certains écrivains, on le sait, des pensions avidement recherchées.

Les droits des auteurs sur leurs œuvres sont, au surplus, fort incertains : qu'une copie de manuscrit soit dérobée ou prêtée à un ami indélicat, qu'elle tombe ensuite entre les mains d'un éditeur — surtout étranger — et voici le livre publié contre la volonté et aux dépens du malheureux auteur, désormais privé de recours contre un odieux abus. Même si le manuscrit a été vendu à prix forfaitaire, l'auteur ne peut prétendre au versement d'aucun droit sur les rééditions ultérieures, qui sont parfois nombreuses, les prolongations de privilège étant, en général, aisées à obtenir[1].

Le marché français du livre se heurte en outre, depuis la révocation de l'édit de Nantes, à une intense concurrence de plagiaires étrangers : les protestants émigrés sont allés créer des imprimeries en Hollande, en Angleterre, en Suisse, dans les principautés allemandes, et ces ateliers modernes, dont l'activité n'est pas ligotée par les règlements corporatifs, éditent en contrefaçon, sans privilège et à bas prix, aux dépens de nos écrivains nationaux. Les livres ainsi imprimés sont expédiés en feuilles, souvent mélangées à celles de livres à privilège, pour tromper la vigilance de la douane.

Des sujétions d'ordre public très strictes n'en continuent pas moins, en France, d'entourer la parution des ouvrages. Ils sont soumis à une censure préalable d'examinateurs désignés par le pouvoir et ne peuvent être édités sans un imprimatur, sous forme d'une lettre au grand sceau. Il s'agit surtout, dans l'esprit du roi, d'écarter les œuvres contraires à la morale, à la religion ou à la politique officielle, ainsi que celles pouvant ranimer les querelles religieuses, qui couvent en permanence sous la cendre. Les éditions clandestines ou étrangères venues en fraude se multipliant, la permission d'imprimer est devenue de plus en plus stricte. Elle doit, pour les ouvrages en plusieurs tomes, être obtenue pour chacun d'eux et il en faut une spéciale pour l'avertissement et la préface. Même les rééditions d'auteurs grecs ou latins sont soumises à cette réglementation.

Les écrivains, si illustres soient-ils, ne peuvent la transgresser, ce qui suscitera, s'agissant du maréchal de Vauban, un véritable drame.

1. L. Febvre et H.J. Martin : *L'Apparition du Livre,* A. Michel, 1958.

***

Vauban, dont la culture était très vaste, l'honnêteté intellectuelle parfaite et la droiture sans défauts, avait consacré les vingt dernières années de sa vie à un problème épineux : celui de la réforme fiscale. Mû par un vif souci de justice sociale, qui faisait de lui un précurseur, il souhaitait substituer en quasi-totalité aux impôts existants une contribution générale comportant quatre « volets » :

— perception de ce qu'on appellerait aujourd'hui un impôt sur les bénéfices agricoles, d'un taux de 5 à 10 % selon les besoins de l'État et frappant tous les « fruits de la terre » ;

— imposition à des taux variés des revenus et bénéfices fonciers, industriels et commerciaux (revenus immobiliers, rentes, bénéfices des artisans et marchands, émoluments et salaires) ;

— réforme de la gabelle, taxe de consommation très impopulaire et d'ailleurs largement fraudée, mais qu'il était impossible de supprimer à cause de son rendement. Son taux serait abaissé, pour permettre au petit peuple de faire des salaisons, et sa perception placée sous l'autorité directe du roi, c'est-à-dire, mesure révolutionnaire, effectuée en régie d'État ;

— regroupement des autres natures de ressources : domaine, droits de douane, impôts de consommation sur les produits superflus ou luxueux : tabac, eau-de-vie, thé, café, etc.[1].

Ce projet, dénommé assez improprement, *Dîme royale*, Vauban en a rédigé la première version en 1691, la remaniant ensuite à l'issue de ses entretiens avec Pierre de Boisguilbert (autre réformateur de moindre envergure, peu sympathique), et l'adressant à Chamillart et au roi. La guerre européenne de nouveau rallumée, le maréchal remet son système en chantier, lui donne une forme définitive — si tant est, pour un homme aussi scrupuleux, que ce mot ait un sens —, puis adresse un second exemplaire de la *Dîme*, revue et corrigée, à Louis XIV.

1. *Projet d'une dîme royale.* Edition proc. par E. CORNAERT, Paris 1933.

Le roi n'est certes pas toujours ennemi des nouveautés, mais il possède à un haut degré le sens du possible. Or les thèses de Vauban lui apparaissent, de ce point de vue, profondément inopportunes.

L'auteur met en avant, pour l'essentiel :

— l'obligation naturelle, pour tous les sujets, quelle que soit leur condition, de contribuer aux dépenses de l'État, à proportion de leurs revenus ou de leur industrie, sans qu'aucun puisse s'en dispenser ;

— la suppression des multiples privilèges en vertu desquels le clergé et la noblesse s'estimaient exempts d'une telle contribution.

Ce thème moderne de l'égalité devant l'impôt, empreint d'esprit de libre examen, ne rejoint-il pas de fort près les thèses « républicaines » propagées à satiété par la Hollande ennemie et les libellistes français ? Entrer dans les vues de Vauban, n'est-ce pas encourager ceux qui cherchent obstinément, sur le plan politique, à dissocier le roi de sa noblesse, d'une part, du tiers état de l'autre, ou à opposer les trois ordres sur l'un des problèmes les plus brûlants, celui d'une fiscalité équitable ?

Emporté par son esprit logique, l'auteur de la *Dîme royale* a en outre été amené à fournir nombre de statistiques et d'informations convaincantes sur la misère actuelle du royaume. Ces précisions dangereuses ne risquent-elles pas d'être exploitées contre la France ?

Transformer la gabelle en régie directe est sans doute fort logique en théorie, mais comment les tout-puissants fermiers généraux, ainsi que les traitants et financiers, vont-ils accueillir, eux dont on a tant besoin, un système qui vise à les ruiner ?

Rarement, on le voit, meilleur projet en soi ne sera mis en avant plus mal à propos. Saint-Simon ne fait guère preuve de finesse politique en affirmant que Vauban « donnait au roi plus qu'il ne tirait par les voies alors pratiquées » et qu'il « sauvait les peuples de la ruine et de la vexation ». En des temps plus propices, c'eût été l'évidence. En pleine tempête et s'agissant d'un pays acculé de toutes parts, c'était, semble-t-il, une dangereuse vue de l'esprit.

*
* *

Pour toutes ces raisons — et de même qu'il écarte catégoriquement le projet de Banque royale de Samuel Bernard — Louis XIV, irrité par la vive cabale suscitée par la diffusion de versions manuscrites de la *Dîme royale* en 1706, reçoit fort mal le maréchal de Vauban lorsqu'il vient, pour la seconde fois, lui présenter son ouvrage.

Comment agit alors Vauban? Va-t-il, devant la colère de son souverain, attendre sagement des temps meilleurs? Non pas : ce grand soldat — auquel, après tout, personne n'avait demandé de s'occuper de problèmes fiscaux — opte pour l'illégalité et fait imprimer, soit en Flandre, soit à Rouen, on ne le sait pour lors exactement, la *Dîme royale* sans privilège ni autorisation.

Venant d'un écrivain de troisième zone, l'affaire ne comporterait guère de conséquences. Venant au contraire d'un illustre maréchal de France, dûment averti qu'on souhaite ajourner son projet à des temps meilleurs, elle est prise fort au sérieux.

Vauban, alors âgé de soixante-treize ans et sincèrement atterré des malheurs de son pays, a obtenu un congé ; il s'est retiré, fatigué et malade, dans son hôtel de la rue Saint-Vincent où il est assisté d'un dévoué secrétaire, homme de grande culture, l'abbé Ragot de Beaumont. A la fin de 1706 et au début de 1707, les deux personnages travaillent à un ouvrage qui constituera la synthèse des théories militaires du maréchal, le *Traité de la Défense des Places* ; entre-temps, l'abbé a fait imprimer la *Dîme royale*, dont Vauban lui-même, sûr de l'impunité, va chercher le tirage en feuilles, pour le remettre à un relieur de confiance. La dernière page de l'ouvrage exprime un vœu touchant : « Je n'ai plus qu'à prier Dieu de tout mon cœur que le tout soit pris en aussi bonne part que je le donne ingénument, et sans autre passion ni intérêt que celui du service du roi, du bien et du repos de ses peuples. »

Lorsque Louis XIV apprend l'impression de la *Dîme*, sa colère éclate. Pontchartrain, chancelier, fait condamner l'ouvrage par le conseil privé, au rapport de Marc-Antoine Turgot de Saint-Clair, le 14 février 1707. L'arrêt ordonne, comme d'usage, la saisie des exemplaires et leur mise au pilon. Tout se passe d'ailleurs en secret, car on ne veut pas déconsidérer l'auteur ; l'arrêt ne lui est pas même signifié ; son texte comportant une lacune (il n'indique pas l'autorité chargée de poursuivre), on le complète le 14 mars, en chargeant d'Argenson de son exécution.

Le grand érudit Boislisle[1] écrira qu'en l'occurrence le chancelier et le lieutenant général de police « manquèrent absolument à leur devoir de bons serviteurs, qui était d'éclairer le prince et de faire fléchir la loi, si tant est qu'elle fût en jeu, devant le nom du plus honnête et du plus dévoué des sujets ». C'était là méconnaître le caractère de Louis XIV, inflexible lorsqu'à ses yeux l'intérêt de l'État se trouvait en danger. L'impulsion venait d'ailleurs du roi lui-même, qui n'aurait jamais toléré qu'un ministre, et à fortiori un lieutenant général de police, lui en remontrassent à ce sujet.

Entre les deux arrêts de condamnation, vers le 15 mars, le commissaire Delamare recherche précipitamment les preuves de l'impression et du débit[2] de la *Dîme royale*. La police soudoie des colporteurs clandestins de libelles et d'ouvrages défendus, afin de prouver la réalité de la mise en vente. « On n'a pas épargné la dépense, les plus hardis ont dit qu'ils ont fait leur possible d'en avoir, mais sans y pouvoir parvenir. » Il est patent que jamais le loyal Vauban n'a songé à débiter ses livres sous le manteau : il s'est contenté de « les distribuer et de les envoyer à ses amis », pour les convaincre du bien-fondé d'une thèse qui le passionne.

La police parvient seulement à apprendre que soixante exemplaires se trouvaient en cours de reliure, au début du mois de mars, chez la veuve Fétille : « On fit tout ce que l'on put pour

1. Boislisle : *La Proscription du projet de dîme royale et la mort de Vauban.*
2. Bibl. nat. Manusc. français 21746.

en avoir un seul ; le relieur s'en défendit et dit qu'ils lui étaient donnés par compte et qu'il n'osait s'en défaire d'aucun.» Si vous le jugez à propos, conclut Delamare, «je ferai une visite chez ce relieur sous un tout autre prétexte et, en cas que j'y trouve ce livre, le ferai saisir et prendrai la déclaration du relieur. Mais si ce que l'on dit est vrai, toute la preuve tombera sur M. de Vauban. J'attendrai sur cela vos ordres.»

D'Argenson répond, le 22 mars, qu'il faut trouver à tout prix des témoins de l'impression et surtout du débit de la *Dîme royale*, c'est-à-dire perquisitionner d'urgence chez la veuve Fétille. En ce qui concerne la responsabilité de Vauban : « quand il s'agit d'exécuter les ordres du roi, ce n'est pas à nous à prévoir les conséquences».

La perquisition a lieu le 2 avril. Delamare apprend alors avec surprise que le relieur a déjà habillé, voici deux ans — c'est-à-dire en 1705 — 264 exemplaires du *Projet d'une Dîme royale.* Vauban lui avait alors dit que cette édition, imprimée certes sans permission, n'était destinée qu'à ses amis et que «ce n'était pas le temps de rendre le livre public» . Nouvelle preuve, s'il en fallait une, que le maréchal craignait les conséquences politiques d'une plus large diffusion. Une partie des exemplaires litigieux avait été reliée en maroquin rouge, l'autre en veau, la dernière en papier marbré : on savait alors proportionner la présentation à la qualité des destinataires !

L'impression aurait eu lieu en Flandre, pays ennemi, sans autre précision, car Vauban «faisait faire cela très secrètement», se cachant «même de ses gens».

***

En attendant d'en savoir davantage, on emprisonne la veuve Fétille, sa fille, un compagnon relieur et Jean Colas, valet de chambre du maréchal.

Colas révèle que, le 24 mars, Vauban, averti que la police faisait rechercher son livre, lui a ordonné d'en retirer tous les exemplaires en reliure. Il a «paru fort chagrin de la décision du chancelier» ; la fièvre le prit sur le soir et il fut malade six jours.

Un peu rétabli, il envoie son valet porter deux exemplaires à l'abbé de Camp (ou de Cany), rue de Grenelle, pour qu'il les examine et lui donne son sentiment ; d'autres exemplaires sont remis au chirurgien Cheminot, et au confesseur de Vauban — afin de savoir « si, en le composant, le maréchal n'avait rien fait contre sa conscience » —, enfin à un moine jacobin ami.

Sur ce, Vauban décède brusquement le 30 mars. Saint-Simon s'empressera de dire qu'il n'aura pas supporté d'être considéré par le roi comme un « insensé pour l'amour du public, un criminel qui attentait à l'autorité de ses ministres, par conséquent à la sienne », et que, « porté dans tous les cœurs français, il ne put survivre aux bonnes grâces de son maître, pour qui il avait tout fait ». Saint-Simon, une fois encore, se laisse aller à son aversion pour Louis XIV, en déformant gravement ses sentiments. C'est si vrai que, le 28 mars, Fagon venant avertir le roi que Vauban, à toute extrémité, sollicite l'assistance du premier médecin de Monseigneur, Louis XIV ordonne — dit Dangeau — à Boudin de partir sur l'heure et « parle de M. de Vauban avec beaucoup d'estime et d'amitié. Il le loue sur beaucoup de chapitres et dit : Je perds un homme fort affectionné à ma personne et à l'État. »

En fait, Vauban est épuisé par son métier harassant, usé par les excès de travail, âgé et bronchiteux, malade depuis plusieurs mois : rien d'extraordinaire à ce que tout cela ait conduit à une issue fatale celui « que la fortune avait fait naître le plus pauvre gentilhomme de France ».

Le maréchal mort, l'action de la police ne s'en poursuit pas moins, car les livres repris au relieur par le valet Colas ont été portés chez l'abbé de Beaumont, secrétaire particulier de Vauban. Le commissaire Delamare « parle fortement » aux héritiers, représentés par le marquis d'Ussé, gendre du maréchal, afin qu'ils restituent les ouvrages disparus. Une perquisition chez l'abbé de Beaumont (8 mai) ne permet d'en retrouver que deux, mais l'un est « rempli de corrections et d'additions manuscrites en marge, ce qui prouve que l'on projetait une seconde édition ». En outre, on découvre un manuscrit de sept pages, ainsi qu'un cahier ayant pour titre : *Objections de M. le P. contre le projet de la dîme royale et réponses.* On ne saura jamais si ce M. le P. ne cache pas M. le Prince, mais on en est persuadé tant c'est probable. On trouve enfin le texte d'une *Deuxième addition pour répondre aux plaintes de la noblesse contre le système de la dîme royale mal entendu.*

La police ne mettra jamais la main sur les exemplaires cachés et devra relâcher la relieuse, sa fille, son commis et le valet de chambre Colas en mai 1707.

Elle obtiendra en revanche la preuve :

— que Vauban avait fait éditer en territoire ennemi un livre dont il savait que le roi n'approuvait pas le contenu ;

— que ce livre, imprimé en secret, sans permission au grand sceau, avait été clandestinement diffusé à près de trois cents exemplaires auprès d'une série de personnages de l'entourage du roi. Vauban, visiblement, tentait de créer en sa faveur un mouvement d'opinion, recueillait des avis, des observations, des critiques et s'apprêtait à financer une seconde édition pour pénétrer plus avant dans les milieux politiques ;

— que le maréchal n'ignorait rien des risques qu'il prenait, parfois même directement, par exemple en apportant son livre en feuilles chez son relieur.

A chacun de juger qui avait tort ou raison en l'occurrence[1].

*
* *

Fénelon, le doux archevêque de Cambrai, victime du tenace ostracisme du roi, subit lui aussi, à diverses reprises, des tracasseries policières lors de la querelle du *Quiétisme*.

1. Détail curieux, et inédit : Vauban était surveillé par la police depuis novembre 1705. Un rapport de cette époque mentionne ses fréquentes visites à Mlle de Villefranche, qu'il voit quotidiennement chez la duchesse de Saint-Pierre « où l'on prend grand soin de lui plaire et d'applaudir à tous ses discours ». (Bibl. nat. Manusc. français 8120, 10 novembre 1705.)

En février 1698, Pontchartrain avise d'Argenson qu'on aurait publié de *Nouvelles Lettres* de lui, sans doute à Lyon. Mais « la recherche qu'on se propose d'en faire par l'entremise de l'intendant local causerait trop de bruit». En faire arrêter les paquets à la poste ne serait guère un expédient plus praticable. La seule chose possible est d'avertir le maître de la diligence Lyon-Paris « d'être exact à ne point se servir de livres, s'ils ne passent au préalable par la douane». En réalité, les *Nouvelles Lettres* avaient été imprimées à Bruxelles.

Le 9 juin 1698, le roi gourmande d'Argenson à ce sujet : « Vous n'avez pas encore fait une grande découverte d'en avoir saisi douze exemplaires, pendant qu'on les distribue par milliers. »

La police, sur les dents, perquisitionne chez tous les libraires et finit par découvrir mille ouvrages clandestins. L'intendant de Rouen est invité à faire visiter un libraire d'Évreux, et d'Herbigny, intendant à Lyon, doit veiller à empêcher dans son ressort une impression frauduleuse.

Mais ces recherches cessent le 8 juillet, le roi « n'estimant pas qu'on doive empêcher l'archevêque de Cambrai d'écrire pendant que les autres prélats le font».

En août 1698, on saisit le courrier expédié à Paris par Fénelon dans deux valises ; le roi se le fait remettre, sans toutefois ordonner des poursuites contre le valet de chambre qui a convoyé les documents[1].

Deux ans plus tard, d'Argenson est à nouveau chargé de découvrir « quelle est cette femme du faubourg Saint-Germain chez qui le maître d'hôtel de l'archevêque a déposé des livres» puis, si possible, de les y saisir[2].

En août 1702, Pontchartrain renvoie *La Critique des Aventures de Télémaque*, livre imprimé en Hollande, à d'Argenson qui le lui a signalé. « Il ne mérite aucune attention, et il suffit que vous en empêchiez le débit, ainsi que vous êtes obligé de le faire des ouvrages de cette espèce. »

1. Arch. nat. 0^1 42, 17 février, 18 mars, 9 et 18 juin, 8 juillet, 4 et 10 août 1698.
2. d° 0^1 44, 12 août 1700.

Nouvel incident encore, en avril 1704 : d'Argenson a détecté et saisi, à Paris, l'édition d'une lettre pastorale de Fénelon. « Vous avez bien fait, lui dit Pontchartrain, de la faire arrêter sans entrer dans le fond de la doctrine ; il suffit que cet écrit ait été porté et vendu hors de son diocèse sans permission pour être sujet à saisie[1]. »

***

Passons maintenant à des écrivains infiniment moins illustres que Vauban ou Fénelon, que l'on peut rapprocher de nos modernes feuilletonistes.

Courtilz de Sandras, intarissable conteur de ragots, a déguisé son nom sous de multiples pseudonymes afin de dérouter la police, qui le pourchasse. C'est « un très dangereux auteur », écrit Pontchartrain ; il a été longtemps à la Bastille, d'où il n'est sorti que sous promesse de ne plus écrire et de se retirer près de Montargis, sans venir à Paris. En dépit de cet engagement, il « distribue, avec une très grande hardiesse » des ouvrages interdits.

Les aventures d'un de ses confrères, le « chevalier » de Mailly, défraient la chronique parisienne. « On assure, écrit d'Argenson, qu'il est fils d'une servante de l'hôtel de Mailly qui, étant devenue grosse, tint à honneur de déclarer que c'était d'un des enfants de la maison. Quoique la chose fût fort douteuse, la duchesse de Mailly voulut bien se charger de l'enfant, après avoir chassé la mère. Mais son mauvais cœur et cet esprit de fainéantise et de poltronnerie qui l'attachent à Paris depuis si longtemps ayant démenti sa naissance, il s'est abandonné au commerce des livres et des nouvelles. Cette route l'a conduit à une extrême indigence (comme il est assez ordinaire) et l'a engagé dans quelques affaires fâcheuses. »

Ces affaires sont d'un pittoresque assez réjouissant. La nommée Auroy, libraire, l'avait chargé de composer « un petit ouvrage en forme de nouvelle historique », qui devait s'intituler *La Fille Capitaine*, lui confiant pour ce faire les mémoires d'une

1. Arch. nat. O^1 363, 23 août 1702 et O^1 365, 13 avril 1704.

aventurière bien connue à Paris par « le cordon bleu qu'elle porte en écharpe et l'habit extraordinaire dont elle est vêtue ». La libraire Auroy affirmait même que la duchesse de Bourgogne l'avait chargée du soin de cette édition.

Coureur de tavernes à l'imagination fertile, Mailly, plutôt que de se borner à une « narration simple et modeste », a truffé son manuscrit d'histoires grivoises que « la pudeur la moins scrupuleuse ne saurait souffrir ». Il a notamment conté la mort du chevalier de la Bazinière, surpris avec la femme qu'il aimait, et « tué d'une manière qui représente trop la peine du talion », ainsi que l'enlèvement d'une religieuse qui, après avoir déterré le cadavre d'une des sœurs de son couvent, mit le feu à sa cellule, s'évada et courut le monde.

La libraire a donné au « chevalier » de Mailly cinquante écus pour la rédaction de *La Fille Capitaine*, mais cet insolent n'a rien voulu retrancher des « ordures » qu'il y avait glissées ; elle n'a pu obtenir de lui que « des injures et blasphèmes ».

D'Argenson s'entremet amiablement pour lui faire entendre raison, mais comprend, « à ses discours, qu'il se pique de n'en pas avoir ». Il apprend en outre qu'il est en usage de répandre des libelles et d'envoyer en Hollande, pour les y faire imprimer clandestinement, ceux de ses manuscrits auxquels la censure officielle refuse le permis d'imprimer. On lui attribue notamment *La Vestale amoureuse ou la Religieuse en chemise*, *Le Comte de Clare*, les *Entretiens des Cafés* et quantité d'autres pièces fugitives.

Mailly est relégué à Rouen peu après, bien qu'il proteste de son innocence auprès de Pontchartrain. Il lui écrit en 1703 qu'il a employé ses biens et ses plus belles années au service de son prince, reçu des blessures à la guerre, composé plus de vingt volumes, tous « bien reçus du public », entre autres l'*Histoire de la république de Gênes*, dédiée au roi. « Je suis exilé par l'artifice de M. d'Argenson, s'exclame-t-il, et pour comble de malheur on m'apprend que mon placet lui a été renvoyé. Ce n'est pas de lui que je dois attendre aucune justice, puisqu'il est le plus cruel de mes ennemis. Qu'on me fasse mon procès, conclut-il, et je ferai éclater mon innocence. »

Le pouvoir s'en garde bien ; Mailly languit encore à Rouen en septembre 1711, date à laquelle d'Argenson consent enfin qu'il revienne pour trois mois, afin d'être mis à l'épreuve et à condition d'envoyer au préalable « des certificats de son obéissance et de sa bonne conduite ».

Il a fait, entre-temps, intervenir en sa faveur Mgr de Mailly, évêque de Lavaur, puis archevêque de Reims. Mais le prélat, comme aussi la duchesse de Mailly, ont fait savoir au roi qu'« ils ne prenaient aucun intérêt » aux mésaventures du personnage[1].

1. Bibl. nat. Manusc. français 8123 et 8124. Arch. nat. 0^1 365.

CHAPITRE IX

LIBELLISTES, IMPRIMEURS, LIBRAIRES ET GRAVEURS

Avec la reprise de la plus cruelle guerre du règne, celle de la Succession d'Espagne, en 1702, une pluie de libelles et de pamphlets va s'abattre sur la France pour y semer la révolte : ce que la cour appelle « l'esprit républicain ». On attaque sans cesse le roi dans sa vie privée, l'accusant de domestiquer la noblesse, de pressurer le peuple, de l'affamer, de le faire périr de misère. On prédit aussi une défaite ignominieuse de la France, qui sera le prélude de son dépècement. Il ne se passe guère de semaine sans qu'un de ces « brûlots » ne soit découvert à Paris — et ce que l'on découvre représente à peine le millième de ce qui circule !

Comme les « imprimés » actuels qui, au nom de la publicité, violent notre domicile, les libelles atteignent tout simplement leurs destinataires par voie postale. « J'ai fait voir au roi, écrit Pontchartrain en 1702, l'imprimé venu de Liège intitulé *Recueil de nouvelles*, dont il a beaucoup été envoyé à des marchands et artisans de Paris. Je conviens qu'il serait très utile que de pareils écrits ne fussent point répandus dans le royaume, mais quel moyen de l'empêcher et comment pouvoir connaître à la poste les paquets qui les contiennent[1] ? » La police, conviée à suggérer des remèdes, s'évertue, souvent sans succès, à identifier passeurs, convoyeurs et distributeurs, à la grande

1. Arch. nat. O[1] 363, 15 novembre 1702.

déception du roi, qui demande sans cesse qu'on « se donne des mouvements pour découvrir ceux qui débitent des gazettes à la main et qu'on les arrête ».

En décembre 1702, on continue toujours d'envoyer de Liège, « à des particuliers de Paris, des libelles séditieux, des vaudevilles et des pièces insolentes contre le roi ». D'Argenson fait surveiller les commis de la poste, soupçonnés de vendre cette littérature, sur laquelle les Parisiens, fort curieux de nature, se jettent avidement.

Les commis ne sont d'ailleurs pas seuls en cause : à Rouen, en 1703, on s'aperçoit que certains ballots d'imprimés sont affranchis, mais non d'autres. Ces derniers, dépourvus de la « taxe du port », sont par conséquent remis directement à des « distributeurs » par les officines d'impression[1].

Bientôt, l'audace des opposants ne connaît plus de bornes : en 1702, le roi étant rentré à Versailles, trois personnes, qui se disent libraires, proposent des livres jusque dans les appartements du palais, tandis qu'un autre libraire a « établi une boutique à la porte du château ». Quelle tentation, pour eux, de mêler des libelles aux ouvrages ordinaires, surtout sachant que les courtisans en sont si friands !

De temps à autre, cependant, et en dépit de la solidarité qui lie lecteurs, distributeurs et imprimeurs de pamphlets, on découvre des coupables. Tel est le cas, en 1701, des frères Bellay, qui possèdent un magasin secret chez leur relieur attitré, Julien. On y saisit 84 exemplaires d'un livret défendu. « J'ai fait arrêter la femme de Bellay et le relieur, son complice, écrit d'Argenson, mais j'ai différé à les envoyer au Châtelet. Je ne sais même s'il ne serait point plus à propos de faire conduire le relieur à la Bastille ou à Vincennes, pour deux ou trois mois, et la Bellay au Fort-l'Évêque, non pour instruire leur procès dans toutes les règles, mais pour contenir les autres

1. Arch. nat. 0^1 364.

libraires par la crainte de l'autorité du roi ; elle les touche infiniment davantage que celle de la procédure ordinaire, qui se termine presque toujours par de simples amendes.» Le lieutenant général de police — précieux témoignage du relatif libéralisme du roi — n'est même pas suivi en haut lieu ; on se contente de renvoyer les coupables à la justice régulière[1].

Faute d'arrêter les imprimeurs, on intervient souvent contre les colporteurs, anciens compagnons ou maîtres imprimeurs victimes de l'adversité, qui crient dans les rues de Paris édits, déclarations, factums. Le pouvoir les a recensés et soumis à des contrôles : ils n'en sont pas moins, au nez et à la barbe de la police, les plus actifs diffuseurs de la pensée protestante, des gazettes ennemies ou de ceux des textes officiels (édits, arrêts, sentences) auxquels, précisément, le pouvoir souhaite ne faire aucune publicité. C'est ainsi qu'en juin 1708 ces « gens fort brutaux et indociles» crient un arrêt de prorogation des monnaies deux jours avant sa date d'application ! Des personnes mal intentionnées leur ont sans doute inspiré ce dessein[2].

Aux colporteurs autorisés s'ajoute, en temps de chômage aigu comme c'est le cas entre 1700 et 1715, une nuée de gagne-deniers, d'invalides ou de crocheteurs, qui vendent, eux, sous le manteau. En 1702, on en arrête quelques-uns, ayant crié un prétendu *Testament du roi d'Angleterre*, imprimé clandestinement à Reims. L'année suivante, on empêche les colporteurs de vendre des pièces fugitives à Versailles, puis on en emprisonne d'autres à Paris, qui diffusent une ordonnance taxant les portes cochères. Son texte semble apocryphe : il s'agit de jeter le désordre dans la bourgeoisie et la noblesse, hostiles à cette mesure démagogique.

***

La confection des libelles et des gazettes clandestines est devenue une sorte d'industrie, faisant vivre, et bien vivre,

1. Bibl. nat. Manusc. français 8120, 27 août 1701.
2. Arch. nat. G[7] 1725, 5 juin 1708.

quantité de gens dotés du minimum d'imagination et maniant agréablement la plume. En 1702, on interroge Pierre Nogaret, venu de Montpellier chercher fortune à Paris, qui n'y a trouvé que la misère et s'est embauché comme « écrivain de gazettes à la main » — c'est-à-dire copiste — chez un certain Autrement, propriétaire d'une petite agence de presse clandestine. Dans son appartement, cinq ou six personnes se relayant de jour et de nuit, transcrivent pour les abonnés des nouvelles à la main. Nogaret, nouveau venu dans l'équipe, est affecté au travail de nuit. Jusqu'à l'aube, il écrit à la plume d'oie, sur un mince papier de chiffon, les textes qu'Autrement dicte à tous ses employés. Chacun réalise ainsi, dans la nuit, dix à douze gazettes à la main et reçoit en salaire dix-huit deniers par copie.

Autrement fait poster les paquets de gazettes le matin par sa servante : comme il s'agit de textes manuscrits, semblables en tous points aux lettres ordinaires, pliés et cachetés comme elles, on conçoit que, sauf hasard ou dénonciation, la police a peu de chances de découvrir un tel trafic.

Nogaret, pauvre homme sans emploi, est libéré après douze jours d'incarcération au Châtelet[1].

Les ennemis du roi ne se contentent pas de faire circuler des libelles hostiles et violents dont certains, dit Delamare, viennent tout droit de Hollande, car ils « portent bien le caractère d'esprit de ces républicains » : ils s'efforcent aussi de les afficher sur les monuments publics, aux carrefours fréquentés et surtout aux portes des églises. Cet affichage a lieu, bien entendu, de nuit ; la police lacère les libelles ainsi exposés dès qu'elle en a connaissance. Les afficheurs clandestins procèdent comme ceux de nos jours[2], à l'aide d'un pot de colle et d'un pinceau cachés sous leur manteau.

Notre-Dame, située au cœur de la capitale, est tout indiquée pour ces affichages. Peu après sa nomination, en 1699, d'Argenson est visé par un placard, qui convie le peuple à le massacrer, ainsi que Pontchartrain, comme deux « misérables voulant

1. Bibl. nat. Manusc. français 8120, 27 août 1701.
2. d° Manusc. français 21742.

mettre la famine partout». Le roi veut en lire le texte. « Il en a méprisé de bien plus forts, écrit Pontchartrain à Harlay, et ne veut pas qu'il soit fait aucune procédure à cette occasion, moins au Parlement qu'ailleurs, croyant que tout éclat de ce genre est pis que la chose même[1]. »

En 1704, d'Argenson propose à Delamare d'accorder une gratification de quatre-vingts livres au suisse de Notre-Dame afin qu'il épie, la nuit, et surprenne les afficheurs. « J'ai des raisons importantes et particulières pour vous prier de lui recommander fortement qu'il veille sur ce qui se passe aux portes, surtout à l'égard de ces placards insolents dont j'ai lieu de croire qu'on tentera au premier jour la répétition. » L'ordre ainsi expédié doit être enfermé aussitôt lu, afin que personne n'en ait connaissance.

Le pauvre suisse, contraint de travailler jour et nuit, et fort peu rassuré, demande qu'on lui adjoigne un homme de confiance pour arrêter les coupables. On lui donne l'exempt Aumont, à qui on recommande le « dernier secret sur ces sortes d'affaires».

Pour dépister les auteurs de libelles, on utilise de nombreux indicateurs, dont un homme de lettres que nous identifions plus loin. C'est lui qu'on charge, notamment, de remonter à la source d'un manuscrit séditieux « épais d'un doigt», intitulé *Manifeste à M. le duc de Bourgogne*, dont les copies circulent en 1706[2].

Ministres, secrétaires d'État, parlementaires, courtisans haut placés ont beau signaler avec zèle les libelles dès qu'ils en ont connaissance ; la police, aidée de ses commissaires, de ses sergents, de ses inspecteurs et de ses « mouches» a beau, elle aussi, pourchasser les officines de copies clandestines, vérifier les ballots d'imprimés venus de l'étranger, surveiller les messageries, inspecter les imprimeries, ne pas déférer au Parlement les coupables afin d'envelopper les actes de l'opposition d'un secret épais, rien n'y fait : l'opinion publique, surtout dans les milieux cultivés, est constamment tenue en alerte.

1. Bibl. nat. Manusc. français 17435, 8 avril 1699.
2. d° Manusc. français 21742, 4 août 1706.

Tout est désormais bon pour discréditer le régime : les maîtresses du roi, son amour immodéré de la guerre qui a fini par l'opposer à l'Europe entière, sa domestication d'une noblesse parquée à Versailles, sa bigoterie, la fiscalité écrasante, le chômage, la ruine de l'État. Soutenues en sourdine par un protestantisme ulcéré, les idées d'égalité devant l'impôt, de gouvernement républicain, d'abolition des privilèges, de liberté de croyance, de liberté du travail, pénètrent ainsi en profondeur dans un peuple épuisé, amer, inquiet. Les longues querelles philosophiques et religieuses qui aboutiront à la révolution de 1789 sont déjà tout entières en germe dans cette fin malheureuse du Grand Siècle.

***

Les libelles religieux ne sont pas moins nombreux que les politiques ; d'Argenson écrit avec pertinence : « C'est un grand malheur pour la religion que les disputes qui s'élèvent entre les personnes qui font profession de piété soient ordinairement les plus longues et les plus difficiles à assoupir[1]. »

Dès 1699, le lieutenant général de police apprend que, « malgré les interdictions faites par le roi aux bénédictins et jésuites d'écrire les uns contre les autres », il vient de paraître un imprimé latin, sans doute composé par un père de la congrégation de Saint-Maur, contre les sentiments et la morale des jésuites. Cette querelle apparaît insupportable au roi et à son confesseur.

La lutte contre le jansénisme se poursuit elle aussi. En 1703, le souverain entend être informé des libelles, redevenus fréquents, pour et contre cette doctrine[2]. On rappelle, deux ans après, au sujet d'un nouvel écrit latin ayant « un air de cabale et d'opiniâtreté », avec « quelle passion le roi désire détruire cette sorte d'écrivains[3] ». Le texte religieux a été

1. Bibl. nat. Manusc. français 21742, 8 novembre 1702.
2. Arch. nat. 0^1 363, 22 janvier 1703.
3. d° 0^1 366, 19 août 1705.

imprimé sous les presses de la veuve Mazuel, mais elle ne livre pas le nom de l'auteur.

Une des affaires les plus marquantes de l'époque est la publication en 1701 d'un opuscule, sans doute dû à la plume d'un bénédictin, le *Cas de conscience proposé par un confesseur de province touchant un ecclésiastique qui est sous sa conduite, et résolu par plusieurs docteurs de la Faculté de théologie de Paris.* Celui-ci fait grand bruit dans les milieux religieux. La police, alertée, met deux ans pour en découvrir chez la femme Moreau, lingère rue Galande, une rame imprimée dont les feuilles sèchent sur des cordes. Mais on ne parvient pas encore à connaître l'imprimeur, au regret du secrétaire du roi selon lequel « les presses ne sont apparemment pas éloignées de ce lieu[1] ». Le délinquant n'est autre que le mari de la lingère, qui tient boutique de libraire-imprimeur *A la Toison d'Or*, rue Saint-Jacques : il cachait livres et feuilles imprimées prêtes à la reliure dans une petite armoire, sous un escalier. Les uns et les autres sont envoyés au pilon, Moreau est interdit, on ferme sa boutique et son magasin, on démonte ses presses, une partie des ouvrages saisis est brûlée devant sa porte. Le prix de vente des presses est attribué pour moitié au Trésor public et au dénonciateur[2].

Une question lancinante se pose toujours : qui est l'auteur du pamphlet ? On le recherchera pendant onze ans, soupçonnant tour à tour l'abbé Bernard Couët, grand vicaire de l'archevêque de Rouen en 1704, et l'abbé J.-J. du Guet, l'un et l'autre ennemis déclarés des jésuites, auteurs de nombreux ouvrages théologiques et suspectés de jansénisme. Afin de les éprouver et faute de les confondre, on exige d'eux une réfutation en bonne et due forme, sous leur signature, des thèses du *Cas de conscience.*

1. Arch. nat. O^1 363, 23 avril 1703.
2. d° Y 9498, 24 avril 1703.

L'abbé Couët, interrogé le 24 mai 1715, affirme que « depuis huit ans, il a tourné ses études du côté de l'histoire, des langues et des belles lettres, qui sont matières indifférentes : ce qui ne le met pas en état de composer un ouvrage sur des matières théologiques avec toute la diligence qui lui est prescrite ». Néanmoins, « dans la douleur où il est que son silence et sa retraite n'aient pu le mettre à couvert des mauvais offices qu'on lui a rendus, il retournera à ses études du côté de la théologie pour écrire sur ces matières, si le roi le désire ».

Devant ces réticences suspectes, Pontchartrain écrit à l'abbé une seconde lettre : sans l'obliger à combattre le jansénisme à fond, ce qui pourrait réclamer en effet une longue étude, le roi se contentera qu'il réfute un livre récent, le *Témoignage de la Vérité*. Le prêtre normand répond alors en Normand : il obéira avec d'autant plus d'exactitude aux ordres de Sa Majesté qu'il lui a paru, par une lecture rapide du libelle, que le système en est très mauvais et très dangereux. Mais — car il y a beaucoup de « mais » dans sa réponse ! — comme ce livre « a ébloui plusieurs personnes, si l'on n'y opposait qu'une réponse légère et faite avec précipitation, elle ne manquerait pas d'être vivement réfutée et ne servirait qu'à fortifier l'impression qu'un auteur qui impose par son style peut faire dans le public ».

Pour effacer une aussi fâcheuse impression, la réfutation ne doit être « ni trop longue pour les personnes du monde, ni trop courte, afin que la matière soit traitée à fond pour les savants, et appuyée par des preuves solides ».

Tout cela demandera beaucoup de temps... L'abbé Couët va donc lire à fond l'ouvrage à réfuter, puis faire un plan et c'est alors seulement qu'il sera plus « en état de marquer dans combien de temps il pourra l'exécuter ».

Il s'est montré si persuasif qu'il a convaincu le méfiant d'Argenson. « Je crains, écrit ce dernier à Pontchartrain, qu'il ne soit pas en état de faire un livre tel que S. M. le désire et que les besoins de l'Église le demandent. Peut-être conviendra-t-il mieux, lorsqu'il aura préparé ses observations et ses mémoires, qu'il les donne à quelque bon théologien, qu'on ferait écrire sur cette matière. »

Ainsi, l'abbé Couët aura-t-il sauvé ce qu'il considère comme l'essentiel : ne pas apposer sa signature sur un pamphlet anti-janséniste.

***

L'autre suspect, l'abbé du Guet — que d'Argenson évite de convoquer à son bureau en même temps que Couët, pour empêcher tout concert entre eux — apparaît encore, si possible, plus évasif et plus fuyant. Il n'est, dit-il, l'auteur d'aucun des écrits qu'on lui attribue, il n'a lu qu'une fois — et très rapidement — le *Témoignage de la Vérité* où il a trouvé « quelques expressions qui ne lui ont pas paru assez exactes ». Comme il n'a aucune part à cet ouvrage, « il n'a rien à rétracter ». Au surplus, il n'a lui non plus « aucune inclination pour écrire sur des matières nécessairement mêlées de contention et de dispute, se bornant depuis longtemps à l'Écriture sainte et à la prière ».

On le rappelle à l'ordre, mais la lettre de Pontchartrain le touche avec un grand retard : entre-temps, il a jugé prudent de partir se reposer chez le président de Ménars, à Neuville, pour rétablir une santé « dans tous les temps languissante, mais plus faible dans celui-ci ». Il ne reviendra de sa retraite campagnarde que si « son séjour n'est pas approuvé ».

Du Guet ne met donc aucune réfutation en chantier, tandis que Couët travaille le plus lentement possible à la sienne, en multipliant les occasions de gagner du temps. Ne s'avise-t-il pas, notamment, qu'il lui faut à tout prix, pour étayer son argumentation, le dernier livre de Barnage ; il a prié un de ses amis de le lui faire adresser de Hollande, mais les correspondances avec ce pays ennemi sont longues et incertaines...

La mort de Louis XIV, en septembre 1715, met un terme aux scrupules de conscience des astucieux abbés[1], qu'on cesse de tourmenter, le vent ayant brusquement tourné.

1. Sur toute cette affaire, voir Bibl. nat. Fonds Clairambault 304, f°s 381 ssq.

***

Des pamphlets et libelles, passons aux livres. Une première question mérite examen : quelles sont maintenant les conditions d'exercice des métiers du livre ?

Depuis 1683, les corporations des relieurs-doreurs, d'une part, et des libraires-imprimeurs, de l'autre, ont été séparées. Puis, en août 1686, les professions de libraire et d'imprimeur sont séparées à leur tour, mais à l'intérieur d'une corporation restée commune : les libraires ne peuvent plus désormais imprimer eux-mêmes les ouvrages de leur fonds, tandis que les imprimeurs peuvent toujours s'adjoindre un commerce de livres.

Les imprimeurs, après cette nouvelle remise en ordre, demeureront longtemps, conformément à leur désir et au malthusianisme naturel des corporations, en très petit nombre : 36 seulement à Paris, chiffre infime pour une ville de plus d'un demi-million d'habitants.

Leurs affaires périclitent d'ailleurs, car ils sont soumis à l'intense concurrence des ouvrages édités à l'étranger sans privilège, ou des contrefaçons, de même qu'à celle des ouvrages clandestins, qui intéressent beaucoup plus les lecteurs qu'une littérature en plein déclin. La faiblesse des tirages ne permet guère d'amortir les frais d'édition ; le papier de chiffon, faute de matières premières — raflées pour l'exportation — est devenu très cher. La police exerce une surveillance étroite, par l'entremise des syndics et adjoints, astreints à visiter chaque trimestre de fond en comble les ateliers, à rendre compte, sous leur responsabilité personnelle, du nombre et de l'état des presses, des « polices » de caractères utilisées, etc. Enfin, les conflits sociaux suscités par la vie chère deviennent, nous l'avons vu, nombreux et parfois violents.

Le pouvoir doit, en 1703, consentir en faveur de l'imprimerie des dégrèvements fiscaux (suppression des taxes sur les arts et métiers). La profession lèvera, en revanche, une légère contribution de trente sols sur chaque maître ou veuve de maître, pour payer les visites des syndics.

Une déclaration de 1713 maintient la réduction à 36 du nombre des maîtres imprimeurs et, allant plus loin dans la protection des notables, exige que les futurs maîtres possèdent désormais au moins quatre presses (contre deux auparavant) et huit polices de caractères romains, avec leurs italiques, depuis le « gros canon » jusqu'au « petit texte »[1].

Les maîtres les moins fortunés protestent aussitôt, alléguant — ce qui confirme la décadence de leur métier — que les possibilités industrielles existantes (4 fonderies de caractères, avec 16 ouvriers seulement pour la France entière) ne permettent de fondre les huit polices désormais exigées d'eux qu'en trois années environ ; la construction de quatre presses ne demande-t-elle pas également un délai d'une année ?

Un rapport de police fournit de précieux renseignements sur les libraires, dont le gouvernement souhaite, contrairement aux imprimeurs, qu'ils soient en plus grand nombre possible. On en dénombre 147 à Paris. Trente d'entre eux font imprimer à façon les ouvrages que les auteurs leur proposent (ce sont des libraires-éditeurs, au sens moderne du mot) ; douze ne font commerce que de « petits usages », c'est-à-dire de livres de piété ; dans l'ensemble, cent cinq sont surtout des libraires d'occasion, achetant des lots dans les ventes publiques ; cinq seulement de ceux-ci peuvent être considérés comme spécialisés dans le négoce des ouvrages rares[2].

Les libraires-éditeurs apparaissent surtout préoccupés par la concurrence, à la fois illégale et déloyale, des non-professionnels vendant des livres sous le manteau. On note parmi ces clandestins jusqu'à des écailleurs d'huîtres et d'anciens soldats. Afin de freiner le commerce noir, la police perquisitionne dans les principales villes d'étapes empruntées, en France,

1. Déclaration du 23 octobre 1713.
2. Bibl. nat. Manusc. français 16749.

par les ouvrages prohibés : Rouen, Troyes, Reims notamment. Mais l'appât du profit demeure plus fort que la crainte des sanctions. Les Huguetan, importants libraires lyonnais protestants, réfugiés à Amsterdam, apparaissent les principaux pourvoyeurs de cette littérature, qui pénètre par le Luxembourg ou Rouen.

La police remonte peu à peu certaines filières. Les livres atteignent Paris soit par la Seine, soit par voie de terre.

Sur le fleuve, il est aisé de les dissimuler dans les cargaisons des bateaux ; une fois débarqués, ils sont entreposés aux Carrières, près de Charenton, à l'Épée-Royale. De là, on en constitue des ballots, adressés à l'abbaye Sainte-Geneviève ou aux Jacobins de la rue Saint-Honoré, et cachés « sous le linge que les blanchisseuses ramènent à Paris ». Il est évident que les fraudeurs sont protégés par l'entourage des archevêques de Paris et de Châlons.

Quant aux livres arrivant par voie de terre, un libraire de Sainte-Menehould se charge de les centraliser.

Certains de n'être frappés en justice que d'amendes légères, les libraires les plus puissants — tel Léonard, imprimeur-éditeur du roi, dont le père avait laissé un million de livres à ses héritiers — ne craignent pas de vendre eux aussi, sous le manteau, nombre d'ouvrages dépourvus d'imprimatur, venant de l'étranger ou indiqués comme étrangers bien qu'imprimés à Paris. Des nobles s'entremettent également dans ce commerce : le marquis de Feuquières, en 1705, subit une perquisition ; on découvre chez lui un stock important appartenant à un libraire étranger.

***

La librairie d'occasion tient une place importante dans la vie intellectuelle de la capitale ; ceux qui la pratiquent « étalent » sur les principaux ponts, notamment le Pont-Neuf, ainsi que sur les quais ; leurs confrères spécialisés possèdent des magasins et éditent, comme aujourd'hui, des catalogues périodiques. La révocation de l'édit de Nantes et les exils volontaires qui l'ont suivie, entraînant de nombreuses saisies de bibliothèques, ont donné un vif essor à cette forme de librairie.

Une plainte à la police[1] de 1700, renouvelée en 1703, apporte nombre de détails sur la vie des « bouquinistes ». Six d'entre eux, menés par un nommé Robinot, se sont arrogé par l'audace et la force un monopole. La bande connaît par avance les dates des ventes aux enchères de bibliothèques ou de lots de livres, s'acoquine avec l'huissier vendeur et se fait communiquer secrètement les inventaires, moyennant quelques louis.

Le jour de la vente, l'huissier adjuge par préférence à Robinot, seul enchérisseur, par suite d'une entente occulte avec ses confrères, ce qui lui permet d'acheter au plus bas prix. Il procède ensuite, dans quelque cabaret tranquille, à une « revision » entre tous les libraires. Il s'agit là, en quelque sorte, d'une seconde vente. Mais au cours de celle-ci, le chef de bande, sans désigner clairement les ouvrages offerts, adjuge à ses affidés pour cinq livres ce qui en vaut cinquante, les autres se voyant en revanche appliquer le prix fort.

Le 20 octobre 1701, l'huissier Malet a vendu de la sorte à Robinot et consorts la bibliothèque de l'ex-greffier au Parlement Galant, pour 250 livres, moyennant 2 louis de pot-de-vin. Mais Malet n'a exposé qu'une faible partie des ouvrages mis aux enchères, si bien que les acheteurs présents les ont laissé adjuger à bas prix. Or il se trouvait, parmi les livres non exposés, 60 in-folios manuscrits, concernant le Parlement et la Chambre des comptes, que Robinot, lors de la revision, adjugea en bloc 73 livres à un de ses associés. Les libraires présents se récrièrent, on en vint aux coups et les victimes demandèrent à d'Argenson de défendre à la bande noire son fructueux trafic, les comptes et partages devant s'effectuer désormais à la chambre syndicale, par les soins du libraire le plus ancien.

Les étalages de livres d'occasion sur le Pont-Neuf et les quais, hors des limites de l'Université, sont théoriquement

1. Bibl. nat. Manusc. français 21740, mémoire anonyme d'octobre 1700.

interdits depuis 1625, ainsi que la vente sur des « étalages et boutiques portatives » dans le quartier de l'Université lui-même. Ces pratiques ne s'en poursuivent pas moins, sous prétexte d'usages anciens et de leur commodité pour les gens de lettres. Delamare s'insurge contre un tel abus. Rien, dit-il, ne peut rendre la librairie plus méprisable que « ce commerce exercé dans des échoppes, sous des auvents ou sur des ais, au coin des rues, sur les bords du Pont-Neuf ou des quais, souvent même sur le pavé, comme se vendent les vieux fers et les vieux souliers ». En outre, l'exposition d'ouvrages en plein air favorise nécessairement la vente clandestine de libelles et de « livres scandaleux ». D'Argenson appuie son premier commissaire et, vers 1700, renouvelle l'interdiction de 1625. Il défend aussi la vente « porte à porte » des imprimés dans les maisons particulières, les cabarets et les cafés.

Le colportage est réglementé plus sévèrement. Un arrêt du Parlement de 1711 oblige les membres de cette profession à savoir lire et écrire, à être présentés par les syndics et adjoints des libraires à la police et à être enregistrés avec mention de leur domicile. Leur nombre se trouve réduit à 46. Ils ne peuvent désormais, en outre, vendre des livres de « plus de huit feuilles, reliés et brochés à la corde », tenir boutique, avoir des apprentis ou des aides. Ils doivent porter sur leur habit un écusson de cuivre et renfermer leur marchandise dans une balle de tissu.

Devant les protestations des intéressés, leur nombre sera accru de 46 à 120 en 1712, soit six colporteurs par quartier.

***

D'Argenson a deux raisons, entre autres, de s'intéresser à un art assez proche de l'imprimerie : la gravure à l'eau-forte ou au burin.

L'Académie des sciences a chargé, peu avant 1700, le graveur Simonneau — pour l'illustration des futures *Descriptions des arts et métiers,* dont les premiers recueils ne paraîtront qu'en

1761 — de dessiner les outils et machines servant aux diverses branches de l'industrie. Mais la plupart des maîtres pressentis par l'artiste répugnent à les lui montrer, invoquant le secret professionnel. Le roi charge le lieutenant général de police de faciliter sa mission, en convainquant les maîtres qu' « ils peuvent, sans rien craindre, lui laisser la liberté de dessiner leurs instruments », sur place si nécessaire[1]. D'Argenson, intéressé par le problème, réussira si bien que son zèle lui vaudra, plus tard, d'entrer à l'Académie.

Les graveurs exercent, d'autre part, une activité pouvant devenir dangereuse pour le maintien de l'ordre : réalisation de planches licencieuses ou caricaturales, contrefaçon de sceaux, de marques, d'en-tête de lettres, etc. Aussi va-t-on renforcer leur surveillance et une déclaration de juin 1705 leur interdit-elle de graver, imprimer et vendre, sous peine des galères, des « formules ou cartouches servant pour les congés des troupes ».

Ils doivent informer la police de toute commande suspecte. Delamare peut, de la sorte, faire connaître à d'Argenson qu'un « gros homme bien fait, vêtu d'un justaucorps bleu galonné » est venu demander à Claye, graveur, d'établir un cachet aux armes du roi, entouré de la mention : « Consul de Galice ». On oblige ce client, qui se dit fort pressé, à justifier sa qualité avant de lui remettre le cachet[2]. La police contraint aussi le marchand d'estampes Dehaye à effacer la qualité de « roi du Portugal » attribuée, parmi d'autres, au souverain d'Espagne. On indiquera à la place : « roi de Galice ». Mais trois cents estampes fautives ont déjà été mises en circulation. Dehaye visite les imagiers groupés autour du charnier des Innocents pour en récupérer le plus grand nombre possible.

En 1702, d'Argenson attend avec « la dernière impatience » qu'on sache qui est le client venu proposer au graveur Claye, déjà nommé, la copie d'un cachet semblable à celui d'une lettre adressée au « chef des liqueurs *(sic)* du roi d'Espagne ».

1. Arch. nat. 0^1 362, 9 février 1701.
2. Bibl. nat. Manusc. français 21725 f° 184.

Le tirage des gravures est, bien entendu, soumis à l'approbation et à la permission préalables. Pour s'en être dispensé, le nommé Oublier est condamné en 1711.

L'imprimerie en taille-douce a été constituée en communauté en 1692, avec douze maîtres seulement ; les nouveaux maîtres devront à l'avenir subir un apprentissage de quatre ans, exécuter un chef-d'œuvre et acquitter un droit de réception de cinq cents livres[1].

1. Bibl. nat. Manusc. français 21732.

CHAPITRE X

UN VENT DE FRAUDE ET DE SPÉCULATION

LES INCESSANTES mutations monétaires, la dépréciation des billets, la ruine des rentiers et la gêne des propriétaires fonciers habituent de larges couches de la population à tirer désormais leurs moyens de subsistance, non plus d'un travail régulier, mais de la fraude ou de la spéculation. Cette crise des consciences affecte, nous le verrons, aussi bien le peuple que la bourgeoisie et la noblesse ; elle engendre l'immoralité, le scepticisme, le goût de la vie facile, qui marqueront si profondément le XVIIIe siècle en gestation.

Dans les classes populaires, on fraude surtout les droits d'entrée, d'aides ou de gabelles sur la viande, le vin, l'eau-de-vie, le tabac et le sel. Les soldats aux gardes, de plus en plus irrégulièrement payés, se sont fait une spécialité de ces trafics nocturnes, dangereux mais rémunérateurs. Ils font franchir de force les barrières de Paris à 337 moutons au cours du seul mois d'octobre 1709, de connivence avec des bouchers. Armés eux aussi, les commis des fermes se défendent ; il en est tué un dans la nuit du 1er au 2 mars 1709, deux autres sont blessés en septembre de la même année ; 201 moutons se trouvent saisis en une seule prise. L'enquête, en dépit de menaces de mort proférées contre les témoins, permet d'identifier deux des agresseurs, qu'on condamne à être rompus vifs ; comme ils sont en fuite, il faut se contenter de les pendre en effigie. Les bouchers pour lesquels opéraient ces malandrins sont envoyés pour cinq ans aux galères[1].

1. Arch. nat. G7 436.

En 1714, un édit ayant provisoirement interdit de sacrifier les agneaux afin de restaurer le cheptel ovin décimé par les épizooties, il s'institue, toujours grâce aux soldats, un actif marché noir de cette viande. La police a beau interdire aux bouchers, rôtisseurs et traiteurs de la débiter, elle a beau saisir et brûler sur place les agneaux découverts par les commis de la Ferme générale, prononcer plus de vingt condamnations, rien n'y fait, car les délinquants bénéficient de complices haut placés. D'Argenson écrit avec amertume : « La plupart des agneaux qui entrent à Paris passent dans les carrosses des seigneurs et des bourgeois, que les commis ne sont pas en usage de visiter, par les portes de la Conférence et Saint-Honoré surtout. » Un plus grand nombre encore de quartiers d'agneaux s'introduit par les voitures arrivant à la cour[1].

***

L'eau-de-vie arrive, elle-aussi, par muids entiers dans des charrettes à double fond. Le tabac de contrebande, en général originaire d'Espagne, franchit les Pyrénées grâce à un réseau de passeurs et suit un itinéraire compliqué avant d'aboutir au Palais-Royal, chez des détaillants marrons. L'un d'eux, dénoncé en 1713, en détient deux cents livres-poids[2]. De petits revendeurs, le dissimulant sous leur manteau, le proposent ensuite dans les cabarets. En dépit des indicateurs et surtout des dénonciateurs, alléchés par des primes importantes, il est fort difficile de saisir les fraudeurs en flagrant délit. L'un d'eux, Magny, déjà condamné antérieurement, ne se risque pas à sortir lui-même son tabac d'Espagne du Palais-Royal. Ayant tué de sa main un dénonciateur, il porte depuis lors deux pistolets chargés, ainsi qu'une baïonnette. On finit cependant par l'appréhender et le confiner à Bicêtre[3].

La contrebande du vin, ou barillage, porte ce nom parce

1. Arch. nat. G[7] 1728.
2. d° G[7] 440.
3. d° G[7] 1728.

qu'elle s'effectue à l'aide de barillets. Les soldats aux gardes en confient le transport à leurs femmes ou à des gagne-deniers en jupons, les « coureuses », qui vont les chercher dans des entrepôts secrets, non loin des barrières. Elles accomplissent beaucoup de voyages chaque jour. On en arrête douze en 1711, mais sitôt sorties de prison, elles récidivent. Il y en a tant qu'à l'Hôpital général on refuse de les recevoir toutes : cinq ou six des plus coupables seront seules incarcérées, pour l'exemple[1].

La présence d'un lacis de carrières et de souterrains aux abords de la capitale facilite le faux-saunage. En 1706, les fermiers généraux dénoncent un courtier en chevaux, Saint-Agnan, qui tient un modeste cabaret à bière derrière l'Hôpital général. Après avoir enclos son jardin, il l'a affouillé pour communiquer avec le réseau des anciennes carrières. Ne sont-elles pas un lieu idéal pour entreposer le sel, qu'on voiture de nuit en fraude? D'Argenson perquisitionne ; il remarque que les immeubles situés hors des barrières, non loin de la Salpêtrière, peuvent aisément servir de passage aux marchandises de contrebande, car leurs caves sont en réalité des carrières de plusieurs étages aux multiples issues. On décide d'en murer l'entrée[2]. De même, des enfants étant allés jouer dans une carrière abandonnée, derrière l'église d'Ivry, y remarquent avec étonnement des outils, des marteaux ainsi que du métal servant à frapper de fausses pièces d'un sol. On peut, dans cet antre hypogée, marcher plus d'une lieue sans s'égarer, car « des particuliers ont fait des marques sur les parois pour se guider ».

***

Les fameuses toiles peintes, dont le commerce frauduleux enrichit depuis la mort de Colbert un nombre considérable d'intermédiaires, intéressent négociants, bourgeois et nobles.

1. Arch. nat. G^7 1727, 21 décembre 1711.
2. d° G^7 1725.

L'engouement des femmes pour ces tissus aux couleurs fraîches demeure étonnant : jamais on ne vit une mode persister aussi longtemps. Ce qui attire, ce sont les rayures multicolores, les fleurs, les oiseaux, les paysages et aussi les prix, de beaucoup inférieurs à ceux des soieries et du drap. Et puis, le port de ces tissus se pimente de l'attrait du fruit défendu. Leur vogue durera plus d'un siècle, ruinant les manufactures, condamnant les ouvriers du textile au chômage et — fait peut-être plus grave — suscitant une hémorragie de devises, alors que pèsent sur la monnaie tant de menaces.

Ordonnances, pénalités, perquisitions, saisies, lourdes amendes, destruction des toiles peintes par le feu, demeurent inopérantes contre les impératifs du goût. Bien au contraire, le mal s'étend sans cesse : limité d'abord aux toiles et aux mousselines des Indes, il intéresse maintenant les toiles de chanvre — destinées aux classes populaires —, les siamoises (tissus de coton et de soie à rayures ou blancs), les furies de Hollande, les satins de Chine et les damas de Perse, qui entrent par tous les ports ou frontières du royaume.

L'ingéniosité des fraudeurs ne connaît point de bornes. Alors que, seules, les toiles et mousselines amenées en France par les vaisseaux de la Compagnie des Indes peuvent se vendre légalement, sous la double garantie de la marque sur parchemin et du plomb de cette compagnie, on contrefait marques et plombs en Hollande de façon si parfaite que les experts eux-mêmes ont du mal à s'y reconnaître. On fait aussi servir plusieurs fois la même marque et le même plomb ; ou bien on rachète à gros prix de vraies marques en parchemin pour les associer, sur des tissus de contrebande, à de faux plombs. Les marchands s'efforcent également de tourner les textes en envoyant à l'impression ou à la peinture des toiles usagées, sous prétexte que les ordonnances condamnent uniquement ces opérations pour les textiles neufs. Les fripiers, de leur côté, prétendent continuer leur commerce de vêtements d'occasion, puisqu'il concerne des toiles peintes usagées[1].

1. Bibl. nat. Manusc. français 21780.

La police doit ainsi faire face sur tous les fronts à une armée de fraudeurs décidés ; un chiffre montre l'ampleur de leur trafic : entre le 6 août et le 24 novembre 1708, on saisit, rien qu'à Paris, près de 1 300 aunes de toiles peintes[1].

*
* *

En dehors de celles qui parviennent de l'étranger, prêtes à la vente, le gros de la contrebande porte sur des toiles en blanc, achetées elles aussi hors de nos frontières et imprimées clandestinement à Paris. Elles proviennent de Bruxelles, du duché de Bar et autres régions voisines du Nord-Est.

Regnault et son fils, gros fraudeurs, ont constitué un groupe armé de contrebandiers, qui ne marche que de nuit et fait la navette entre Bar-le-Duc et Paris. Chaque voyage demande dix à douze jours. Les marchandises sont entreposées près de Paris, dans quelque château. Arrêtée à la suite d'une dénonciation, la bande est emprisonnée, après saisie de trois cents aunes de tissu.

Une fois à Paris, les toiles en blanc sont imprimées ou peintes au pinceau dans ces havres classiques de la contrebande, les lieux privilégiés, qui échappent en principe à la juridiction royale et où les délinquants sont avertis à temps, ce qui leur permet, lors des formalités d'entrée de la police, de faire disparaître le corps du délit.

Dans l'enclos du Temple, se sont réfugiés — moyennant redevance au grand prieur — des artisans, dans des habitations « où le bailli lui-même n'ose pénétrer ». D'Argenson sollicite un ordre habilitant ses commissaires à perquisitionner, même s'il le faut dans les appartements du grand prieur, sous peine de destitution et d'exil pour le bailli — personnage « fort intéressé et de probité plus que douteuse ».

L'opération a lieu ; elle permet de saisir des toiles peintes à la main par un nommé Faillard, qui sont confisquées et

1. Arch. nat. G^7 1725.

brûlées devant l'entrée principale[1]. A Saint-Germain-des-Prés, autre lieu privilégié, les fraudeurs exposent publiquement les tissus prohibés à leurs fenêtres ou les font sécher dans les cours en les étendant sur des perches. L'un d'eux distribue ce prospectus : « Dans l'abbaye royale de Saint-Germain-des-Prés, en entrant par la grande grille de la rue du Colombier, Pelet vend en gros et en détail et fait des furies des Indes, de Hollande et de la Chine, des robes de chambres et jupons à la Poulones, à l'Andrine et à la Sultane, de nouvelles furies en noir pour le deuil et aussi avec des fleurs d'argent mêlées de noir. » D'Argenson, irrité, suggère que, si les juges de l'Abbaye continuent à refuser de sévir, on les relègue à cinquante lieues[2].

***

Tisserand de Luxemont, capitaine général des fermes, est spécialisé dans la poursuite des fraudeurs. Toutes les portes doivent s'ouvrir à sa demande, non seulement celles des enclos privilégiés, mais aussi des couvents, collèges, pensions ou auberges. Possédant une garde armée, il est informé soit par ses propres indicateurs, soit par des dénonciateurs, qui perçoivent les deux tiers du montant de l'amende et, après 1714, un droit supplémentaire de 20 sols par aune de tissu découvert. Ces derniers commencent en général par gagner la confiance des délinquants en leur achetant des marchandises. L'un d'eux demande en 1713 au contrôleur général des Finances qu'il fasse emprisonner le fraudeur arrêté grâce à lui « par lettre de cachet, pour le parer d'être assassiné de cette canaille ».

Le métier de ces Judas n'est pas toujours en effet sans risques : Jeanne de Vazaincourt, rencontrée rue au Plâtre par une revendeuse à la toilette déjà condamnée, en reçoit une sévère correction. La revendeuse menace de « la faire périr de sa main », la retrouve deux heures plus tard, la poursuit

1. Arch. nat. G[7] 1725, 27 janvier 1708.
2. d° G[7] 1725, 17 juillet 1707.

encore et lui crie qu'« elle continuera à faire de la contrebande, malgré tous les vendeurs de chair humaine». D'Argenson emploie de son côté comme principal indicateur le nommé Delisle, antérieurement condamné pour trafic de toiles peintes : « Il travaille avec assez de succès à me donner des avis contre les fraudeurs et a eu beaucoup de part aux saisies faites depuis quelque temps[1].»

Une dénonciation donne un aperçu du chiffre d'affaires des négociants clandestins de toiles peintes : la demoiselle Lachapelle, établie au Palais-Royal, en « débite tous les ans pour 600 000 à 700 000 livres» et en possède un stock de 20 000 écus[2].

Le plus curieux, en l'occurrence, est l'étroite solidarité qui unit artisans imprimeurs ou peintres sur tissus, négociants et clients nobles. La police découvre souvent des entrepôts de tissus prohibés chez les gens qu'on eût crus de prime abord les moins soupçonnables : chez le marquis de Gontaut-Biron[3], chez la marquise de Nesles (quatre pièces de toile brodée)[4], dans un des cabinets du dauphin au palais de Versailles, où quatre marchands, avec l'aide de Mlle Garnier et du nommé Dangereux, avaient entreposé 266 pièces et quatre tapis persans! Mme de Ventadour, pressentie, autorise la perquisition qui permet de découvrir ce trésor. On trouve encore des tissus chez M. de Cambrai, maître d'hôtel du roi (huit pièces), chez M. de Beaussans, père d'un conseiller au Parlement, qui envoie le premier président se plaindre au souverain. « Il sera facile aux marchands, expose d'Argenson au contrôleur général des Finances, de perpétuer ce commerce pernicieux au royaume si chaque maison peut servir d'asile aux marchandises de cette qualité. C'est ce que vous me fîtes l'honneur de me dire à

1. Arch. nat. G[7] 1728, 5 avril 1711.
2. d° G[7] 440, 2 juin 1713.
3. d° G[7] 1728, 28 janvier 1714.
4. d° G[7] 1728.

l'occasion d'une pareille perquisition qui se fit il y a quelques mois chez M. de Cambrai, dont vous fûtes tant importuné. » Le contrôleur général se contente d'inviter la police à agir « avec un peu plus de ménagement et en avertissant » — ce qui est le plus sûr moyen de faire chou blanc !

Cette désobéissance ouverte d'une partie de la noblesse aux ordres formels et réitérés du vieux roi, dont le pouvoir « absolu » ne l'est plus que de nom, se double d'une désobéissance plus affichée encore des élégantes, qui continuent à exhiber des vêtements de toile, mousseline ou furies en dépit des textes. « Il est certain que la plupart des femmes qui ont des maisons de campagne aux environs de Paris portent publiquement des toiles peintes et qu'il paraît dans leur procédé beaucoup d'insolence et d'affectation. »

La chasse aux toiles peintes, les perquisitions, notamment dans les couvents, le déshabillage des femmes ainsi vêtues auquel on procédait parfois dans les rues, finissent par provoquer, dans une opinion tout entière acquise à la fraude, une irritation violente. Une vieille fille, ex-élève de Saint-Cyr, Mlle de Fleury, recueillie par le couvent de la Madeleine, ne craint pas d'écrire au contrôleur général des Finances[1] : « Touchant ce que vous venez de déclarer au sujet des indiennes, je me trouve dans la cruelle nécessité ou de n'être pas vêtue ou d'y contrevenir, puisque je n'ai que deux robes et qu'elles en sont toutes deux. » Au même personnage, un certain Delorme a dénoncé l'exécution violente des ordonnances contre de « pauvres femmes qui n'ont point d'autres habits ni d'argent pour en avoir ». L'une d'elles, narre-t-il, venant de l'église Saint-Eustache, fut « poussée dans une allée et faillit être déshabillée par des gens qui se disaient postés par M. d'Argenson ». Elle l'eût été si des âmes compatissantes n'étaient venues à son aide. « Hier encore, pareille chose advint à deux ou trois personnes dans le faubourg Saint-Antoine. » M. d'Argenson, conclut Delorme, ferait mieux de « s'adresser à des gens de distinction ou gros financiers qui ont le moyen d'acheter

1. Arch. nat. G^7 1728, 27 juin 1714.

d'autres habits. Dans ces temps durs, mettre des gens en campagne pour persécuter le monde est une tyrannie sans exemple[1]. »

Les marchands fraudeurs, encouragés par cette protestation universelle contre un État tout ensemble trop faible et trop policier, se rebiffent eux aussi contre la sévérité des contraintes. En 1711, des fabricants de soieries, qui souffraient dans leur négoce du long deuil officiel (six mois) imposé par la mort de Monseigneur, évoquent la concurrence impudente des satins et damas blancs ou blancs et noirs de Perse et de Chine, et incriminent pêle-mêle marchands, teinturiers, couturières. D'Argenson procède à des saisies. Les délinquants, écrit-il, « se sont contentés de dire hautement qu'ils iraient proposer à Versailles ce qu'il leur restait de ces étoffes défendues, puisqu'on les y porte publiquement et que la vente en est soufferte ». Aussi le lieutenant général suggère-t-il de condamner les plus excités à quelques semaines de prison, afin de contenir dans le respect quinze ou vingt marchands qui, malgré les défenses tant de fois répétées, « ne peuvent se détacher de cette espèce de négoce où ils ont fait un profit considérable[2] ». Cette appréciation n'est pas exagérée, un inventaire ayant révélé d'énormes stocks : 8 962 pièces de soie, 272 de soie brochée d'or ou d'argent, 154 de furies, 414 de toiles pour mouchoirs, soit en tout 9 802 pièces de 13 aunes, ce qui correspond à 151 635 mètres !

Détail plein d'humour noir : lorsque les marchandises saisies sont brûlées publiquement, leurs cendres doivent être recueillies et scrupuleusement rendues aux délinquants !

L'extension sans mesure des « affaires extraordinaires » entraîne, en marge des trafics que nous venons d'évoquer, une vive spéculation sur les billets à ordre. Voici pourquoi : tout

1. Arch. nat. G[7] 436, 26 octobre 1709.
2. d° G[7] 1727, 5 juin 1711.

traitant qui afferme de nouveaux droits du Trésor doit en avancer la « finance » en argent frais. Pour ce faire, il constitue une compagnie, société civile de capitaux dont les associés, qui peuvent parfois dépasser le nombre de cinquante, se nomment « intéressés », « cautions » ou « participes » ; chacun d'eux devient garant sur ses biens de l'exécution du traité.

Le chef de file de l'opération, en général majoritaire, prend le titre de « première caution ». Un gérant irresponsable, le « prête-nom », personnifie la compagnie aux yeux du public. Il n'est pas rare que des traitants connus, tel Bourvalais, soient premières cautions de dix à quinze compagnies à la fois.

A leur tour, les organismes financiers ainsi surgis comme des champignons empruntent auprès des bourgeois, des rentiers, des membres des professions libérales, en émettant des billets au porteur, signés et garantis par l'ensemble des cautions.

En bout de chaîne, les acquéreurs d'offices — il s'agit le plus souvent de communautés d'arts et métiers — empruntent également par billets à ordre notariés.

Une enquête menée en 1716 fait ressortir, pour la France entière, le nombre des traitants à huit mille environ (dont trois mille, tous importants, pour Paris seulement) : aussi imagine-t-on l'énorme volume des billets au porteur signés par les compagnies et les titulaires d'offices, billets auxquels s'ajoutent ceux, plus nombreux encore, émis par le Trésor ou ses substituts : ferme générale, fermes du tabac et des postes, recettes royales, extraordinaire des guerres, caisse des gabelles, marine, etc.

Il n'est pas rare, nous l'avons vu ailleurs[1], que la circulation de cette multitude de billets, dépasse plusieurs centaines de millions de livres, somme énorme eu égard à la circulation monétaire : on se trouve en présence d'une dangereuse inflation de crédit.

Les billets des compagnies se négocient chaque jour au sein d'une véritable bourse, située dans les jardins de l'hôtel de

1. J. SAINT-GERMAIN : *Les Financiers sous Louis XIV*, chap. VII.

Soissons[1], où s'alignent des files de baraques en bois (140 environ) abritant des bureaux d'escompte. Financiers, banquiers, traitants, épargnants s'y rendent avec assiduité : les cours des différents billets tiennent compte, bien entendu, de la situation internationale, du crédit personnel accordé à tel ou tel traitant « première caution », de la conjoncture intérieure, de l'abondance ou de la rareté du numéraire. En juillet 1708, date proche du point le plus critique de la crise financière, l'argent au jour le jour se prête au taux de 8 % et les billets subissent une dépréciation de 25 % ; cette dernière dépassera 50 % en 1709 ! Le marché est largement manipulé par les traitants. En 1711, un placet dénoncera la cabale des gens d'affaires « qui fait augmenter ou diminuer sur la place tous les effets qui s'y trouvent ».

Tenue dans l'ignorance des gros « coups » ainsi tramés dans le secret, une nuée de petits porteurs et d'intermédiaires s'affaire à l'hôtel de Soissons, en quête de « tuyaux », afin d'acheter ou de vendre, soit au comptant, soit à terme, des billets dans les conditions les plus fructueuses. On nomme « coureurs de papier[2] » ces agioteurs subalternes. « Quoique le nommé Antoine Félix ne soit pas un fort honnête homme[3], écrit d'Argenson, il est néanmoins vrai qu'il a confié à J.-B. Bazille, encore plus fripon que lui, un billet de 401 livres 13 sols des vivres de la marine ; il est vrai aussi que ce dernier, qui est en usage de tromper et dont la principale occupation est de courir tous les bureaux, promit il y a quinze jours de payer la valeur de ce billet, ou d'en rendre un autre de valeur égale ; mais les retardements qu'il y apporte font assez connaître qu'il est bien résolu de ne point faire cette restitution s'il

1. A l'emplacement de l'actuelle bourse de commerce, près des halles de Paris. Voir Bibl. nat. Manusc. français, nouv. acq. 763, Archives Seine, fonds Lazare, Arch. nat. G^7 715 et 435.

2. Arch. nat. G^7 1727.

3. d° G^7 1728, 8 février 1713.

n'y est contraint par un emprisonnement.» Lorsque décède, en 1713, le célèbre imprimeur Léonard, ses héritiers découvrent que, pressé par les soucis d'argent, il a vendu pour 1 400 livres comptant, une ordonnance de 3 500 livres ; elle est passée par les mains de divers agioteurs dont le dernier, Péras, est rabatteur d'un agent de change[1].

La variation incessante du cours des billets de toutes sortes entraîne les plus fâcheuses répercussions : elle ruine nombre de porteurs tout en enrichissant financiers ou intermédiaires et elle jette le désordre dans le commerce : par exemple, en 1711, il est dû à deux drapiers, Leleu et Lelarge, plus d'un million de livres de fournitures aux armées faites en 1707, 1708 et 1709 ; on leur a remis en paiement, pour les trois quarts, des assignations diverses sur les recettes générales, la capitation et les traités d'affaires extraordinaires, pour un quart des ordonnances sur le Trésor royal. Mais, depuis la facturation de leurs marchandises, la valeur de ces divers « papiers » s'est effondrée. Les malheureux se trouvent brutalement, sans qu'ils en soient responsables, en état de cessation de paiement et sont poursuivis par leurs créanciers — qui refusent énergiquement de recevoir leurs assignations et ordonnances dépréciées. Les voilà condamnés par corps et saisis. Après diverses péripéties, ils offrent, en 1713, à leur principal créancier, un banquier, des assignations « fraîches » sur les recettes générales de 1713, payables l'année en cours. Le poursuivant, prié par d'Argenson d'accepter cet arrangement, déclare qu'il attendra — ce qui prouve qu'il espère la faillite de l'État ; il ne revendique plus que le paiement des intérêts échus, à condition qu'il s'effectue en espèces.

D'Argenson, indigné par tant de mauvaise foi, l'oblige « à présenter ses registres pour connaître en quelles espèces il a fait ses paiements », car on peut présumer que ceux-ci, pour la moitié ou les deux tiers, ne « consistent qu'en papiers royaux achetés à vil prix ». Cet homme est en effet « un insigne agioteur, taxé comme tel ».

1. Arch. nat. G[7] 1728, 28 mars 1713.

***

A la ruine fréquente des créanciers de bonne foi, à la paupérisation des titulaires de revenus fixes, au tarissement du commerce, s'ajoutent de nombreuses banqueroutes de traitants, — souvent volontaires. Elles font d'autant plus scandale que ceux qui se vantent d'être les piliers du crédit public, obtiennent aisément des sauf-conduits pour échapper aux poursuites. Ils procèdent même parfois à la cession simulée de leur actif à des tiers complices ou opposent à leurs créanciers un contrat de séparation de biens d'avec leur femme. Leur soi-disant insolvabilité ne les empêche pas de rouler carrosse — on en compte cinq cents de plus à Paris vers 1713 —, ni d'acquérir force terres, immeubles ou charges sous des noms d'emprunt. « Ils vivent, écrit un anonyme, de l'argent des autres, grâce aux sommes drainées par leurs billets. »

On comprend mieux, par ces pratiques, que les traitants se soient attiré une haine et un mépris général, notamment de la cour. L'État est obligé de les soutenir, mais comme la corde soutient le pendu. Le contrôleur général des Finances écrit dès 1700 : « Les traitants sont tombés dans leur faute la plus ordinaire, qui est de rendre leur conduite blâmable et odieuse dans les choses les plus simples, par leurs manières trop dures et trop outrées[1]. » Bourvalais, considéré comme leur chef de file, sera l'objet d'une devise injurieuse, en 1713, sur un registre de la loterie des Bénédictines. A sa plainte, d'Argenson en assignera le receveur, confisquera le lot correspondant au numéro marqué en face de la devise ; Langlois, son auteur, sera emprisonné trois mois[2]. Un autre traitant, s'étant rendu à l'Hôtel de Ville pour participer à l'adjudication des droits d'octroi, contera en ces termes l'accueil de l'assistance : « Sortant à la fin de la publication, où il y avait beaucoup de monde, je fus insulté au bas de l'escalier par dix ou douze personnes que je ne connais point, mais qui sont du nombre des officiers

1. Arch. nat. G^7 8, 10 juillet 1700.
2. d° G^7 1728, 11 avril 1713 et Bibl. nat. Manusc. français 8121, 21 mai 1713.

supprimés. Ils se dirent surpris que j'osais paraître devant eux. J'ai essuyé des discours et des injures très offensants ; ils me menacèrent que ma vie n'était pas en sûreté, crièrent que j'étais un voleur et un homme à assommer à coups de bâton. Cela fit arrêter et amasser du monde. Deux même voulaient me joindre la canne levée. Voyant que tout cela tendait à émotion publique, je ne répondis pas un seul mot et, pour éviter les mauvais traitements, j'entrai dans l'église Saint-Jean, puis m'en revins chez moi par des rues détournées[1]. »

***

A l'inflation privée ou semi-publique des *billets au porteur* s'ajoute l'inflation publique des *billets de monnaie*, émis à partir de la fin du mois de septembre 1701. Nous avons conté ailleurs cette étonnante expérience d'assignats au Grand Siècle[2] : alors qu'il s'agissait seulement, à l'origine, de délivrer des certificats provisoires aux porteurs échangeant, lors des mutations monétaires, leurs monnaies décriées pour recevoir un ou deux mois plus tard de nouvelles espèces refondues, on passa rapidement à une émission de papier-monnaie non gagé. C'était, croyait-on, le moyen idéal de financer la guerre sans faire appel à des contribuables et à un commerce épuisés. Ce fut, en réalité, une inflation galopante, assortie du cours forcé des billets, puis de leur extension à tout le territoire : leur circulation atteindra, à son point culminant, 180 millions de livres ; leur dépréciation avoisinera 60 pour 100 en 1710 par rapport à la monnaie d'argent.

Ces billets, de même que ceux émis par les compagnies de finance, vont donner lieu à Paris, puis à Lyon, à des spéculations considérables. Ils sont l'objet d'une cotation quotidienne ; des milliers de gens vivent de l'échange du papier-monnaie contre des espèces devenues introuvables, mais qu'il faut bien, cependant, se procurer pour payer les achats, les ouvriers, les

1. Arch. nat. G^7 442, 24 août 1715.
2. J. Saint-Germain : *Samuel Bernard, le banquier des rois*, chap. XI.

fournisseurs. Tous ceux qui, par leurs fonctions, sont appelés à manipuler des espèces les revendent avec un fort bénéfice aux porteurs de billets de monnaie, auxquels ils achètent ceux-ci bien au-dessous du cours du jour ; ils les revendent ensuite à ce cours, gagnent sur tous les tableaux, et recommencent indéfiniment l'opération.

En 1706, un projet du contrôleur général des Finances[1] expose : « Le mauvais commerce qui se fait à Paris sur l'argent depuis quelque temps par la vente des sacs (de numéraire) engage à chercher toutes sortes de voies pour rendre les espèces plus communes dans le public afin que, si l'on ne peut pas tout à fait empêcher ces usures, on en diminue au moins le prix, qui en devient excessif pour ceux qui en ont un indispensable besoin. Je suis bien informé que l'argent que je fais laisser dans les provinces, des recettes du roi, en vue qu'il y reste pour le commerce des pays, vient la plupart du temps à Paris et tombe dans des mains qui ne le donnent pas pour rien. »

Les rapports de police contiennent de curieuses informations sur ce vaste trafic.

Il emploie, à la base, une armée de gagne-petit qu'on charge de rafler, avec prime, les espèces de billon ou d'argent dans les marchés ou le public, pour les remettre aux « vendeurs de sacs » de mille livres. Le commissaire du quartier de la Grève remarque ainsi, au marché au pain du cimetière Saint-Jean, des inconnus qui « prennent des boulangers toutes les pièces de quatre sols, en leur donnant un profit considérable sur chaque pièce ». On arrête un aubergiste, qui avoue amasser ces pièces, en donnant aux rabatteurs un « double » ou un liard pour leur peine. Peu après, on incarcère le directeur des messageries de Flandre qui, pour le compte d'un banquier et d'un changeur d'Anvers, pratiquait le même billonnage.

Les petits intermédiaires : porteurs d'argent, laquais, caissiers, commis, opèrent pour le compte de changeurs, banquiers, épiciers, bourgeois, marchands de bœufs de Nor-

1. Arch. nat. G^7 11, février 1706.

mandie, marchands de bois, de vins, de blé, auxquels ils remettent les espèces récoltées, pour les trier, les peser, les compter et en faire des sacs de mille livres. Les premiers gagnent deux à trois livres par sac, les derniers de soixante à quatre-vingts livres, selon les cours.

On arrête quantité de trafiquants qui déclarent ce commerce très commun à Paris : « C'est à qui en vendra le plus », dit l'un ; un officier étant venu lui demander un sac de mille livres contre des billets de monnaie, il va le chercher tandis que son client se fait faire la barbe près du Temple, et le lui délivre moyennant une commission de 65 livres. « De quoi l'officier parut si content qu'il ne put s'empêcher de dire qu'il avait acheté un autre sac avec 70 livres de perte[1]. »

Les caissiers des compagnies sont évidemment bien placés pour agioter. Celui du traitant Bourvalais est vu un soir emportant quinze sacs ; les commis, ses collègues, font de même. D'Argenson écrit en 1706 : « Les plus coupables de tous ce sont ces caissiers infidèles qui convertissent en billets de monnaie ou, plutôt, qui vendent à un prix excessif les sacs de mille francs qu'ils ont tirés en espèces des différents recouvrements dont ils sont chargés[2]. »

***

On tente d'endiguer le mal en infligeant de lourdes amendes aux trafiquants pris en flagrant délit : près de 32 500 livres au total en 1706, dont le montant est versé pour partie à de « pauvres brûlés des Halles », victimes d'un grave incendie. En août de la même année, on décide qu'au-delà de 6 pour 100 de bénéfice, les vendeurs de sacs seront condamnés au carcan et bannis. Mais l'appât du gain demeure plus fort que la crainte des sanctions.

Parmi les billonneurs pittoresques, voici Briard. « Il n'y a pas longtemps qu'il était laquais et l'on assure que, depuis qu'il a

1. Arch. nat. G[7] 1727, 13 mars 1711.
2. d° G[7] 1725, 9 avril 1706.

quitté la livrée pour se mêler du commerce usuraire des billets de monnaie, il a gagné près de 10 000 livres » — ce qui, à l'âge de vingt-huit ans, lui a permis d'acheter une manufacture de chandelles dans l'enclos du Temple[1]. Voici encore la nommée Cambenard qui « s'est fait une espèce de bureau public de change et de négociation de toutes sortes de papiers ». Elle compte parmi ses clients le prince de Montbazon, M. de Maintenant, M. Mallet du Luzart et un capitaine de grenadiers. Voici enfin Gassion, porteur de chaise, chef d'une troupe de crocheteurs et de vagabonds séditieux : il a dans ses coffres 50 000 livres de « bons billets », mais continue d'exercer son humble métier pour cacher sa fortune. On l'enferme au Châtelet, d'où il parvient à s'évader[2].

A ces personnages douteux se mêlent de nombreux escrocs qui se font remettre des billets pour les escompter, puis disparaissent ou prétendent qu'ils les ont perdus. La plupart du temps, les victimes n'osent porter plainte. C'est ainsi que plusieurs particuliers ont prêté 7 000 livres de billets à Huet, un charretier de la Grenouillère, « qui a eu l'insolence de se loger dans une bonne auberge et d'employer une partie des fonds à acheter un carrosse et deux chevaux ».

Des faussaires s'efforcent aussi de contrefaire les billets de monnaie. Delamare, lors de sa tournée champenoise de 1710, en reçoit la nouvelle de son collègue parisien, le commissaire Pintas : « Il y avait ici des ingénieurs au fait des billets de monnaie qui, à ce que l'on dit, en ont fabriqué pour plus d'un million de livres. On en a mis dix à douze à couvert du soleil et de la pluie. Samedi, on chercha inutilement la planche de cuivre, qu'ils avaient jetée à la rivière vis-à-vis le chœur des Grands Augustins. Enfin, dit-on, les plongeurs la trouvèrent lundi. On recherche encore leurs outils[3]. » Les faux se perfectionnent : en 1714 on arrête une femme « convaincue d'avoir inventé une machine qui imite si parfaitement toutes

1. Arch. nat. G[7] 1425.
2. d° G[7] 1726, 28 janvier 1710.
3. Bibl. nat. Manusc. français 21566 f° 79.

sortes d'écritures que les experts les plus habiles s'y trouvent embarrassés[1]. »

En 1710, le journal d'un bourgeois anonyme apporte ce témoignage sur la répression de l'agiotage : « On a pris plusieurs personnes accusées d'avoir acheté à vil prix les billets de monnaie et d'y avoir gagné des sommes immenses. Il y en a, dit-on, de taxées jusqu'à 300 000 livres. Elles sont dispersées à la Bastille, aux Châtelets et au Fort-l'Évêque. Celles du Petit Châtelet sont six ; on ne les voit point et il est défendu aux geôliers de les nommer ; ces geôliers sont chargés de leur nourriture et ont ordre de les traiter bourgeoisement. Un nommé Berthe, fameux banquier, est à la Bastille. M. d'Argenson, qui a mis les scellés chez lui, près de Saint-Martin-des-Champs, s'y transporte pour l'interroger et procéder. Un frère de Berthe s'est sauvé[2]. »

Un verbe, devenu à la mode, court les rues : friponner. Il caractérise l'immoralité de la spéculation qui enfièvre le royaume, ruinant ceux-ci, enrichissant sans mesure ceux-là, bouleversant l'échelle des valeurs sociales et mettant les financiers au premier plan. Lorsque Law présentera, sous la Régence, ses plans grandioses et en partie chimériques, il trouvera le terrain tout préparé pour les accueillir.

1. Arch. nat. G^7 17.

2. Bibl. nat. Manusc. français, N. Acq. 4037 f° 12 v°.

CHAPITRE XI

1709, L'ANNÉE TERRIBLE

LORSQUE s'ouvre l'année 1709, la France se trouve dans une situation quasi désespérée. L'Europe entière s'est liguée contre elle : ses troupes, affamées, mal payées, souvent mal commandées, doivent faire face sur terre, à la Hollande, à l'Allemagne, au Portugal, à la Savoie, à l'Autriche, et sur mer à l'Angleterre. Jamais nous n'avons eu autant d'ennemis sur les bras : aussi les revers militaires se sont-ils accumulés : Oudenarde a été perdue en juillet 1708, Lille en octobre, Gand et Bruges ensuite. Des « partis » — on dirait aujourd'hui des « commandos » — hollandais ont poussé des pointes à travers le pays jusqu'aux abords de Versailles, enlevant au pont de Sèvres le premier écuyer du roi. L'opinion publique, abreuvée d'humiliations, agitée par une intense campagne de libelles, nourrie de fausses nouvelles, est devenue, dans les couches populaires en tout cas, franchement hostile à Louis XIV et à la poursuite d'une guerre de plus en plus sanglante.

Chamillart, contrôleur général des Finances et secrétaire d'État à la Guerre, avait écrit, en accédant à son poste : « J'ai le malheur de remplir la place de contrôleur général au commencement d'une nouvelle guerre et à la suite d'une autre qui a épuisé tous les moyens nécessaires pour la soutenir. » Après huit ans d'un conflit de plus en plus passionnel, sans merci, étendu à la majeure partie de l'Europe, cette plaintive constatation laisse deviner à quel degré de déchéance l'orgueil de Louis XIV a ravalé notre pays.

*
* *

Comme si tant de misères accumulées ne suffisaient pas à meurtrir la population, un hiver sibérien, terrifiant — sans conteste un des plus rudes de notre histoire —, va s'étendre sur la France, n'en épargnant presque aucune province.

Il débute de façon soudaine[1] à la veille de l'Épiphanie, c'est-à-dire le 5 janvier 1709, en fin de journée semble-t-il, et la température doit alors avoisiner —40° puisqu'en trois ou quatre jours la Seine est profondément gelée jusqu'à son embouchure, de même que ses affluents, tandis que la mer se transforme en banquise. Le 9, la poussée des glaces dans le grand bras de la Seine rompt comme verre les cordages des bateaux ancrés au port de la Grève, enlève plus de quarante d'entre eux chargés de vins, de grains, de bois et de charbon, pour les briser sur les piles des ponts d'aval ou les échouer ; la plupart coulent. Le même embâcle endommage gravement le pont de Sèvres (à péage) qui constituait, de Paris, le principal passage vers le palais de Versailles. Tous les avant-becs du pont, leurs chapeaux, leurs « moïses » et les grands liens qui les attachent sont emportés, ce qui nécessitera 250 000 livres de réparations[2].

Les courtisans doivent renoncer à sortir d'un Versailles où, conte Saint-Simon, il fait un tel froid que l'eau de la reine de Hongrie, les élixirs les plus forts et les liqueurs les plus spiritueuses cassent leurs bouteilles dans les armoires de pièces cependant chauffées, tandis qu'au cours des soupers des glaçons se forment dans les verres.

Louis XIV, homme de plein air et chasseur acharné, que le froid ni le chaud, quelque temps qu'il fasse, n'incommodent jamais, doit, à son grand désagrément, demeurer près de son

1. En l'absence d'observations météorologiques, disparues pour cette époque à la bibliothèque de l'Observatoire de Paris, nous avons reconstitué l'hiver 1709 à l'aide des mémoires, lettres ou journaux (Saint-Simon, Sourches, Dangeau, Fagon, marquise d'Huxelles, Madame, Mme de Maintenon), du *Traité de la Police* de Delamare (t. 2, suppl. p. 1) et de divers documents inédits : Arch. nat. K 1022 (dossier X), Bibl. nat. Manusc. français Nouv. acq. 3129 et 4037, Joly de Fleury 1114, 1115 etc.

2. Arch. nat. G^7 1655.

feu tant que ce froid horrible dure. Le 10 janvier, le duc de Berry, la terre étant couverte d'une neige épaisse, se hasarde à aller tirer : un de ses pages porteur de fusil a les doigts gelés : il faut l'amputer. Le 14 janvier, la marquise d'Huxelles, aussi infatigable épistolière que Mme de Sévigné, mande à son cher correspondant de chaque jour : « Les nouvelles sont courtes, Monsieur. L'encre gèle au bout de la plume. » A Paris, les spectacles ont fermé, la plupart des tribunaux ont suspendu leurs audiences.

Cette première vague de froid dure jusqu'au 25 janvier ; le 23 janvier, la duchesse de Bourgogne va voir, à Versailles, le duc de Berry patiner sur le grand canal.

La rigueur de la température a interdit tout commerce et toute circulation. Chaque matin on trouve des gens morts dans les rues. La neige, puis un verglas épais recouvrent les artères de la capitale. M. de Villeras, sous-introducteur des ambassadeurs, note le 9 janvier que le grand carrosse du nonce extraordinaire n'a pu conduire ce dernier à l'Arsenal « à cause de la grande gelée et d'une médiocre quantité de neige qui rendait la marche difficile ». Le ciel est bas : dès trois heures et demie, on allume les bougies. Le 20 janvier, l'ambassadeur de Venise, en visite chez la duchesse de Bourgogne, demeure « toujours debout, tantôt devant le feu, tantôt se promenant dans la chambre, et il aime mieux en user de cette manière à cause du froid extrême ». La discipline subit des entorses : les gardes du corps se réfugient dans les antichambres, leur relève est écourtée, la livrée déjeune dans la salle du Grand Conseil, qu'on chauffe dès le matin.

***

Un bref dégel s'amorce le 26, le vent tournant au midi : la débâcle de la « rivière » — nom sous lequel les Parisiens connaissaient la Seine — succède à son embâcle initial. Elle jette avec fracas sur les ports, les ponts, les rives « des glaces d'une grandeur prodigieuse et de l'épaisseur de huit à dix pieds». Le prévôt des marchands, responsable de tout ce qui concerne le fleuve (police, circulation, négoce), a par bonheur pris la précaution de la faire briser et couper aux alentours des ponts et d'entretenir un étroit chenal libre, depuis les ponts Marie et de la Tournelle jusqu'au-delà du pont Royal.

Le 28 janvier, retour du froid, plus intense encore qu'auparavant : le guet des gardes du roi, qui fait à Versailles sa relève annuelle, ne peut se disposer « en bataille » dans la grande cour pleine de neige ; le 3 février, le premier président se rend chez le cardinal de Noailles, flanqué de quelques conseillers du Parlement, afin de lui représenter que « la rigueur de la saison, le manque de poisson et de légumes, doivent l'engager à donner permission de manger gras ce carême ».

Louis XIV ne peut sortir du palais jusqu'au 6 février, date à laquelle, quoiqu'il fasse « encore un fort vilain temps », il se promène dans les jardins de Marly jusqu'à la nuit, entouré de beaucoup de courtisans, gens de guerre plus sensibles à l'attention du Roi-Soleil qu'aux frimas. Il gèle toujours : pas un sac de blé n'a atteint Paris ce même 6 février, la rivière n'étant pas navigable : « Suivant le temps qu'il fait — écrivent les augures —, elle ne le sera pas de sitôt[1]. »

Un second dégel s'amorce le 8 et dure jusqu'au 23 ou 24 février 1709.

Le 25, nouvelle gelée qui continue à bloquer les transports par eau. « La rivière charrie trop peu pour s'en promettre aucun secours[2]. » Le 26, ce terrible hiver, rapporte Sourches, se trouve marqué par un « phénomène fort extraordinaire » : à Versailles, vers dix heures du soir, « c'était comme un feu de la grosseur d'un muid, qu'on vit tomber jusqu'à terre en deux ou trois endroits de la ville, et même assez près du château ; il en avait paru un presque semblable trois semaines auparavant ».

La dernière offensive du froid se prolonge au début de mars, mêlée de brefs redoux, et l'hiver le plus long ne connaît sa première pause sérieuse que vers le 15 mars. Elle entraîne

1. Arch. nat. G^7 1654.
2. d° G^7 1654.

la fonte rapide des neiges : dès le 20 la Seine déborde, inondant les ports ; le 5 avril, le premier bateau de blé attendu de Soissons aura été, pendant un mois, bloqué à Pontoise, ne pouvant remonter la Seine trop grosse, où le passage sous les arches du pont Royal est périlleux. Dans la campagne, les champs sont transformés en bourbiers ; le 12 avril, le roi veut courre le cerf à Marly, mais les bêtes rousses, « qui y sont en très grande quantité, ont tellement souffert et les terres sont si molles » que les animaux de chasse sont pris sans résistance : les chiens jettent à terre beaucoup de cerfs et de biches incapables de courir. De leur côté, les marchands d'Étampes demandent qu'on restaure d'urgence le pavage de la « montagne de Longjumeau », car la route du blé, défoncée par le gel et les pluies, se trouve « si rompue qu'il faut quelquefois mettre trente et quarante chevaux sur un harnais ». Des files de charrettes en panne ne sont pas rares[1].

L'hiver quitte les hommes comme à regret. Le 15 mai encore, un bourgeois note dans son journal, d'une écriture en pattes de mouche : « Il a fait fort vilain, sur le midi le vent s'est mis au nord et il a fait très froid. La nuit, il a gelé à glace. » En juin, nouvelle reprise des inondations : le 6, il pleut tant à Versailles qu'on n'y peut organiser une procession ; le 18, le contrôleur général des Finances écrit : « Le débordement des rivières de Loire, de Cher et d'Allier vient de causer de grandes désolations à tous les pays voisins. Je ne sais pas quelle année il plaira à Dieu de nous envoyer du courage pour résister à tous les malheurs qui nous accablent. »

L'été lui-même sera pourri : la pluie continuelle a noyé les terres, qui n'ont pu se ressuyer ; les chemins demeurent impraticables ; le 8 et le 28 juillet, il pleut toujours, le roi ne peut sortir ; en août, dans le Vexin, on doit, à cause des pluies incessantes, laisser les orges et avoines en javelées sur les champs. Elles germeront en grande partie et la paille se décomposera sur place[2].

1. Arch. nat. G^7 1654.
2. Bibl. nat. Joly de Fleury 1114.

***

Cet hiver « terrible et tel que, de mémoire d'homme, on ne se souvenait d'aucun qui en eût approché[1] » a, pendant des semaines, gelé le sol à près de soixante-dix centimètres de profondeur ; l'alternance du froid avec de brèves périodes de dégel, au moment de la montée de la sève, a détruit quasi totalement les céréales, les vignobles, les vergers. D'Aguesseau écrit, le 3 avril, de sa propriété de Fresnes, proche de Paris[2] : « Le séjour que je fais ici me donne tout le loisir de m'instruire par moi-même de l'état des blés et je vous avoue que l'on ne peut le voir de près sans en être effrayé. » D'Aguesseau était pourtant « affermi contre les mauvais discours » des marchands de grains, enclins au pessimisme dans la vue d'un enchérissement rapide. Désireux de tout vérifier, il a entendu les laboureurs les plus expérimentés, fait « ouvrir et remuer la terre en plusieurs endroits ». Il faut se rendre à l'évidence : tous les blés ont péri. Même son de cloche de la part de Turgot, alors intendant à Tours[3], de l'évêque d'Angers, de Bâville, intendant du Languedoc — où six gels et dégels successifs avec, par moments, « de la glace épaisse de quatre doigts » ont stérilisé sa province depuis Carcassonne jusqu'au Rhône, y compris le Vivarais. Dans l'ensemble, au printemps, pronostique Delamare, les « terres ensemencées ne paraîtront couvertes que de fleurs champêtres ».

La vigne a gelé au moment de la pousse et les vignobles deviennent tout noirs, comme incendiés. Il faudra tailler les ceps au ras du sol. Une pittoresque lettre du curé de Ménars[4] — près de Blois, où devait s'élever le château de la Pompadour — indique qu'on put, à l'époque de la récolte, grapiller tout juste dans les sites abrités quelques verdillons, qu'on mit dans des cuves. On remplit ces dernières d'eau, et les fermiers

1. SAINT-SIMON : *Mémoires*, édit. Boislisle, t. XVII.
2. Arch. nat. G^7 1652.
3. d° G^7 15.
4. Joly de Fleury 1114.

débiteurs de la dîme offrirent cette acide boisson aux curés, qui ne purent « s'en aider pour dire la messe ».

Quant aux arbres fruitiers, la plupart d'entre eux ont éclaté sous la force du gel et péri sur pied : au nord de la Loire, il en va ainsi pour les pêchers, les abricotiers, les cerisiers, voire les houx et les genévriers. En Provence, tous les oliviers, source à peu près unique de revenu, avec, çà et là, la vigne, sont gelés ; il convient de les couper au pied, et d'attendre six ou sept ans les résultats du recépage.

Le bétail, affamé et transi dans les étables des fermes ou métairies, périt lui aussi en très grand nombre. Un peu partout, on ramasse par centaines des perdreaux, cailles, pigeons et passereaux raides de froid. Les lapins de garenne crèvent dans leurs terriers. Les corbeaux, affamés, débarrassent les champs des cadavres, et attaquent jusqu'aux lièvres pour les dépecer. Des bandes de loups rendus féroces sont signalées, ajoutant à la terreur des campagnes. Elles dévorent notamment le courrier d'Alençon et son cheval[1]. Les chiens eux-mêmes s'attaquent à maintes reprises aux enfants ou aux vieillards.

***

Vis-à-vis de la population, les effets du froid, bientôt combinés avec ceux de la famine, sont plus implacables encore ; on peut les symboliser par cette vision d'Apocalypse : en février, les commis du pont de Sèvres arrêtent au passage, pour lui réclamer les quelques sols du péage, un cavalier au manteau rouge. L'homme ne répond pas : il est mort. Répétés à des centaines, à des milliers d'exemplaires, des faits analogues se produisent partout.

Venant de Roanne, le chevalier de Laubépin trouve sur la grand-route, entre Lyon et Paris, trente-deux cadavres. A Romorantin, en avril, on note mille pauvres gens morts de misère, deux mille autres réduits aux abois ; nombre de ces

1. MADAME : *Correspondance*, trad. Brunet, I, 9 février 1709.

malheureux se suicident ; conformément à la loi, on instruit leur procès *post mortem* « de crainte des suites ». La forêt d'Orléans grouille de gens sans ressources ; à Onzain, les paysans ne mangent plus que « des chardons crus, des limaces, des charognes et autres ordures[1] ». A Vendôme, un curé de la capitale venu prêcher à cinq cents pauvres — comme si les ventres affamés pouvaient encore avoir des oreilles ! — recule, épouvanté par leurs visages « cousus et livides », sur lesquels les viandes putréfiées dont ils se nourrissent produisent une sorte de « limon qui les défigure étrangement ». A Bléneau, dans le Gâtinais, sept personnes meurent de faim dans la même maison en huit jours. Le Mans compte dix-huit mille pauvres nécessiteux. L'abbaye de Marmoutiers décide, en avril, une distribution de pain : à l'annonce de cette aubaine extraordinaire, sept à huit mille pauvres, venus de Tours, et de tous les villages situés dix lieues à la ronde, accourent, bien avant l'aube, se bousculent, s'écrasent, se battent à mort : la distribution faite, on compte quarante-cinq décès par étouffement.

A Paris, la situation n'est pas moins dramatique. Dès le 19 janvier 1709, d'Aguesseau signale au contrôleur général des Finances « l'augmentation soudaine et prodigieuse du nombre des malades » de l'Hôtel-Dieu : on en compte déjà 2 675 et, pour nourrir cette multitude, les directeurs ne possèdent que trente mille livres, ce qui est dérisoire[2]. Bientôt, en dépit du froid, il faudra coucher malades et pauvres dans les corridors, puis dans les préaux, enfin dans les cours et galeries, sur un maigre lit de paille. Les églises de la capitale sont, pour la plupart, transformées en dortoirs.

La misère s'accroît démesurément en avril, car la certitude de la destruction totale des emblavements entraîne une flambée des prix du blé et du pain. La capitale se trouve brusquement

1. Faits cités par P. CLÉMENT, *Portraits historiques*, p. 198, d'après un rapport du recteur du collège de jésuites d'Orléans.

2. Arch. nat. G^7 436.

submergée de pauvres accourus des campagnes, dont un arrêt ordonne vainement le renvoi hors les murs. Le 30 avril, le duc de Bourgogne, menant la duchesse, le duc de Berry et trois carrosses pleins de dames à l'Opéra, avec le roi d'Angleterre, trouve entre Versailles et Paris ainsi qu'au pont Royal, beaucoup de femmes — quatre mille environ — qui lui demandent du pain. Il leur jette de l'argent. Même scène le 2 mai : Monseigneur, qui s'en va courre le loup, est bloqué par des troupes de femmes criant misère. Toute l'année 1709 il en ira ainsi ; le 26 octobre, Madame constatera — car « jamais de sa vie elle n'a vu une époque aussi triste » — que, dès qu'elle sort, elle est assaillie de pauvres menaçants.

La famine « fait mourir les gens comme des mouches » : Voltaire estimera à vingt mille le nombre de décès qui lui sont imputables rien qu'à Paris. Le désespoir accule nombre de malheureux au suicide. En mars, un commissaire de police enquêtant sur un vol de pain commis par une mère de famille découvre dans son galetas sans feu « trois petits enfants empaquetés dans des haillons et assis dans un coin, tremblants de froid, comme s'ils avaient la fièvre. Où est ton père ? demande-t-il à l'aîné. — Il est derrière la porte. » Le commissaire ouvre et recule, saisi d'horreur : le père s'est pendu. Le 26 mai, un savetier du quartier Saint-Martin se tranche la gorge d'un coup de rasoir et « comme ce quartier est plus fécond en pauvres séditieux qu'aucun autre, cet exemple y excite quelque mouvement ». Même des bourgeois sombrent dans la misère. « Plusieurs familles qui vivaient bien, constate le commissaire du marché Neuf, sont réduites à une mendicité déclarée, ce qui nous fait beaucoup de peine[1]. »

***

L'extrême cherté du pain entraîne d'abord ceux qui dans le menu peuple ont encore quelque argent à manger des pois, des fèves ou des lentilles. Mais ces ressources s'épuisent

1. Correspondance de MADAME, 2 mars 1709.

très vite, et il faut en venir aux plus affreux expédients. A Troyes, selon un placet, les pauvres sont « réduits à manger de la paille d'orge détrempée avec un peu d'eau et cuite en forme de pain. Ils vivent plutôt en bêtes qu'en hommes[1]. » Ailleurs, on consomme du pain de fougères, de la soupe d'orties, du pain de son. Le vin devient rarissime et hors de prix, la récolte de 1708 ayant déjà été déficitaire et celle de 1709 se trouvant anéantie, Les gens riches en font désormais venir d'Avignon, du Languedoc et du Dauphiné.

La sous-alimentation et la consommation de produits malsains entraînent une terrible épidémie de dysenterie ; la raréfaction des légumes et des fruits y ajoute le scorbut. Dès le 25 avril, l'Hôtel-Dieu est surchargé de onze cents scorbutiques et il faut rouvrir d'urgence l'hôpital Saint-Louis, car trois mille malades attendent encore.

Des curés s'élèvent contre la ladrerie des receveurs de greniers à sel, insensibles à l'horrible misère qui les entoure. Celui de Cerisiers[2] écrit : « Plus les gens sont malheureux, moins on fait de prêts de sel[3]. » A Bourges, en septembre, la dysenterie fait des ravages : on enterre quarante personnes par jour[4]. A Paris, d'Aguesseau note que « la nourriture de pain d'orge a causé beaucoup de dévoiements ». Helvétius, le célèbre médecin, est invité à fournir quarante mille « prises » de son remède. Mais le roi préfère qu'on les fasse distribuer aux plus pauvres d'entre les pauvres, ceux de la campagne de l'Ile-de-France, où il n'existe pas d'hôpitaux. A Orléans et Montargis, ainsi que dans nombre de provinces plus lointaines, les mêmes problèmes se posent. On mobilise Fagon, premier médecin de Louis XIV, qu'on croit — par courtisanerie — plus habile qu'Helvétius.

Autre conséquence encore de la misère : les abandons d'enfants. Dès le 27 mai 1709, l'Hôpital général, parmi 9 763 « pauvres », en abrite quinze cents âgés de moins de trois ans, dont il paie l'entretien et la nourriture[5]. Il s'agit surtout

1. Bibl. nat. Manusc. français 21650 (15).
2. Chef-lieu de canton de l'arrondissement de Sens, Yonne.
3, 4, 5. Arch. nat. G[7] 436, 27 mai 1709.

d'enfants de paysans, que leurs parents, à toute extrémité, viennent déposer, la nuit, dans la capitale. Au marché Saint-Germain, le 10 juillet, un mendiant survient, chargé de deux petits presque mourants, l'un accroché sur son dos, l'autre tenu sur son bras ; c'est un artisan de Senlis, Martin Roland ; la misère l'a jeté sur les routes avec sa famille. D'Aguesseau estimera à 2 725 le nombre des enfants ayant été « exposés » en 1709. Ce nombre élevé, joint à la diminution des charités publiques, n'a pas permis à l'Hôpital général de payer sa troupe de nourrices, auxquelles il est dû 174 500 livres. Une telle carence financière décourage les femmes de la campagne qui, faute d'espérer un salaire, ne se présentent plus pour chercher les nourrissons. A la « couche » — salle où les bébés transitent après avoir été recueillis — il en est mort plus de cent vingt en janvier 1710. En dehors des raisons élémentaires d'humanité et de charité, quelle perte est-ce pour l'État, s'écrie d'Aguesseau, que de voir « périr tant d'enfants qui pourraient servir un jour à repeupler ce royaume ». Devant un « si triste spectacle, on deviendrait charitable par politique, quand on ne le serait pas par religion[1] ».

***

Les campagnes proches de Paris ne connaissent pas seulement la misère physiologique : il s'y ajoute une terrible misère morale, née de l'isolement, du sentiment de la mort prochaine et du fatalisme devant une catastrophe à laquelle les hommes sont impuissants à trouver des remèdes. C'est pour cela que tant de petits paysans accourent en foule à Paris, espérant follement y trouver du travail, un peu de chaleur humaine et du pain, car souvent, faute de blé, on ne cuit plus dans leur paroisse[2].

Le pouvoir recule, effrayé devant cette marée d'affamés : il enjoint à diverses reprises aux malheureux de retourner d'où

1. Arch. nat. G^7 438, 10 février 1711.
2. d° G^7 1654, 18 mai 1709.

ils viennent, puis, ces ordres demeurant sans écho, les y contraint militairement. Le 9 juillet, Pontchartrain indique à Desmaretz qu'il a fait disposer des corps de garde à toutes les avenues donnant sur Paris, afin d'arrêter et de renvoyer les pauvres à la campagne. Tâche cruelle s'il en fut jamais : « Les commis des barrières, ajoute-t-il, semblent ne pas contribuer volontiers à cette police. »

***

Le peuple réagit de façon désordonnée, mais souvent avec violence, aux malheurs qui l'accablent. Dès le 1er mai, dans une lettre émouvante au contrôleur général des Finances, d'Argenson souligne que ses plaintes « ont pour motif une pauvreté véritable » ; les marchés sont au surplus entièrement dégarnis tôt dans la matinée. « Cette fin précipitée (des ventes de pain) m'a attiré sur le midi une foule de femmes, à trois ou quatre reprises, dont j'ai apaisé quelques-unes avec un peu d'argent, consolé d'autres par des paroles de compassion et dissipé les plus opiniâtres par des discours fermes, accompagnés de quelques menaces. » En vérité, ajoute-t-il, « nous avons grand besoin de votre protection pour maintenir dans Paris le peu de tranquillité qui y reste encore. Il ne serait pas prudent de se flatter : la pauvreté du peuple est infinie ; la plupart des ouvriers manquent de travail ; le pain bis vaudra au premier jour plus de trois sols la livre et il est impossible que la plupart des gagne-deniers et des manœuvres puissent trouver dans leurs salaires ce qui serait nécessaire pour eux et pour leur famille. Mais il est aussi dangereux de rassembler les pauvres dans les ateliers publics que de les laisser sans occupation[1]... »

De fait, des ferments de violence se manifestent ; la population hait indistinctement le pouvoir, incapable de lui fournir de quoi vivre, les meuniers — l'un d'eux, Ménard, de Chartres, est surnommé au marché Maubert « Milord Marlborough »

1. Arch. nat. G7 1654.

pour sa richesse trop voyante —, enfin les boulangers, accusés de frauder sur le poids, la qualité et les prix.

Au début du mois de mars, le roi s'alarme devant les risques d'émeute et d'Argenson se plaint à Desmaretz du pessimisme, à ses yeux excessif, de Pontchartrain, qui risque d'affoler la cour : « Quelque chose que le roi ait pu dire à M. de Pontchartrain, il n'y a point de jour qu'il ne parle à S. M. du pain et des blés, ni qu'il n'en écrive deux ou trois lettres. Il semble, à les lire, que tout Paris soit en mouvement, que le peuple crie à la faim et que nous soyons à la veille de revoir les barricades. Je sais même qu'il parle comme il écrit, et ces discours font de très méchants effets : cependant, nous avons du pain à deux sols pour les pauvres et j'ai deux hommes dans chaque quartier qui n'ont d'autre soin que d'en faire donner sur ce pied-là à tous ceux qui en veulent[1]. »

En l'occurrence, c'est Pontchartrain qui a raison, car les premiers signes annonciateurs de désordres profonds apparaissent. Quelques jours plus tard (7 mars) d'Aguesseau signale que « les pauvres des villes et des campagnes s'assemblent par troupes le jour et la nuit sous prétexte de mendier, arrêtent ceux qui portent du blé, s'en font donner par force et pillent ceux qui leur en refusent[2] ». Si ces pratiques se généralisent, Paris risquera de ne plus être approvisionné du tout.

Pour assurer le maintien de l'ordre, le roi décide d'y laisser stationner des troupes dont il a pourtant le plus grand besoin sur les différents fronts où la guerre fait rage. Cette mesure, note un journal anonyme, fait dire aux gazetiers de Hollande : « Louis XIV se défait de ses gardes pour les donner aux boulangers. » Quatorze compagnies des gardes françaises et six des Suisses, destinées à la Flandre (soit environ deux mille neuf cents hommes), demeurent ainsi l'arme au pied. D'Aguesseau souhaite, le 1er mai, que le nombre des compagnies soit porté à quinze. Les gardes logent chez l'habitant, dans les faubourgs ;

1. Arch. nat. G⁷ 1654.
2. d° G⁷ 1652.

en cas d'alerte, on sonne la générale pour les rassembler. Leur état d'esprit est mauvais, ces « prétoriens » du roi se sentant solidaires du peuple. Il semble, écrit d'Argenson le 19 mai, qu'ils ne « maintiennent la tranquillité qu'avec répugnance et qu'ils sont plus disposés à résister aux officiers qui les commandent qu'à leur obéir ». Aussi propose-t-il, pour les amadouer, de relever leur solde de trois sols par jour[1]. Le roi en accorde deux, et on cuit du pain pour eux dans tous les quartiers, en supplément de celui vendu dans les marchés.

Aux troupes chargées de la sécurité s'ajoutent, en mai, dans la Généralité, un régiment de cavalerie et un de dragons pouvant se porter, si nécessaire, dans celles de Soissons et de Châlons-sur-Marne.

***

Protestants, agents de l'ennemi, libellistes ont évidemment la partie belle, dans un pays ruiné, affamé et dont les troupes collectionnent les défaites, pour ameuter la populace, diffamer le pouvoir, inciter à la révolte. On n'insistera jamais assez sur cette guerre psychologique à laquelle se livrent opposants et ennemis pour la conquête de l'opinion française et sa « mise en condition », en vue d'accepter une paix honteuse. M. de la Rochefoucauld reçoit un « billet atroce contre le roi, qui marque en termes exprès qu'il se trouve encore des Ravaillac et qui, à cette folie, ajoute un éloge de Brutus ». Ce qui pique le plus le roi, c'est « l'inondation des placards les plus hardis et sans mesure contre sa personne, sa conduite et son gouvernement qui, longtemps durant, seront trouvés affichés aux portes de Paris, aux églises, aux places publiques, surtout à ses statues[2] ».

D'Argenson, chargé de l'approvisionnement et de la police des arts et métiers — secteur où la pression fiscale augmente sans mesure —, devient particulièrement détesté. Le 4 mars,

1. Arch. nat. G. 1654.

2. SAINT-SIMON, éd. Boislisle, t. XVII.

il envoie au contrôleur général des Finances un placet que des femmes du peuple se proposaient de présenter à Monseigneur et ajoute : « J'essuierai courageusement les reproches et les gronderies que chaque courrier m'apporte de jour en jour. » Le 5 avril, il confirme sa résolution : « Il a été affiché la nuit dernière quelques placards, mais comme ils ne regardent que moi, je m'en embarrasse fort peu, car je plains les pauvres, quelque injustes qu'ils puissent être, et je continuerai de les servir de tout mon cœur malgré leurs murmures[1]. » Le lendemain, de nouveaux placards sont découverts place de Grève. Le lieutenant général de police ne fera pas d'enquête et ne cherchera pas les coupables : « Je pense au contraire que leur inquiétude, leur impatience et leur fureur même deviennent de nouveaux objets de compassion. Aussi je n'en paraîtrai pas moins demain dans les marchés, et ma porte n'en sera pas moins ouverte à toutes les plaintes[2]. »

Aux libelles et aux placards s'ajoute l'action des provocateurs : le 12 mai, on arrête au marché Saint-Germain un inconnu criant à la foule : « Avant huit jours, vous mangerez du pain à plus de huit sous la livre » ; le 15, d'Argenson fait conduire au Châtelet un nouvelliste qui, place Maubert, allait de charrette en charrette pour exciter le peuple contre les boulangers et le porter au pillage[3]. Un détail montre à quel point la situation est tendue : on n'ose pas arrêter publiquement le perturbateur. Ceux qui se sont saisis de sa personne, des policiers en « civil », ont « feint d'abord d'applaudir aux mauvais discours du personnage, pour l'attirer dans un cabaret hors du marché Maubert, d'où ils l'ont fait passer dans un carrosse, qui l'a mené là où il est ».

***

La guerre psychologique multiforme agit comme un levain sur un peuple désespéré : de nombreuses émeutes, dont certaines frisent la révolte, vont survenir au cours de l'année terrible.

1, 2, 3. Arch. nat. G^7 1654.

Le 28 avril, des archers — les « chasse-coquins » — veulent expulser de l'église Saint-Roch un pauvre qui s'y est réfugié ; comme il résiste, ils le blessent à la main. Phénomène habituel, et significatif quant à l'évolution des idées sociales, une foule se rameute aussitôt pour défendre le malheureux. Cinquante gardes suisses sont appelés. D'Argenson est obligé d'accourir pour tenter de calmer les esprits : on lui jette des pierres. Entre-temps, les gardes, débordés, se réfugient chez le commissaire de police du quartier, près de l'église. On brise alors les fenêtres de sa maison, on met le feu à sa porte ; il doit se cacher, avec l'archer qui avait brutalisé le pauvre, dans la cure de la paroisse. Le tout s'achève par une infinité de femmes qui crient « au pain » à d'Argenson[1]. Le pauvre, auteur involontaire de tout ce bruit, Hervé Le Coste, dit La Fontaine, est envoyé à Bicêtre.

Le 4 mai, au petit marché de l'abbaye de Saint-Germain-des-Prés, cent bateliers de la Grenouillère surviennent, armés de crocs, de haches, de faux et suivis d'une horde de femmes, en vue de piller les charrettes des commerçants. La garde avait heureusement été renforcée de trente hommes : on ferme les grilles du marché, situé dans l'enclos de l'abbaye, et on arrête trois meneurs, qu'on jette dans les cachots de cette dernière[2].

Le clergé est sensible aux motifs profonds de ce mécontentement : le 10 mai, le curé de Saint-Sulpice, en surplis, accompagné de cinq ou six desservants, vient distribuer, sur le même marché, de l'argent aux pauvres qui n'ont pas de quoi payer et sollicite la grâce des prisonniers. Environ le même temps, Fénelon, à Cambrai, procède, lui aussi, à des distributions de pain dans son diocèse.

Nous possédons le témoignage direct de d'Argenson sur l'état d'esprit populaire en mai. « Ma maison est perpétuellement assiégée, écrit-il à Pontchartrain, et dans la plupart de celles où je vais, il en vient à centaines. » Menaces, imprécations, insolences le laissent froid. Quand il est assiégé par une foule

1. DANGEAU : *Journal,* 29 avril, et Mme d'HUXELLES, lettre du même jour.
2. *id.*

de femmes hardies, son « usage est de descendre d'abord de son carrosse, de se mêler avec elles, d'écouter leurs plaintes, de compatir à leurs malheurs[1] ». Cette attitude conciliante n'est pas toujours couronnée de succès. Fin mai, d'Argenson assiste, à Saint-Nicolas-des-Champs, à la messe d'enterrement de sa belle-mère, Mme de Caumartin. La nouvelle de sa présence ameute une fois encore le peuple. Il l'aborde courageusement de front et tente de l'apaiser mais, lorsqu'il monte dans son carrosse, des pierres viendront en briser les glaces. Pour garantir sa sécurité, il faudra recourir à la protection du guet à pied et à cheval[2].

Le 1er juin, on annule la procession habituelle de la Fête-Dieu par crainte d'une « émotion ».

L'affaire de loin la plus grave intervient le 20 août. Le 6 du même mois, après de nombreuses tergiversations, le roi avait signé une déclaration permettant de faire ouvrir des travaux publics en plusieurs points de Paris : sur les cours, à l'extrémité de la rue d'Enfer, derrière les Chartreux et près de la porte Saint-Martin. Les caisses du Trésor étant vides, de même que celles de l'Hôtel de Ville, on décide une taxation « volontaire » de tous les offices des cours supérieures pour financer l'achat des outils et du pain destinés aux pauvres ; leur travail consiste notamment, entre les portes Saint-Martin et Saint-Denis, à raser une forte butte de terre sur le rempart pour faciliter la circulation. Afin de donner l'exemple, le prévôt des marchands se taxe personnellement à dix-huit cents livres et ses échevins à six cents.

Le principal « salaire » attribué aux pauvres et aux chômeurs est une livre et demie de pain : un véritable pactole, à quoi s'ajoutent deux sols par jour. Le 20 août, alors qu'on avait rassemblé à grand-peine des fonds et des outils pour deux mille

1. Arch. nat. G[7] 1654, 4 mai.
2. Mme d'HUXELLES : lettres des 27, 28 et 29 mai 1709.

cinq cents hommes, il s'en présente plus de six mille ; il est impossible de fournir à tous de l'emploi. Les derniers arrivés se mutinent aussitôt, se jettent sur le magasin à pain, qu'ils pillent, puis se répandent, en une foule sans cesse grossie, faubourgs Saint-Antoine, Saint-Martin, Saint-Denis et jusqu'au cimetière Saint-Jean, où ils dévalisent les boutiques des boulangers et des pâtissiers ; puis ils assiègent une fois de plus la maison de d'Argenson. Pendant ces désordres, le premier président du Parlement fait fermer les portes du palais et dépêche une estafette à la cour.

Va-t-on à une révolution? Le pouvoir, fort inquiet, décide d'assiéger la populace avec toutes les forces militaires disponibles à Paris et Versailles : guet à pied et à cheval en armes, compagnies du lieutenant de robe courte et du prévôt de l'Ile, gardes-françaises et gardes suisses, mousquetaires — ces derniers particulièrement redoutés pour leur brutalité. L'action répressive débute à midi et tout s'apaise vers deux heures. Villars, aide-major des gardes, fait tirer trois coups de semonce en l'air. On crie que ses soldats « ne sont que des coquins, qui n'ont rien dans leurs fusils». La garde tire alors à bout portant. Les femmes étaient les plus violentes, allant continuellement chercher des hottes de pierres, que les hommes faisaient voler de tous côtés. Il y a des morts — quarante affirme Madame, cinq ou six selon Delamare — et de nombreux blessés. Le maréchal de Boufflers, qui jouit d'un grand prestige, se trouve par chance à Paris, près du lieu de la révolte. Il y vient en carrosse, met pied à terre, harangue les mutins, les exhorte ; il était grand temps, car les plus excités ne parlaient de rien de moins que de piller la Monnaie, puis l'Arsenal, en vue d'y prendre des armes et de la poudre.

Dangeau note, dans son *Journal* : « Quoique dans la sédition d'aujourd'hui, il n'y ait point eu de dessein formé, on ne laisse d'en craindre les suites, la misère étant fort grande.»

Le 21 août, le premier président et le procureur général du Parlement viennent à Versailles prendre les ordres du roi. Entre-temps Boufflers, de concert avec le duc de Tresmes, gouverneur de Paris, et le maréchal de Choiseul, placent des corps de garde à l'hôtel de la Monnaie, font patrouiller aux alentours, mettent en sûreté huit mille mousquets à la Bastille et gardent l'Hôtel de Ville pendant huit jours.

De son côté, d'Argenson s'est rendu au Parlement, qui élabore un arrêt suspendant les travaux de la porte Saint-Martin et décide que les auteurs de la mutinerie seront jugés, à titre extraordinaire, en premier et dernier ressort, par le lieutenant général de police. Retournant chez lui, ce dernier est une fois encore « insulté par la canaille[1] », qui tente de forcer sa maison. Les archers tirent pour disperser la foule.

Dans les provinces, on assiste aux mêmes troubles qu'à Paris. A Bordeaux, à Beauvais, en Bourgogne, on pille le blé des munitionnaires, on brûle des fermes; dans le Bourbonnais, une troupe de plus de huit cents hommes tire sur l'intendant Sagonne, fils de Mansard ; les troupes ripostent et on relève des morts ; à Rouen, éclate une forte sédition : Versailles y envoie d'urgence le duc de Luxembourg pour apaiser les milliers d'ouvriers en chômage, sans pain et sans feu, qui pillent fermes et maisons bourgeoises.

Des émeutes éclatent également en province pour tenter d'y retenir le blé que les intendants font envoyer à Paris, car il semble absurde et criminel aux affamés locaux qu'on les dépouille au profit de la capitale. Ainsi en va-t-il le 28 avril à Provins, Nangis et Bray-sur-Seine.

Devant les risques de révolte générale, les intendants prennent peur. De Bernières, qui administre la Flandre, sollicite son rappel, ne s'estimant plus en mesure de faire subsister l'armée. Plusieurs de ses collègues l'imitent. Au même moment, Chamillart, qui cumule le contrôle général des

1. Sur l'ensemble de cette émeute : Arch. nat. K 1022, dossier X. ; DANGEAU : *Journal* 20 et 21 août ; Mme d'HUXELLES, lettre du 21 août ; SOURCHES : *Mémoires*, 20 août ; MADAME : *Correspondance*, t. I, 24 août : Bibl. nat. Manusc. français 21566, lettre (sans doute du commissaire Pintas) à Delamare, datée par erreur du 25 juin.

Finances et le secrétariat d'État à la Guerre, est victime d'une cabale, à laquelle cet homme intelligent et énergique — en dépit des critiques infondées de Saint-Simon — finit par succomber le 9 juin ; on le remplace par Desmaretz, son directeur des finances. Puis, le 13 août, jugeant le corps des intendants trop mou, le roi révoque Sagonne, mute plusieurs de ses collègues, permet à Bouville de quitter Orléans pour jouir de son bénéfice de conseiller d'État ordinaire, rappelle Magny de Caen. En revanche, le lieutenant général de police est réconforté de toutes les avanies que le peuple lui a fait subir par un poste de conseiller d'État, quelques jours avant la mort de son prédécesseur, le génial créateur de la police, La Reynie (juin 1709).

Le clergé, en dehors de cas de dévouement parfois magnifique à la cause des pauvres, demeure plutôt passif devant la famine. Le 3 février, le cardinal de Noailles est instamment sollicité, devant la rigueur du froid et le manque de poisson et de légumes, d'accorder la permission de manger gras pendant le carême... pour ceux qui le pourraient ! D'Argenson se joint aux solliciteurs. Noailles ne permet finalement que de consommer des œufs, et encore jusqu'à la Mi-Carême[1] !

Les distributions de pain par les soins du clergé sont rares. On se contente, le 16 mai, sur ordre du Parlement, de faire la procession de Sainte-Geneviève — au regret d'ailleurs de d'Argenson, qui craint qu'elle n'attire « un grand concours de peuple des campagnes voisines et n'augmente beaucoup la consommation ordinaire de Paris[2] ». La procession déroule ses fastes par un froid glacial. Le cardinal ordonne des prières publiques dans toutes les églises, précédées par un jeûne. Le gouverneur de Paris, les membres des cours supérieures portant la pourpre et l'hermine, le corps de ville précédés de Noailles, du chapitre de Notre-Dame et des autres églises de la Cité, ainsi que du corps des... mendiants portant la châsse de saint Marcel, défilent devant une haie de curieux aux

1. DANGEAU : *Journal*, 3 février.

2. *Ibid.*, 8 mars.

visages émaciés. « On ne saurait imaginer quelle y fut l'affluence de peuple et combien ceux qui logeaient sur la route de la procession gagnèrent d'argent à louer leurs fenêtres, leurs portes et leurs boutiques[1]. » La décision d'organiser cette procession est « fort tournée en ridicule » par les libertins, pour lesquels elle ne peut remédier au principal des maux du moment : la cherté du blé. « On veut amuser le peuple, qui ne sait où il va, ni ce qu'il fait quand les prêtres et les moines le mènent », écrit un bourgeois anonyme[2].

1. Arch. nat. G^7 1654, 11 mai 1709.
2. Bibl. nat. Manusc. français, Nouv. acq. 4037.

CHAPITRE XII

LE POUVOIR DEVANT LA FAMINE

SELON Bossuet, le roi devait entre autres assurer la subsistance de son peuple ; c'était même là « le fondement de tous les droits des souverains sur leurs sujets[1] ». Le lieutenant général de police s'en trouvait être, pour Paris et sa banlieue, le garant, puisque l'une de ses attributions essentielles consistait à pourvoir à « l'abondance » des denrées, expression d'un humour plutôt sinistre en période de famine. En réalité, d'Argenson partageait ces prérogatives avec le procureur général du Parlement, d'Aguesseau, le contrôleur général des Finances, le secrétaire d'État de la Maison du roi, le cardinal de Noailles et le prévôt des marchands.

Imaginer que chacun de ces grands personnages n'ait pas, dès l'origine, aperçu l'abîme dans lequel la disette de 1709 risquait de plonger le pays tout entier serait une erreur. Dès le 28 février, d'Aguesseau, homme d'un solide bon sens, écrit à Chamillart — pour quelques mois encore grand argentier : « La rigueur excessive de l'hiver, la cherté du pain et l'opinion, vraie ou fausse, qu'il y a beaucoup de blés gelés, répandue avec soin par les laboureurs et reçue peut-être trop légèrement par le peuple, le jettent dans une si grande inquiétude et inspirent une telle avidité aux marchands de blé que je crois, par les avis que je reçois de tous côtés, qu'il est fort à craindre que le prix du blé n'augmente excessivement, et qu'il n'arrive

1. Cité par un mémoire anonyme, Arch. nat. G[7] 1653, s.d.

des émotions populaires dont on ne peut prévoir quelles seraient les suites dans les circonstances présentes.»

Et déjà, au moment où le pouvoir commence à s'interroger sur les mesures à prendre, d'Aguesseau en propose quatre, fort judicieuses :

— ordonner aux rares provinces excédentaires (Bretagne, Normandie) de suppléer aux besoins des déficitaires, à condition d'agir avec beaucoup de prudence « pour ne rien prendre sur le nécessaire d'une province sous prétexte de pourvoir à la nécessité d'une autre » ;

— secourir Paris par des achats secrets de blé, pour autant que l'état des affaires du roi le permette, car Paris « met, pour ainsi dire, le taux au blé d'une grande partie des provinces ». De la sorte, il y aura « une main invisible qui mettra des bornes, sans qu'on s'en aperçoive, à l'avidité des marchands » ;

— interdire les enlèvements et les transports nocturnes de blé pour éviter séditions et émeutes ;

— s'informer de manière constante, auprès des intendants, des accaparements locaux de céréales panifiables, puis contraindre les stockeurs abusifs à vendre en partie leurs réserves sur le marché le plus voisin.

Le procureur général préfigure ainsi, dans ses grandes lignes, le plan qui va, quelques semaines plus tard, être arrêté par le gouvernement.

***

De son côté, l'action personnelle du roi sera orientée, avec lucidité et énergie, vers l'atténuation d'une crise en apparence insurmontable.

Voltaire a conté, dans son *Siècle de Louis XIV*, les affres de la cour devant cette catastrophe nationale.

« Le Conseil était composé du dauphin, du duc de Bourgogne son fils, du chancelier de France Pontchartrain, du duc de Beauvillier, du marquis de Torcy, du secrétaire d'État à la Guerre Chamillart et du contrôleur général Desmaretz. Le duc de Beauvillier fit une peinture si touchante de l'état où la

France était réduite que le duc de Bourgogne en versa des larmes, et tout le Conseil y mêla les siennes. Le chancelier conclut à faire la paix à quelque prix que ce pût être. Les ministres de la Guerre et des Finances avouèrent qu'ils étaient sans ressources. Une scène si triste, dit le marquis de Torcy, serait difficile à décrire, quand même il serait permis de révéler le secret de ce qu'elle eut de plus touchant. » Ce secret, ajoute Voltaire, n'était « que celui des pleurs qui coulèrent... ».

Prêchant d'exemple, plusieurs familles, à Versailles même, décident de se nourrir de pain d'avoine ; Mme de Maintenon en prend l'initiative.

Le roi, afin de secourir le Trésor, décide en juin 1709 de porter à la Monnaie, pour la faire fondre, sa vaisselle d'or, qui vaut 450 000 livres. Selon la marquise d'Huxelles, cette idée vient en premier au duc de Gramont, dont la femme, insinue-t-on malignement, espère obtenir ainsi le droit au tabouret. Suivent aussitôt, dans la voie du même sacrifice, les ducs de la Rochefoucauld, de Beauvillier, de la Feuillade, puis le maréchal de Boufflers, Chamillart et le cardinal de Noailles. Les proches du roi, les ducs de Bourgogne et d'Orléans, les princes font de même : « On court avec empressement aux manufactures de faïence et de terre vernie pour le domestique. » Saint-Simon, avare et sceptique, est l'un des derniers à envoyer sa vaisselle à la fonte, très partiellement d'ailleurs, cachant le reste dans ses coffres. Il s'agit surtout, en l'occurrence, de souligner la solidarité dans le malheur des grands et du peuple. Le bruit sera plus grand, et de beaucoup, que le secours qu'on en tirera, estime Dangeau.

***

Louis XIV envisage simultanément de vendre les pierreries de la Couronne, au début de septembre, après l'émeute de la porte Saint-Martin. Quelques correspondances inédites jettent une vive lumière sur l'épisode. Le 10 de ce mois, M. de Montarsy écrit au contrôleur général des Finances[1] :

1. Arch. nat. G^7 436.

Hier, le procureur général me manda. Je le trouvai les entrailles émues du nombre surprenant de pauvres de toutes conditions dont Paris est inondé. Il me dit qu'il était indispensable d'y remédier, tant à cause de leurs souffrances insupportables que par les accidents qui pourraient en arriver ; que, supposé que le roi voulût bien sacrifier partie de ses pierreries pour subvenir aux fonds nécessaires, il désirait savoir s'il serait facile de les vendre promptement et, en même temps, les moyens de procurer l'abondance dans cette ville (Paris).

Malheureusement, le fonds qu'on pourrait tirer de ces pierreries, outre les difficultés de les vendre promptement à présent, suffirait à peine à nourrir Paris une semaine, à cause que les deux tiers de ses habitants sont réduits au seul usage du pain et que les gens de la campagne en ont considérablement augmenté le nombre.

Le même jour, d'Aguesseau écrit au contrôleur général :

On me fait espérer que si le roi avait la bonté de prêter quelques-unes de ses pierreries pour faire un fonds sur lequel la Ville de Paris pourrait acheter des blés et autres grains, on trouverait aisément à en vendre pour deux millions en peu de temps, et que l'on en vendrait dans Paris même une partie considérable, pourvu que la chose fût conduite avec prudence (c'est-à-dire que les acheteurs demeurassent anonymes).

On a ajouté qu'il faudrait pour cela choisir les pierreries médiocres, celles dont le débit est le plus facile et la perte plus aisée à réparer. Voilà, Monsieur, ce qui m'a été assuré par un des plus forts joailliers de Paris. Et, quoique cette proposition aille à vendre, et non pas seulement à engager, une partie des pierreries du roi, cependant elle a cet avantage qu'elle ne tombe point sur ce qui est véritablement digne d'être appelé pierreries de la couronne, sur ces morceaux précieux et presque uniques dans leur genre, dont l'engagement est pénible et l'aliénation presque irréparable. Il ne s'agirait que de pierres plus recommandables par leur nombre que par leur beauté, biens stériles dont le roi ne tire aucune utilité.

Ce serait, poursuit d'Aguesseau, une de ces actions en même temps populaires et héroïques, que nous admirons lorsque nous les lisons dans l'histoire et qui suffiraient pour immortaliser la mémoire d'un prince. On ne saurait croire combien les grands et les petits seraient touchés d'une telle action et combien elle animerait le zèle et l'affection du peuple, dans un temps où l'excès de sa misère est la seule chose qui l'occupe et qui puisse quelquefois lui faire oublier son devoir[1].

1. Arch. nat. G^7 436.

Le projet prenant corps, d'Aguesseau précise le 6 octobre qu'il convient de faire deux parts dans les gemmes du roi : celles de la Couronne, reçues de ses prédécesseurs, et dont on peut prétendre qu'elles sont inaliénables ; celles acquises par Louis XIV, de loin en plus grand nombre, qui peuvent être aliénées, n'étant pas encore — de son vivant — incorporées au domaine.

La vente pourra s'effectuer soit en catimini, en France ou à l'étranger, soit publiquement et même de façon solennelle, devant des commissaires nommés par le Conseil ; le montant en serait alors remis à la Ville de Paris et employé à des achats de blé. Si l'on opte pour le secret, on pourrait commettre d'Argenson à la vente, en feignant qu'il s'agit de prises maritimes.

D'Aguesseau, pour sa part, préfère l'acte politique qui consiste à vendre au grand jour, à cause de ses répercussions sur l'opinion. Le seul inconvénient est qu'on risque d'obtenir un résultat moindre que celui provenant d'une vente secrète à l'étranger. On estimait à deux millions de livres le produit maximum à attendre de l'opération, ce chiffre pouvant bien entendu être réduit éventuellement au gré du roi.

***

En dehors de ces expédients courageux, le pouvoir décide une série de mesures, parfois révolutionnaires, pour juguler la crise des approvisionnements.

Il tente d'abord d'acheter des blés un peu partout en France et en Europe, à n'importe quel prix et non sans d'énormes difficultés, faute de moyens de trésorerie. Desmaretz, successeur de Chamillart, parvient ainsi à acquérir des blés d'Orléans et surtout de Bretagne. Ceux d'Orléans arrivent à partir d'avril ; on voudrait les entreposer dans les vastes greniers de l'Hôpital général, mais on y renonce par crainte du peuple « qui se figurerait tout autre chose[1] ». Les blés de Basse-Bretagne, que les boulangers obtiennent moyennant des bons délivrés par

1. Arch. nat. G[7] 1654.

d'Argenson, servent à faire du pain bis pour le peuple, vendu à prix imposé, et très bas (environ trois sols, au lieu de cinq la livre-poids[1]). On embarque ces blés à Hennebont ou à Port-Louis pour les conduire à Nantes par mer, en protégeant les convois de « barques » par deux frégates lorientaises de douze à quatorze canons. Il faut, à l'embarquement, faire face à la sédition des pauvres du lieu qui, n'étant pas en état d'acheter du pain, « mangent de l'herbe dans les haies et les champs, comme les animaux[2] ». Lors du transbordement à Nantes et de la remontée de la Loire, on place des hommes armés des compagnies de marine sur les chalands, afin de décourager les pillards. Le 5 juin 1709, huit cents tonneaux de blé ont déjà été chargés à Lorient. Il y aura d'autres convois en août et en septembre : le roi a ordonné, si faire se peut, un achat global de dix mille tonneaux[3].

On fait également importer des céréales d'Espagne, de Barbarie, des Échelles du Levant, par les grands banquiers tels que Samuel Bernard. Mais comment les acheminer à bon port, à travers une mer infestée de corsaires auxquels notre marine, quasi anéantie, ne peut opposer que de dérisoires moyens de défense ? En janvier 1709, les négociants de Marseille écrivent : « Les corsaires emplissent la Méditerranée ; ce sont tous des bâtiments de force auxquels il n'est pas possible d'opposer des forces égales : les convois seraient battus et enlevés. Il faut donc se déterminer à se servir de petits bâtiments, dressés à la voile et à la rame, qui vont, de terre à terre, par des bas-fonds, dont les vaisseaux ennemis ne peuvent approcher et qui, lorsqu'ils sont ancrés sur les côtes de Barbarie, à la hauteur de Marseille, prennent un moment favorable pour s'y jeter. »

Ces circonstances ne permettent de charger les vaisseaux qu'aux trois quarts, pour qu'ils soient plus légers ; le taux de l'assurance monte à 35 pour 100 de la valeur du chargement !

1. Arch. nat. G[7] 1654.
2. d° G[7] 1656.
3. d° G[7] 15, contrôleur général à Pontchartrain père. Les achats s'effectuaient dans les régions de Vannes, Hennebont, Auray, Saint-Brieuc et Tréguier.

Il n'empêche : entre le début de la famine et la fin du mois d'août 1709, plus de huit cents navires de blé sont chargés en Turquie, cent mille sacs à Venise et cent trente-deux mille quintaux commandés en Pologne[1], les blés de Barbarie servant surtout à approvisionner Marseille et la Provence.

Comme toujours, commandées trop tard, et soumises à trop de difficultés, ces précieuses ressources arriveront après le baisser du rideau. Cent trente bâtiments partis du Levant et pris en chasse par vingt vaisseaux ennemis ne parviendront qu'au début de janvier 1710 en vue des îles d'Hyères[2].

L'Hôtel de Ville de Paris ne peut demeurer passif devant les sacrifices du Trésor royal : à l'occasion de la prorogation du bail des octrois, le prévôt des marchands fera un fonds de 1 600 000 livres, en vue d'acheter, pour la population, du blé aux Génois. Mais ces céréales, comme les précédentes, ne pourront parvenir dans la capitale qu'en mai 1710[3].

La seule solution valable, pour éviter le risque de famine eût consisté dans la création préalable d'un stock représentant plusieurs mois de consommation. Lyon, nous l'avons dit ailleurs[4], possédait depuis 1643 une telle chambre de l'abondance, organisme municipal et consulaire, présidé par un échevin. Lorsque ses greniers étaient pleins, la ville obtenait des arrêts du roi contraignant les boulangers locaux à acheter les blés anciens par priorité. L'extension à la capitale d'une chambre analogue avait été périodiquement envisagée lors des époques de disette, puis abandonnée faute de fonds pour la financer.

En juin 1709, lors d'une des réunions tenues chez le premier président du Parlement, l'affaire revient sur le tapis. Il est question de réunir un certain nombre de négociants de premier

1. Arch. nat. G^7 1653.
2. SOURCHES : *Journal*, 15 janvier 1710.
3. Arch. nat. K 1022, dossier X.
4. *Samuel Bernard, le banquier des Rois*, pp. 34-35.

plan, souvent banquiers et armateurs : La Baronie, La Lande-Magon, Éon, d'Espine-Danican, de Grandville-Loquet, pour constituer une société en vue d'acquérir des blés bretons ou étrangers[1]. D'Argenson souhaite des magasins d'une capacité correspondant à deux mois de consommation, afin de peser sur les prix. Mais les négociants pressentis se récusent, et le premier président, d'abord disposé à concourir à l'entreprise, déclare que ses affaires ne le lui permettent pas. En réalité, personne n'est d'accord.

Il est comme impossible, note d'Argenson, de réunir des personnes qui sont encore plus divisées par leurs maximes que par l'antipathie naturelle des compagnies dont elles sont tirées (gouvernement, Parlement, corps de ville). Les magistrats veulent tout mettre en règle et les marchands veulent tout laisser à la liberté. Les officiers du Parlement seraient bien fâchés que la chambre de l'Abondance eût la moindre juridiction, parce qu'ils craignent que la leur n'en souffrît ; cependant les secrétaires du roi et les négociants qu'on a dessein d'y admettre désirent qu'elle soit indépendante de tout tribunal et que les membres qui la composent soient censés égaux. L'expérience de quelques mois et l'attention des supérieurs concilieront peut-être des sentiments si opposés ; mais si M. le premier président veut perpétuellement parler tout seul, n'écouter ni remontrances ni contredits et répondre du succès de toutes ses vues sans permettre qu'on les examine — comme il fit dans la dernière assemblée —, celles qu'il tiendra dans la suite se trouveront bientôt désertes[2].

En réalité, le président de Nicolaï tergiverse parce qu'il possède le fief de Goussainville et a la haute main sur les boulangers, qu'il tient à se concilier.

Le 12 octobre, l'affaire traîne toujours, sans qu'une solution soit en vue. On doit, le lendemain, l'examiner derechef. D'Argenson écrit de nouveau :

Je ne doute pas que M. le premier président n'y soutienne son caractère difficultueux et négatif. Je prévois que le temps se consommera en dissertations fort inutiles et je ne puis voir sans la dernière

1. Arch. nat. G^7 1652.
2. d° G^7 1654.

douleur le salut de cette capitale dépendre des raisonnements de cinq ou six magistrats, dont la plupart ne sont pas au fait et parlent avec la même indifférence et le même flegme que si nous n'étions pas menacés de la plus prompte et de la plus terrible disette qui fut jamais[1].

Le 14 novembre, l'affaire se trouve enfin évoquée au conseil du roi, mais pour y être définitivement enterrée, faute d'énergie du pouvoir, faute aussi des fonds indispensables.

*
* *

Privé de l'utile secours d'une chambre d'Abondance, le roi va cependant prendre une série de mesures pratiques en vue de faire face aux difficultés qui l'assaillent.

Il tente d'abord d'écarter et de réprimer sévèrement la spéculation sur les blés, convaincu que la paysannerie possède, mais dissimule universellement par appât du gain, de quoi nourrir la population pendant deux années au moins.

Le 19 avril 1709, le Parlement interdit aux laboureurs, gentilshommes, officiers du roi, receveurs et fermiers des droits, commis ou caissiers de se mêler, directement ou non, de négocier des blés. Ceux-ci ne peuvent être vendus ailleurs que dans le marché le plus proche ; la transaction doit porter sur des grains en sacs, et non sur des échantillons. Tout blé exposé sera vendu en totalité au cours du marché, sans qu'on puisse en remporter une partie.

Le 27 avril, la déclaration des stocks est rendue obligatoire, avec menace de perquisition dans les granges ou les greniers et de condamnation aux galères, voire à la peine de mort, des auteurs de fausses déclarations. Les dénonciateurs bénéficieront de la moitié des blés découverts et de mille livres sur l'amende imposée aux délinquants.

Le 9 mai, soucieux de montrer l'exemple, le duc d'Orléans fait jeter dans un cul-de-basse-fosse un de ses gardes de Villers-

1. Arch. nat. G^7 1654.

Cotterets, auteur d'une fausse déclaration[1]. Les plus importantes communautés religieuses, grosses décimatrices, procèdent aux déclarations légales, notamment Sainte-Geneviève, les Chartreux, les Célestins, Saint-Lazare. D'Argenson examine en secret s'il n'y a point de magasins à blé à l'abbaye de Saint-Victor, qui a loué ses greniers à des brasseurs. On saisit leur orge, pour la porter à la halle[2]. D'Aguesseau signale, le 4 mai, une communauté qui détient cent muids de blé, et craint « de se rendre odieuse au peuple en déclarant cet amas ». On le fera vendre en sous-main par d'Argenson, le priant de « cacher si bien son jeu qu'on ne se défie de rien[3] ».

Le lieutenant général de police, enquêtant dans la région parisienne, punit de nombreux spéculateurs. A La Chapelle-Saint-Denis, chez Lacroix, riche laboureur, qui avait déclaré son froment mais non les autres céréales, on découvre quinze cents gerbes d'avoine, d'orge et de seigle, qui sont saisies, battues et vendues. A Paris, les commissaires traquent hôteliers et aubergistes suspects d'accueillir et de cacher, la nuit, des charrettes de grains, négociés ensuite hors du marché officiel. On poursuit ainsi les maîtres des hôtelleries du Chariot-d'Or, de l'Image-Saint-Jacques, du Mont-Adrien et un fabricant d'amidon du faubourg Saint-Denis qui, dans un réduit secret, avait amassé treize setiers[4].

En dépit de son caractère inquisitorial, la déclaration des stocks est favorablement accueillie par la population. Le curé d'Etouy, au nom de sa paroisse, souhaite qu'elle soit contrôlée par des « gens d'une probité reconnue, bien intentionnés pour le bien public, exempts de tout soupçon d'avoir du blé à vendre » et qui n'habitent pas dans le lieu de la déclaration pour éviter toute intelligence avec les marchands, « que nous voyons d'une avidité effroyable au gain[5] ».

1. Dangeau, *Journal*, 9 mai.
2. Arch. nat. G^7 1654, 28 avril 1709.
3. d° G^7 1652, 4 mai 1709.
4. Bibl. nat. Manusc. français 21646, f° 275 et ssq.
5. d° 21634 f° 292. — Etouy, commune de l'arrondissement et du canton de Clermont, Oise.

***

Le 7 mai 1709, on décide d'envoyer, dans le vaste ressort du parlement de Paris[1], des commissaires extraordinaires ayant pouvoir de perquisitionner partout où bon leur semblera, y compris dans les communautés religieuses. Ils devront faire vendre sur-le-champ les stocks occultes et fixer les quantités à envoyer par les déclarants à chaque marché. Ils pourront recevoir toutes plaintes et dénonciations, même contre les juges et officiers des lieux visités, et informer. Ils veilleront aussi, dans l'intérêt des classes pauvres, à la stricte police des marchés, s'assurant qu'on y expose bien tout le blé qu'on doit y vendre, qu'on n'en « resserre » pas dans des maisons bourgeoises pour créer la rareté, qu'après l'avoir offert trois fois, on le vend au rabais et que les prix n'augmentent pas en cours de marché.

Le célèbre Delamare, auteur du *Traité de la Police*, est dépêché, malgré son grand âge, dans la généralité de Châlons-sur-Marne et le comté de Bar-sur-Seine, « dont les intendants continuent de sacrifier Paris à l'intérêt ou à l'inquiétude de leurs provinces », ce qui risque « d'allumer bientôt dans la capitale un feu très difficile à éteindre ».

Delamare établit son quartier général à Vitry-le-François, d'où il rayonne sur Sainte-Menehould, Troyes, Bar-sur-Seine. On le dit tué à l'occasion d'une émeute, le 3 août, ce qu'il dément aussitôt, affirmant que le peuple est tranquille et semble « pénétré des bontés du roi d'avoir envoyé sur les lieux des officiers pour en connaître de plus près les besoins et d'y être à portée d'y pourvoir ».

Le commissaire signale cependant deux villages entiers dont les habitants n'ont pas voulu souscrire de déclaration. Ne pouvant les condamner tous, il fera des exemples après les avoir entendus.

1. A savoir : les généralités d'Amiens et Artois, Soissons, Châlons et le comté de Bar-sur-Seine, Orléans, Tours, Bourges, Moulins, Lyon, Riom, Poitiers, La Rochelle et, pour partie, celles de Limoges, Rouen et Alençon.

En Champagne, note-t-il, magistrats, officiers, financiers sont en fait les maîtres de tout le blé et s'arrangent pour ne jamais être convaincus de prévarication, car le froment leur est amené par leurs fermiers, au nom de la ferme, et quand on découvre leurs stocks, ils affirment qu'il s'agit de leurs revenus ordinaires, non d'un trafic illicite : « Voilà ce qui fait déserter les marchés et cause la rareté. »

A Troyes, quinze mille ouvriers tisserands chôment depuis de longs mois ; la misère est extrême et il s'est produit plusieurs mouvements séditieux. Delamare exige que les deux premières heures de vente soient réservées à ces malheureux qui, n'achetant pas de pain chez le boulanger, cuisent tous. « Ils se mettent quelquefois à quatre pour un boisseau de blé, qu'ils boulangent en commun. » La révolte couve : les maisons des magistrats et celles des plus riches habitants ont déjà été investies deux fois par la populace, avec menace d'y mettre le feu. Grâce à l'action énergique du commissaire, à sa bonne police, à l'envoi d'archers sur les routes pour éviter les achats spéculatifs du blé en cours de transport, les prix des menus blés et de l'orge baissent, les esprits se calment.

A Sainte-Menehould, le lieutenant général de la police locale « a tant d'amour-propre et de passion qu'il est difficile d'en espérer aucun bien quant à la subsistance des peuples ». L'inconvénient paraît majeur car ici, de même qu'ailleurs, « les grains sont en la possession de ceux qui gouvernent, et leur intérêt prédominera toujours ». D'Argenson note en marge de la lettre : « Vous touchez là le plus grand de nos maux, ce qui rend inutiles les remèdes qu'on veut apporter aux autres[1]. »

***

Delamare profite de son inspection pour acheter discrètement, par l'entremise d'intermédiaires affidés, du froment

1. Pour la correspondance de Delamare, Bibl. nat. Manusc. français 21647 dates diverses.

pour l'Hôpital général, puis pour les Halles, surtout au marché de Vitry. Ce blé arrive à Paris par bateaux et par « poules d'eau », en dix à douze jours, transitant par Château-Thierry. Le « secours de Paris » est, dit-il, son principal objet. Mais les marchands locaux, espérant la hausse, prétextent le manque de fonds et refusent leur concours : le commissaire menace de les radier de leur corporation et de les remplacer par des commissaires venus de Paris, dotés d'une caisse commune. Delamare s'efforce aussi de rétablir le commerce avec la Lorraine et le Barrois, écrivant à des correspondants locaux qu'il coopère avec un marchand nouvellement établi et peut acheter tous leurs blés à prix raisonnable. Il tirera de ces provinces alors étrangères plus de mille muids.

Admirables fonctionnaires que ceux de Louis XIV : Delamare n'est pas payé ; la plupart du temps, il doit vivre à crédit — ce qu'il juge plutôt fâcheux pour le prestige de sa fonction ; son carrosse s'embourbe dans des chemins innommables ; il trouve ses voyages bien pénibles par grand gel ; sa femme et sa famille n'ont pas de quoi vivre et d'Argenson doit, de sa poche, subvenir à leurs besoins les plus pressants : l'infatigable vieillard n'en continue pas moins sa besogne, animé du seul souci du bien public. Son supérieur l'en félicite affectueusement le 11 juin 1710 : « Vous devez être content du succès de vos soins et je puis vous assurer que, de tous les moyens qu'on a mis en usage pour tempérer un peu la disette et la mauvaise intention des marchands, la traite de Vitry conduite par votre entremise a été le plus efficace et le plus continuel. »

Le 11 juin 1709, l'institution des commissaires aux blés (on en compte douze pour la seule généralité de Paris et l'Auxerrois) est complétée par l'établissement temporaire d'une chambre extraordinaire, composée d'un président du Parlement, de six maîtres des requêtes et de quatorze conseillers, jugeant en appel et en dernier ressort les procès criminels intentés à l'occasion des dissimulations ou transports frauduleux de blé, selon une procédure expéditive.

Elle condamne notamment à trois ans de galères le syndic perpétuel de Lorris[1].

*
* *

Le pouvoir s'efforce aussi, dès qu'il devient patent que les blés d'hiver sont perdus, de faire réensemencer par voie d'autorité en autres céréales, panifiables ou non : orge, avoine, sarrasin, seigle. Ceux qui prêtent à cet effet leurs semences à des laboureurs, bénéficient d'un privilège sur la récolte à venir, primant celui du propriétaire ou seigneur censier[2].

En juin, on arrête un ensemble de mesures très hardies, afin d'éviter une nouvelle famine en 1710 : ceux qui ensemenceront à l'automne ne subiront aucune augmentation de la taille ; les créanciers des propriétaires terriens refusant d'ensemencer pourront cultiver à leur place : à cet effet, propriétaires ou fermiers doivent déclarer sous huitaine au greffe local s'ils entendent ou non labourer et semer, puis donner les premières façons à leurs terres dans un nouveau délai de huit jours. Faute de quoi, n'importe quel tiers pourra le faire à leur place, le premier demandeur inscrit ayant priorité ; les dîmes, champarts, terrages et autres redevances ecclésiastiques ou seigneuriales cessent d'être exigibles en nature ; les fermiers procédant à des ensemencements sont désormais garantis contre la saisie éventuelle de leurs chevaux, bœufs, charrettes pour défaut de paiement des fermages; la chasse demeure défendue aux nobles sur les terres ensemencées, sous peine de déchéance de leurs droits, ce qui ne s'est encore jamais vu. Enfin, décision de portée considérable pour la bourgeoisie et la noblesse, les arrérages échus des cens, rentes foncières ou autres redevances stipulées payables en grains, ne seront plus exigibles qu'en argent, et sur le pied du cours des grains constaté au premier marché de 1709, c'est-à-dire *avant* la hausse vertigineuse du printemps.

1. Chef-lieu de canton de l'arrondissement de Montargis, Loiret.
2. Arrêt du Conseil d'État du 23 avril 1709.

C'était là, sans nul doute, le seul moyen de déjouer les calculs d'innombrables fermiers qui s'apprêtaient à ne pas ensemencer — prétextant le manque de blé — afin de tirer le profit maximum de celui qu'ils cachaient, quitte à emblaver en orge au printemps de 1710. Une nouvelle ordonnance autorise les propriétaires dont, le 20 octobre 1709, les fermiers prétendraient être démunis de semences, à faire saisir et vendre leurs orges pour racheter des blés, qu'ils pourraient faire semer eux-mêmes, en réquisitionnant au besoin chevaux et charrues. Les vols ou détournements de blés de semence prêtés deviennent passibles des galères.

***

Pour contrôler mieux encore les laboureurs, on les astreint, en juillet, à déclarer — toujours au greffe de la justice locale — les quantités de céréales récoltées, ainsi que la superficie de leurs terres labourables. Les fausses déclarations entraînent, elles aussi, condamnation aux galères.

Ce dirigisme agricole d'une lourdeur et d'une minutie sans précédent, d'ailleurs assez difficile à appliquer faute de moyens administratifs, a pour contrepartie un retour à la liberté d'importation des grains et légumes secs, ainsi que de leur circulation d'une province à l'autre, sans paiement d'aucun droit. Toute sortie frauduleuse de blé hors du territoire national est en revanche punie de mort, sans égard à la qualité du délinquant. Afin d'éviter que les céréales transportées par mer d'une province à l'autre, cas fréquent, soient déroutées vers l'étranger, un contrôle spécial est instauré dans les ports d'expédition et d'arrivée.

L'orge est désormais exclusivement réservée à la panification. Un arrêt du 4 juin 1709 interdit de brasser de la bière et de distiller des eaux-de-vie de blé, sauf dans les deux provinces plus grosses consommatrices, le Hainaut et l'Artois ; seules d'ailleurs peuvent y être faites de « petites bières à moitié grains », mais pas d'eau-de-vie.

***

Sur le plan social, l'action du pouvoir n'apparaît pas moins considérable.

Les pauvres sont soulagés :

a) Par des détaxes : dispense, en faveur des grains vendus dans les marchés, des droits de minage, mesurage, place, étalage pendant une année ; on envisage même un moment une exemption générale des tailles : Voltaire affirmera sans preuves que « le cruel hiver de 1709 força le roi de remettre aux peuples neuf millions de tailles, dans le temps qu'il n'avait pas de quoi payer ses soldats[1] ». Cette indigence des finances, justement, ne permet pas une telle générosité. Après avoir beaucoup balancé, une déclaration du 11 juin se contente — pour établir un peu d'égalité entre riches et pauvres — de supprimer les exemptions de taille dont jouissaient les nombreux officiers de judicature, de police et de finances créés depuis 1689. Ces derniers peuvent même être nommés d'office au poste redouté de collecteurs d'impôts ;

b) Par des aumônes d'origine diverse :

— Le 6 mai 1709, un arrêt du Parlement décide une aumône volontaire de tous les officiers, corps et communautés de Paris ;

— Un mois auparavant avaient été instituées des aumônes publiques, étendues en juin à toutes les provinces. Elles sont décidées par des assemblées de paroisse et perçues par rôles ;

— Le Trésor royal remet, à Paris, des crédits de secours au lieutenant général de police, de mille à quinze cents livres par jour de marché, grâce auxquels les plus pauvres — gagne-deniers et manouvriers — peuvent acheter un quignon de pain ;

c) Par des distributions et des prêts de sel : à partir du 20 mai, le roi fait distribuer dans chaque paroisse du sel aux pauvres incapables d'en acheter, qui devra être remboursé en 1710.

La rareté et le prix excessif du sel entraînent, notons-le au passage, une énorme recrudescence du faux-saunage, pratiqué par des bandes armées de déserteurs. L'une d'elles, forte de

1. *Le Siècle de Louis XIV*, chap XXI.

soixante hommes, est attaquée sans succès le 30 mars 1710 à deux lieues de Beauvais par des cavaliers et des gardes des gabelles. Une autre est, dans le même temps, cernée aux environs de La Ferté-Gaucher, abandonnant cinq prisonniers et quinze chevaux. A Rozoy-en-Brie, un cavalier et un faux-saunier sont pris et les cavaliers des troupes régulières victorieux s'empressent de vendre publiquement le sel saisi, mais à leur profit[1] !

d) Par des fournitures gratuites de bois : celles-ci déclenchent, par contre-coup, une émeute à Clamecy où, en février 1709, deux cents compagnons de rivière « armés de cognées, serpes, hallebardes et crocs », assemblés au tambour, interdisent, en faisant sonner le tocsin dans les églises, au commis des marchands de jeter trois « flots » de bois dans le Beuvron et l'Yonne, pour être conduits à Coulanges-la-Vineuse. Il s'agit d'une revendication professionnelle : les compagnons de rivière prétendent avoir seuls le droit de tirer les bois ; les marchands veulent, par économie, les dépouiller de ce très ancien privilège[2] ;

e) Par l'adoucissement de la situation des débiteurs : les cultivateurs dont les baux stipulaient le paiement du fermage en grains pourront, en 1709, s'en acquitter en orge, méteil ou seigle ; la dîme subira le même sort. La mesure entraîne une vive protestation des curés de la banlieue de Paris, « épuisés par les secours extraordinaires et les présents qu'ils sont obligés d'offrir à leurs paroissiens ». Ils se plaignent en outre que les riches laboureurs, « uniquement attachés à leurs intérêts au préjudice de l'église », achètent des orges gâtées à bas prix pour s'acquitter de la dîme[3] ;

f) Par l'accroissement de l'aide financière à l'Hôpital général, submergé, nous l'avons vu, de malades, d'enfants abandonnés et de nécessiteux. Le roi proroge pour quatre ans le droit dont cette institution charitable bénéficie sur les carrosses de louage, porte de mille à quinze cents muids de vin ses franchises des droits d'aides, autorise pour elle l'ouverture d'une loterie de

1. Arch. nat. G^7 437, 15 avril 1710.
2. d° G^7 436, 20 février 1709.
3. Bibl. nat. Manusc. français Joly de Fleury 1115 (47).

cinq cent mille livres, permet l'aliénation d'immeubles pour huit cent mille livres et sans droits, porte le franc-salé (achat de sel hors gabelle) de trois à six muids, maintient l'attribution du droit de cinq sols par cent de bottes de foin et par cent livres-poids d'huiles entrant à Paris, etc.

Enfin, le 3 septembre 1709, le pouvoir décide, à Paris, une cotisation volontaire au profit de l'Hôpital général, dans chaque paroisse, pendant un an. Curés, marguilliers et notables iront quêter chez les particuliers, invitant les donateurs à s'inscrire pour un montant déterminé par mois. Les récalcitrants seront taxés d'office.

***

La hausse sans frein du prix du blé pose la question de sa taxation, mesure très hardie qui heurterait de front l'intérêt des propriétaires terriens, c'est-à-dire de tout ce qui compte à la cour, à la ville et dans les campagnes. Le Parlement d'une part, le contrôleur général des Finances de l'autre, d'Argenson enfin, sont chargés de résoudre cet épineux problème, qui met en jeu l'équilibre du marché agricole.

Delamare profite de son voyage en Champagne pour sonder l'opinion. A Vitry, il la trouve très partagée, les partisans du maintien de la liberté étant, de loin, en plus grand nombre. A Châlons, on affirme que la taxation ruinera le négoce, les marchands ne voulant plus risquer leurs fonds pour un gain limité.

En fait, la « fixation » — selon le vocable du moment — achoppe sur les innombrables différences des règles coutumières existant dans le royaume, la multiplicité des unités de mesure[1],

1. Selon Arch. nat. G[7] 439 et G[7] 441, les principales mesures utilisées en 1709 pour le froment dans le royaume étaient les suivantes, exprimées en livres-poids : Paris, setier, 240 l ; Amiens, setier, 48 l ; Soissons, muid, 1920 l ; Orléans, mine, 50 l ; Tours, boisseau, 17 l ; Bourges, boisseau, 25 l ; Moulins, boisseau, 18 l ; Auray, pérée, 222 l ; Lyon, bichet, 50 l ; Vannes, pérée, 244 l ; Poitiers, boisseau, 21 l ; Marans, tonneau, 2184 l ; Rouen, mine, 132 l ; Brest, boisseau, 40 l ; Caen, setier, 188 l ; Riom, setier, 188 l ; Alençon, boisseau, 32 l ; Bordeaux, boisseau, 121 l ; Bayonne, conque, 57 l ; Montauban, sac, 182 l ; Grenoble, cartal, 28 l ; Toulouse, setier, 144 l ; Dijon, mesure ,45 l ; Rennes, boisseau, 38 l ; Nantes,

le risque de tarir le négoce des blatiers et marchands de grains, la diversité des frais d'acheminement, l'absence de statistiques de production et de stockage.

Il faudrait, pour réussir une telle opération, « connaître exactement en quelles mains sont les blés, en faire un état par bailliage, et un état en même temps de ce que chacun en doit apporter par semaine au marché le plus proche, sous peine de confiscation et d'amende ; (il conviendrait aussi) d'envoyer régulièrement des archers chez ceux qui auront manqué d'en apporter, de s'assurer contre les inondations, la rupture des ponts, l'enlèvement sur les chemins des blés qu'on voiture, de s'assurer enfin contre la mauvaise volonté de ceux qui n'obéiront pas et l'intérêt de ceux qui sont obligés de les contraindre[1]. »

L'administration monarchique, dotée d'un appareil bureaucratique trop léger, ne pouvait entreprendre en peu de semaines une tâche aussi considérable. Le roi craignait au surplus d'affoler la paysannerie et de l'inciter soit à retenir tout son blé, soit à le céder au marché parallèle, soit à l'exporter clandestinement.

Aussi la taxation sera-t-elle finalement abandonnée.

Achevons par un détail pittoresque : si le dirigisme de la misère institué en 1709 s'est traduit par une marée d'arrêts, d'ordonnances et d'édits, les artisans requis de les imprimer n'en feront pas fortune pour autant. Les caisses de l'État sont si dépourvues qu'au début de 1712, trois ans plus tard, ils se plaindront amèrement de n'avoir pas même encore reçu une avance sur leur dû. D'Aguesseau prendra leur défense, soulignant qu'un tel retard « réduisait certains d'entre eux à la dernière extrémité et au désespoir[2] ».

setier, 225 l ; Besançon, mesure, 35 l ; Strasbourg, rezal, 165 l ; Perpignan, mesure, 27 l ; Dunkerque, razière, 240 l. Soit treize noms de mesures, correspondant à vingt-neuf poids différents.

Au surplus, ces mesures n'étaient valables que pour le seul froment. A Soissons par exemple, alors que le setier de cette céréale pesait 156 l, celui de méteil n'en pesait que 153, celui de seigle 150, celui d'orge 140, et celui d'avoine 112 (Bibl. nat. Mss. Joly de Fleury 1115, f° 223).

1. Arch. nat. G[7] 1653.

2. d° G[7] 439.

CHAPITRE XIII

LA POLICE AU SECOURS DES AFFAMÉS

COMMENT se comportent ceux des Parisiens qui survivent à la famine de 1709 ? C'est ce que nous voudrions maintenant examiner.

Les blés se négocient les jours de marché, deux fois la semaine, soit à la halle s'ils viennent par la route, soit dans les ports de Grève et de Saint-Germain-l'Auxerrois s'ils arrivent par eau.

Le pain — une des nourritures fondamentales des classes pauvres — se débite non seulement aux Halles, mais dans une quinzaine de marchés, dont les plus remuants sont ceux de la place Maubert, de Saint-Paul et de Saint-Germain-des-Prés (à l'intérieur des murs d'enceinte de l'abbaye). Les marchés sont approvisionnés par des boulangers soit parisiens (un millier), soit forains (cinq cents environ), qui doivent se trouver personnellement à leur étal, vendre au même prix pendant la durée du marché, sauf si les cours baissent, et ne remporter ni resserrer aucune marchandise à son issue. Ces règles sages éliminent le personnel en excès et les intermédiaires coûteux, incitent à la baisse et au rabais en fin de vente.

Chaque pain se vend au poids, selon un barème fixé par la police, en principe mensuellement. Le lieutenant général détient ainsi, vis-à-vis des boulangers, un pouvoir d'orientation des prix qui le rend, on l'imagine, assez peu populaire.

Les plus célèbres boulangers forains sont ceux de Gonesse, spécialistes du gros pain blanc de trois, six ou douze livres, et protégés par le puissant propriétaire du fief, le cardinal d'Estrées. Le président du Parlement Nicolaï, pour sa part, règne sur les laboureurs et boulangers de Goussainville.

En période normale d'approvisionnement, les classes populaires se nourrissent de pain « bis blanc » ou « bis », ce dernier étant d'ordinaire mélangé de farine de seigle dans de fortes proportions. Malheureusement, pour essentielles qu'elles soient à la subsistance des travailleurs, ces deux sortes sont celles qui procurent le moins de bénéfices aux boulangers. Aussi Pontchartrain se plaint-il, le 5 juin 1709, que ceux-ci « en apportent le moins qu'ils peuvent, et pas le tiers de ce qui conviendrait ».

***

Afin de mieux comprendre ce que seront les marchés au pain de 1709, montrons brièvement l'ascension des cours, grâce aux chiffres émanant, soit des mercuriales périodiques de la police[1] — à laquelle les mesureurs de blé étaient tenus d'indiquer, marché par marché, les quantités apportées, celles vendues et les cours pratiqués —, soit des renseignements fournis par les intendants.

La crise frumentaire débute, en réalité, vers le milieu de 1708 pour ne s'achever qu'après la moisson de 1710.

L'été de 1708 est marqué par des pluies presque incessantes qui, au dire de d'Argenson, « gâtent fort les blés dans la plupart des provinces et rendent le peu qui reste d'une garde fort difficile[2] ». Les prix, par nature très spéculatifs, s'accroissent aussitôt et, stimulé par cette mauvaise conjoncture, l'accaparement débute. En octobre 1708, sur ordre du contrôleur général, d'Argenson tance deux laboureurs des environs de Gonesse et deux boulangers « des plus en usage de favoriser leurs monopoles ». En novembre, les marchands de blé « s'empressent de garnir de moins en moins les ports » ; la police découvre, dans deux hôtelleries du faubourg Saint-Denis, des « amas »

1. Arch. nat. G[7] 1654.
2. d° G[7] 1654, 4 juillet 1708.

d'une quarantaine de muids, qui sont vendus d'autorité à titre d'exemple.

Bien avant les terribles gelées du début de 1709, la situation est donc déjà préoccupante : d'Argenson le ressent à tel point qu'il envoie un émissaire secret dans trente-sept marchés à blé des environs de Paris — tels que Chartres, Étampes, Sens, Soissons, Vitry-le-François, Melun, Bray. « Il devra s'introduire dans les fermes sous prétexte d'achats pour son compte, observer les laboureurs qui ont le plus de blé et paraissent les plus difficiles sur la vente. Il s'instruira aussi, sans affectation, de quelles années sont leurs blés et combien il y a de temps qu'ils n'en ont porté dans les marchés publics. »

Entre le 5 septembre et le 3 novembre 1708, le prix moyen du setier[1] de froment passe de 11 livres 15 à 15 livres 10. Après les gelées de janvier 1709, on le retrouve à 19 livres le 6 février, à 23 livres le 25 du même mois, à 28 livres le 3 avril, puis, lorsque la perte de la récolte pendante apparaît certaine, à 38 livres le 27 avril.

Plus tard, il grimpe à 50 livres le 24 juillet — soit quatre fois plus qu'en septembre 1708 —, puis à 70 livres le 18 septembre ; il baisse ensuite lentement, se tenant entre 50 et 60 livres à la fin de 1709, pour se stabiliser aux alentours de 40 livres au début d'avril 1710 et de 35 livres en juin, puis revenir à 20 livres en septembre, *soit encore presque le double des cours de septembre 1708.*

L'évolution des quantités de blés disponibles dans les trois marchés de Paris n'est pas moins significative et suffit, à elle seule, à faire comprendre l'affolement de la population.

Alors qu'en septembre 1708 on pouvait encore tabler sur un approvisionnement global moyen de 400 muids, celui-ci tombe à 187 muids le 1er décembre, remonte à 290 muids le 6 mars 1709 et à environ 400 muids le 10 avril — grâce à l'apport des blés orléanais achetés sur ordre du roi —, mais revient à 118 muids le 12 mai. Les efforts conjugués de d'Argenson et du contrôleur général font provisoirement remonter

1. Le setier de blé, équivalait à 2 mines et correspondait en volume à 156 litres. Le muid (12 setiers) équivalait à 1 872 litres.

les disponibilités à 600/700 muids en juillet ; elles oscillent à nouveau en septembre entre 100/150 muids, volume infime par rapport aux besoins.

Le prix du pain suit étroitement celui du blé et aurait même, cela va sans dire, tendance à devancer son évolution, si la police, par de constants contrôles, n'y mettait un peu d'ordre. La livre-poids de pain blanc que l'on payait moins de 2 sols en 1708 vaut 4 sols le 3 avril 1709 et 7 sols au début de mai, retombant aux alentours de 5 à 6 sols douze mois plus tard. Son prix ne se stabilisera à 2 sols 3 deniers qu'à partir de l'automne suivant.

***

Dans cette conjoncture, le public subit la double contrainte de prix beaucoup trop élevés pour son pouvoir d'achat et de quantités très inférieures à ses besoins. En mars, d'Argenson écrit que les gardes lui ont amené une douzaine de femmes portant à Meudon un placet à Monseigneur : « Ce qui les embarrasse n'est pas (seulement) la cherté, mais qu'elles sont hors d'état d'en acheter à quelque prix qu'il puisse être. » D'Argenson leur promet, imprudemment d'ailleurs, du pain bis à deux sols tant qu'il leur plaira. Il les fait visiter afin de connaître le nombre et l'état de leurs enfants, en vue de les secourir.

Les marchés sont maintenant assiégés bien avant l'aube par une « infinité de femmes qui crient et se battent pour obtenir un malheureux quarteron ». Le 28 avril, dès 7 heures du matin, il n'y a plus de pain bis à 2 sols 6 deniers au marché Maubert. Le 1er mai, le commissaire de la halle note dans un rapport : « Le peuple nous accable et ne fait que crier qu'il meurt de faim et n'a point d'argent. » Son collègue du quai des Augustins ajoute : « Le peuple est très agité, les uns pleurant, les autres se servant de termes très aigres. » Le 1er mai, au marché Saint-Germain, « une rumeur et un tumulte continuels » s'élèvent.

Dans un tel climat, le métier de boulanger n'est pas de tout repos. Les forains partant de la campagne avoisinante entre minuit et deux heures du matin, risquent d'être pillés en route. Lorsqu'ils abordent halles ou marchés, des gardes françaises ou des gardes suisses interdisent aux affamés de grimper sur leur charrette pour se servir les premiers. Une fois déchargés, les pains sont comptés sous l'œil de la police, qui doit bien souvent « employer la force contre les femmes les plus mutines, pour les obliger d'attendre que les places soient garnies ». Au coup de cloche, la vente commence, la foule étant canalisée par des barrières volantes.

Si le nombre de pains mis en vente apparaît insuffisant, les commissaires procèdent à un rationnement, puis obligent les boulangers à cuire de nouvelles fournées, qu'ils vendront l'après-midi. Le 1er mai, par exemple, d'Argenson « envoie dans tous les quartiers pour que soit cuit à force du pain bis » à 2 sols 6 deniers. Plus de trois mille cinq cents livres seront ainsi distribuées, mais la situation n'en demeure pas moins terrible. Le même jour, au marché Saint-Paul, près de mille ménagères anxieuses se sont attroupées dès l'aube. Il a fallu poster quelques soldats près de chaque panier de pain ; si l'on n'avait pu obtenir des gardes à cheval, « c'eût été un pillage général[1] ». Le 30 novembre, M. de Mircourt écrit hardiment au contrôleur général des Finances : « Paris n'est plus qu'un théâtre d'horreur. Partout on ne voit que misères. Les pauvres nous assiègent de toutes parts, ils troublent le repos de la nuit par des cris et des sanglots, qu'ils n'interrompent souvent le jour que pour expirer. »

***

Ménagères et travailleurs, dans leur quête anxieuse, se heurtent à la concurrence des laquais, des femmes de soldats et des villageois affamés. Les laquais, protégés par les nobles ou bourgeois qui les emploient, amassent du pain dont ils font trafic. « Le peuple murmure lorsqu'il voit des gens de livrée ; non seulement ils maltraitent et éloignent des places des

1. Pour tous ces détails, Arch. nat. G^7 1659.

boulangers les pauvres femmes qui n'ont pas la force de leur résister, mais ils sont presque toujours préférés à elles. » Le 5 octobre on leur interdira l'accès des marchés pour réserver aux malheureux le pain bis.

Les femmes de soldats — qui prétendent bien haut qu'on ne peut rien contre elles puisque les gardes suisses et les gardes françaises des marchés en sont solidaires — se montrent très violentes. On en arrête une de temps à autre pour l'exemple. Quant aux villageois, ils accourent à Paris car les fours banaux, nous l'avons vu, sont fermés.

Les vols de pain, souvent commis par de très jeunes enfants, se multiplient. A l'audience de police du 18 octobre 1710, sur 72 délinquants jugés, on compte 18 voleurs de pain, trois de légumes, un d'autres aliments[1]. Les auteurs de tels larcins sont manifestement poussés par la nécessité : on relève parmi eux trois compagnons menuisiers le 15 juin 1709 et des ouvriers du faubourg Saint-Antoine le 6 novembre ; mais il y a aussi des scélérats attirés par l'appât du gain. Porte Saint-Michel, en décembre, d'Argenson note la présence de quantité d'entre eux qui se battent lors des partages.

En principe, les bourgeois doivent prêter main-forte à la victime d'un vol ; le 20 juin, lorsqu'une « hotteuse » est assaillie, cette intervention limite sa perte à trois pains ; mais les témoins, saisis de pitié, prennent le plus souvent fait et cause pour les voleurs. Au cours de janvier 1710, le commissaire du marché Neuf précise qu'on a « seulement » dérobé deux pains de huit livres ; les gens ont « applaudi aux voleurs, tant il est vrai que le peuple est sans raison ».

Dans les environs de Paris, la situation est plus délicate encore. Selon un mémoire du 24 avril 1709, les magistrats des villes ne veulent pas « laisser sortir de blé pour la campagne et la campagne ne veut pas en laisser sortir des villages pour le transporter dans les villes. Ceux qui sont possesseurs de blé et autres grains n'en sont pas les maîtres : les peuples attroupés en disposent comme ils veulent et les enlèvent de force des

1. Arch. nat. Y 9537.

greniers ou sur les grands chemins, même ceux achetés pour le roi. Tout le monde est dans un état très violent.» Il faut envoyer quatre cents cavaliers et dragons pour escorter depuis Auxonne, le long de la Saône, des blés achetés par les commissionnaires de la chambre d'Abondance de Lyon[1].

Un autre incident montre de quelle qualité sont les «pillards». Au début de 1709, Poupard, marchand parisien, fait transporter neuf muids de blé dans la capitale. Alors qu'on allait embarquer ses sacs sur la Marne, à La Ferté-sous-Jouarre, un parti de gens affamés et furieux survient pour l'en empêcher. Il ne s'agit ni de miséreux, ni de gagne-petit ; se coudoient en effet Simonnet, drapier ; Darche, vigneron ; Denis Crépin, maréchal-ferrant ; Jannot, tisserand ; Barillet, tripier ; Roussel, épicier et jusqu'à Moynet, procureur fiscal de la Ferté, flanqué... du concierge de la prison locale ! Les faits sont graves : bris de clôture, exigence sous la menace de blé à trois livres le bichet, pillage de greniers, de meubles, destruction de papiers commerciaux. Épouvanté par la colère de ses concitoyens, le laboureur venant livrer ses neuf muids de blé s'enfuit ainsi que sa femme, non sans requérir l'assistance du procureur fiscal et du juge du lieu, qui la lui refusent avec mépris. L'affaire, instruite par d'Argenson, est évoquée au Parlement. Trois des «mutins» sont bannis pour plusieurs années de leur petite patrie, dix autres admonestés et le procureur fiscal sommé d'empêcher à l'avenir les émotions populaires plutôt que d'y prêter la main.

Détail significatif : on allait, selon l'usage, imprimer et crier dans les rues de Paris cet arrêt lorsque la police l'interdit, jugeant inopportun, en août 1710, de «renouveler les tristes idées de la disette, ce qui paraîtrait sauvage et bizarre[2]».

***

Au cours de la famine, d'Argenson et ses commissaires assurent d'abord la sécurité des marchés ; le premier suggère

1. Arch. nat. G[7] 1656, 30 mai 1709.
2. Bibl. nat. Manusc. français 21634 f° 280.

d'armer les sergents et caporaux car, estime-t-il, « nos maux ne sont pas encore arrivés à leur dernière période[1] ». La garde des marchés n'atteindra son effectif maximum qu'en période de crise grave. En juillet 1710, et bien que le calme soit en partie revenu, elle groupera encore 171 gardes françaises et suisses.

La police, en vue d'améliorer la quantité et la qualité des approvisionnements :

— désigne, dès février 1709 dans chaque marché un boulanger « dont la place doit être garnie d'une quantité considérable de pain pour les pauvres » ;

— fait respecter l'obligation de vendre en totalité le pain exposé. Les boulangers tentent de s'en affranchir, en cédant les miches restantes (il s'agit toujours de pain blanc) à des gens de livrée ou à des compagnons complices, qui les leur restituent ensuite. On en saisit ainsi sur Perrin, compagnon boulanger, cinq de huit livres cachées dans un sac ;

— lutte contre le marché noir, qui enrichit maint regrattier clandestin. On arrête un compagnon maçon en chômage, Belon, demeurant à La Courtille. Il a sur l'épaule un sac de huit pains, sa femme en porte deux autres, achetés trois sols la livre qu'ils veulent revendre au détail, dans leur village, 3 sols 6 deniers. Des gens de Belleville, Charonne, La Villette, La Chapelle et Montmartre s'adonnent au même trafic ;

— interdit tout bénéfice anormal. Elle convie les boulangers à cuire du beau pain, les menaçant en cas de désobéissance de les priver de leur étal ; lorsque des « gonessiers » vendent leur pain blanc 5 sols 6 deniers en février 1710, le commissaire leur fait restituer l'excédent perçu et adjuge, au-dessous de la taxe, une partie de leurs miches à deux liards par livre ce qui les « mortifie fort ». La même punition, appliquée à un boulanger de Bonneuil, déchaîne la colère de la présidente de Harlay, dont le contrevenant, véritable factotum, était tout ensemble fermier, receveur et procureur fiscal. D'Argenson veille aussi plus étroitement que jamais au respect de la qualité.

1. Arch. nat. G^7 1654, 1er mai 1709.

Il condamne des blatiers exposant des sacs « fardés », dont les blés de dessus sont plus beaux que ceux de dessous et des négociants vendant des blés charançonnés ou moisis (en octobre 1710, on en avait ainsi livré à l'Hôtel-Dieu qui firent périr nombre de religieuses[1]) ;

— la police lutte enfin contre la vente à faux poids, saisissant entre autres, en mai 1710, des pains « légers », incontinent distribués aux pauvres, tandis que le boulanger fraudeur est envoyé au Châtelet, en vue de « réparer les cris du peuple ».

***

De façon systématique, d'Argenson prend — et prend seul — le parti des humbles contre les boulangers, soutenus par le prévôt, le Parlement et une grande partie de la noblesse. Il n'hésite pas, le 15 mai, à emprisonner trois professionnels qui « ne rendaient pas justice aux pauvres » et un quatrième qui, se moquant du monde, n'avait « dans une charrette attelée de quatre gros chevaux, mis en tout que huit ou dix pains[2] ». D'autres arrestations ont lieu le 19 mai pour hausse abusive.

On sent, de la part du lieutenant général une véritable aversion contre les boulangers. En mai 1710, d'Argenson accusera les « gonessiers » de faire courir le faux bruit que le roi les oblige à acheter des blés corrompus. « C'est qu'eux-mêmes, en ayant acheté dans le temps de la cherté, qui est devenu très mauvais, et ne sachant que dire à leurs pratiques pour se disculper du mauvais pain qu'ils leur font manger, se sont avisés d'imaginer cette imposture. » La police, étant remontée aux sources, possède les noms de trois propagateurs de la fausse nouvelle. « Mais il faut bien avoir patience, puisqu'on n'ose presque sévir contre aucun boulanger pour ne pas s'attirer (l'inimitié) des personnes de la première considé-

1. Bibl. nat. Manusc. français 21634.
2. Arch. nat. G^7 1654.

ration dans la robe et dans l'épée, dont les unes les protègent par des raisons d'intérêt et les autres leur doivent des sommes immenses. »

Entre d'Argenson et ses assujettis, la tension devient un moment telle qu'on assiste à une grève. Le 18 mai 1709, mécontents d'une baisse autoritaire des prix, les forains n'apportent presque pas de pain bis et peu de blanc. On en appréhende quelques-uns, de Gonesse surtout. Le 20 juillet, au marché Maubert, qui comptait environ cent soixante boulangers, vingt-trois cessent de venir et personne ne veut les remplacer. Une semaine plus tard, huit d'entre eux reprendront cependant leur activité ; la police préférera fermer les yeux sur cette désobéissance.

A la fin de la crise frumentaire (novembre 1710), d'Argenson n'aura pas désarmé : « Il serait dangereux, écrira-t-il, de n'être pas en état de réprimer l'insolence des boulangers, dont les protecteurs déclarés voudraient tant qu'il n'y eût, dans tous les marchés, ni gardes, ni officiers de police, ni commissaires... »

D'Argenson est hanté, dès février 1709, par l'obligation de nourrir en priorité les éléments les plus malheureux et en même temps les plus nombreux de la population. Aussi ordonne-t-il à certains boulangers, choisis à tour de rôle, de cuire un pain bis à deux sols la livre, fabriqué à partir des blés de l'Orléanais, et plus tard de Bretagne, achetés secrètement pour le compte du roi. Il concurrence directement, et avantageusement, le pain des boulangers locaux ou forains, fort mécontents d'une telle initiative.

La flambée des prix amenant, en avril 1709, le prix du pain populaire à 2 sols 6 deniers, d'Argenson souhaite distribuer les 6 deniers de hausse à ceux des acheteurs que nous dirions de nos jours « économiquement faibles ». Le projet plaît au roi, qui l'agrée. La police va ainsi gérer un fonds de « suppléments charitables », d'ailleurs irrégulièrement alimenté par le Trésor. Dans les marchés, ces suppléments sont parfois

« exigés avec insolence » par les affamés. On ne réduira ces secours qu'en juin 1710. « Quoiqu'il y ait toujours quantité de pauvres artisans, écrit alors d'Argenson, j'ai retranché la moitié des suppléments pour leur apprendre que, le pain n'étant pas excessivement cher, ils doivent s'en désaccoutumer. Il sera pourtant fort difficile de n'en pas donner un peu tant que nous continuerons de paraître dans les marchés. »

La police distribue en outre des aumônes aux plus déshérités. D'Argenson écrit le 22 juin 1709 : « Je suis obligé d'avoir une attention continuelle dans tous les quartiers pour consoler de malheureuses personnes accablées d'enfants et d'infirmités, qui manquent de tout secours, et les empêcher de périr. »

Excellente en soi, la politique du pain populaire se heurte, la crise s'aggravant, à des difficultés redoutables.

Les boulangers opposent une résistance passive à sa cuisson, qui ne leur rapporte rien. « Ceux de la ville et de la campagne en apportent le moins qu'ils peuvent, et pas le tiers de ce qui conviendrait. J'en ai envoyé en prison cinq ou six... » Cette sourde opposition indigne à tel point d'Argenson qu'il oblige un boulanger de Gonesse ayant cuit fort peu de pain bis à vendre son bis-blanc au même prix.

De son côté, le petit peuple, animé de sentiments égalitaires fort compréhensibles en des temps aussi cruels, se révolte à la pensée que les privilégiés de la fortune continuent, comme si de rien n'était, d'acheter du pain mollet, du pain brioché ou du pain blanc de farine fleur. Les pauvres, écrit le commissaire de Saint-Germain-des-Prés, « ne désirent rien tant que de voir dans le marché du pain de la même sorte, ou tout au plus de deux sortes ».

Aussi met-on à l'étude la réduction à deux qualités du pain vendu à Paris. D'Argenson va se faire, contre le Parlement, le champion de cette mesure hardie. « Plus je réfléchis, écrit-il le 12 mai 1709, plus je la crois propre à calmer le peuple, à mettre à raison les boulangers, à diminuer la consommation des blés et à déconcerter à l'avance ceux qui en gardent.» Il cite l'expérience du chapitre de Notre-Dame où l'on vient de passer du pain blanc au bis, ce qui lui a procuré 25 pour 100 de nourriture supplémentaire, à poids de blé égal.

Le premier président, sourdement hostile au projet, se réfugie dans l'attentisme ; d'Argenson demande au contrôleur général des Finances qu'il en parle au roi. Chamillart et Desmaretz, son directeur des finances, s'affrontent violemment ; l'arrêt du Parlement est enlevé de haute lutte, et adopté le 7 juin ; Chamillart perd deux jours plus tard la confiance du souverain.

Il ne sera plus désormais vendu à Paris que :

— *du pain bis-blanc*, composé de la fleur de farine, de la moitié de la farine blanche extraite après la fleur et de la moitié des gruaux ;

— *du pain bis*, composé de l'autre moitié de la farine blanche extraite après la fleur, de la moitié des fins gruaux, de tous les gros gruaux et des « recoupettes ».

Une importante disposition oblige en outre les boulangers à cuire du pain bis *à proportion* du bis-blanc fabriqué par eux. D'Argenson fixe celle-ci à 50 pour 100 et le prix du pain bis à trois sols.

***

« Je prévois, augure-t-il, que les boulangers nous traverseront de tout leur pouvoir.» Rien de plus juste : le 8 juin, ceux de Corbeil désertent le marché Maubert, prétextant de ne plus trouver de blé ; lors des premières ventes, le pain bis a une étrange tendance à l'être trop, et le pain blanc à l'être plus que prévu ; les boulangers des Quinze-Vingts affirment manquer de bluteaux ; ceux de Gonesse ne voient « qu'à regret la vente du pain bis réglementée, qui est d'une bien meilleure qualité que le leur, où ils n'emploient que des recoupettes ou de l'orge».

Mais le lieutenant général n'a cure de ces réactions intéressées. L'important pour lui est que le peuple, qui se jette avidement sur le pain bis à trois sols, l'obtienne sans difficulté. A la Halle, le 20 juin, une foule énorme survient, et l'enlève en une heure. On a cependant doublé la garde, de crainte que le nouveau pain n'« excite la révolte des peuples ».

Dès le 7 juillet, la hausse se poursuivant, il passe à 3 sols 3 deniers : les commissaires doivent à nouveau distribuer des « suppléments ». Les boulangers sont tenus pour responsables de cet état de choses : leurs jurés n'ont-ils pas refusé l'application d'un tarif élaboré à la suite de divers essais de panification sous le contrôle direct de d'Argenson et du procureur général du Parlement ? Or le tarif en cause était plus avantageux que celui établi pour la fourniture des troupes par les commissaires aux vivres ! D'Argenson vitupère donc ces spéculateurs, rendus insolents par la protection des magistrats supérieurs : « Je vois avec douleur, écrit-il, les gains prodigieux qu'ils font sur le pauvre peuple, avec une dureté insupportable. »

La crainte d'une accentuation de la disette détermine le lieutenant général à un nouvel expédient : fabriquer du pain d'orge, bien que sa grossièreté soit proverbiale.

Faute de mieux, cet aliment de remplacement trouve des acquéreurs, ce qui entraîne d'ailleurs une hausse spectaculaire des cours de l'orge, la seule céréale dont la récolte ait réussi. Le commissaire du quartier Saint-Paul appelle de tous ses vœux un renversement de tendance, l'orge « étant le salut des pauvres : quantité d'artisans s'empressent même d'en avoir pour faire du pain, qu'ils ne savent pas cuire, et le survendent ensuite au pauvre peuple ».

Le 21 décembre, d'Argenson — fidèle à sa doctrine — met au point encore un autre type de pain bis pour le peuple, à base de farines de blé de Bretagne et d'orge, qui sera vendu trois sols : c'est le « pain d'ordonnance ».

***

Le simple exposé des efforts intelligents, tenaces, courageux déployés par le lieutenant général de police pour faire face à la terrible crise en 1709, permet, une fois de plus, de prendre Saint-Simon en flagrant délit — les mots ne sont pas trop forts — de calomnie et de fausseté. Trop prompt à se laisser entraîner par ses préjugés, ses haines ou ses passions, le duc adopte aveuglément dans ses *Mémoires* le parti du Parlement et de la grande noblesse terrienne, que le dirigisme et les tendances sociales de d'Argenson ne pouvaient manquer de scandaliser.

A en croire le mémorialiste, l'envoi des commissaires dans les provinces, en vue d'approvisionner Paris et de tenir les spéculateurs en respect, aurait « achevé de porter à son comble l'indigence et la cherté ». Cette « ténébreuse besogne » serait demeurée « entre les mains de d'Argenson et des seuls intendants, dont on se garda bien de la laisser sortir, ni éclairer ; elle continua d'être administrée avec la même dureté ». Le dirigisme auquel on dut recourir était, à l'en croire, plus nuisible qu'utile, car il existait « deux années entières de blé en France, pour la nourrir tout entière, indépendamment de toute moisson ». Saint-Simon n'oublie qu'une chose : c'est de nous dire, à supposer que des stocks aussi considérables existassent, comment la liberté du négoce les aurait fait sortir de leur cachette. Autres ragots encore : « Messieurs des finances auraient profité de la disette pour spéculer » et vendre des blés de Bretagne et d'Orléans « au prix qu'ils y voulurent mettre, au profit du roi, sans oublier le leur » : or, achetés en secret par crainte précisément de la spéculation, ces blés permirent la vente du pain populaire à deux sols et l'atténuation des conséquences de la famine. Toujours selon le duc, à Paris, les commissaires de police mettaient « le prix des grains à main forte et obligeaient souvent les vendeurs à la hausse malgré eux » — affirmation proprement absurde.

Dans ce tissu de contrevérités, remarquons-le, pas un mot de compassion pour les miséreux, les femmes, les enfants, les vieillards mourant par milliers d'inanition, pas une interrogation sur ce qui en serait advenu si d'Argenson avait « laissé faire » et joué les Ponce Pilate. Boulangers opulents, laboureurs, grands bourgeois, nobles possesseurs de grands domaines, voilà les seules victimes de l'affreuse famine de 1709 sur lesquelles Saint-Simon s'apitoie. Quel regret de voir un écrivain d'aussi grand talent aveuglé à ce point par d'égoïstes rancœurs !

CHAPITRE XIV

LA FRANCE LIVRÉE AUX TRAITANTS

L'EFFORT de guerre sans précédent que la France a fourni, presque sans interruption, pendant une vingtaine d'années, est financé, faute d'une économie et d'un commerce prospères, par un étrange système, poussé à l'absurde, celui des « affaires extraordinaires ». Personne, certes, dans l'entourage du roi n'est dupe de son illégitimité : il s'agit d'expédients, imposés par les circonstances et qu'on s'efforcera de répudier une fois la guerre finie ; ceux-ci tendent, en l'absence d'une fiscalité directe équitable et de grand rendement, à généraliser une fiscalité indirecte assise sur les communautés des métiers, d'un part, sur les corps de marchands, d'autre part.

La capitale compte près de cent vingt-cinq corporations, auxquelles s'ajoutent les fameux et puissants « six Corps » groupant les drapiers, épiciers, merciers, pelletiers, bonnetiers, orfèvres.

Les communautés réunissent, à Paris, près de trente-cinq mille maîtres, les « six Corps » quatre mille cent. Les plus nombreuses des premières sont celles des tailleurs (1 882 maîtres), des cordonniers (1 820), des couturières (1 700), des marchands de vin (1 500), des jardiniers-maraîchers (1 200). Quelques vestiges du Moyen Age subsistent : les haumiers (10 maîtres), les patenôtriers en bois (2). Il est curieux de constater le petit nombre des maîtres bouchers (240), fruitiers (321) ou boulangers (580), par opposition à l'abondance des perruquiers-barbiers (700).

*
* *

Les « traitants » d'affaires extraordinaires vont imaginer, créer, puis imposer à ces communautés des « offices » dont elles n'ont nul besoin, puis les astreindre à leur racheter. Jusqu'alors libres de se gouverner, d'élire leurs syndics et leurs jurés, les métiers organisés vont peu à peu se fonctionnariser, se scléroser, achevant ainsi leur décadence.

Quelques exemples concrets montrent comment fonctionne ce mécanisme fiscal despotique[1].

Voici une minuscule corporation : les affineurs d'or et d'argent ; elle ne compte en 1689 que deux maîtres à Paris. En 1692, on transforme leur métier en office, qu'ils devront acquérir à gros prix ; moyennant quoi ils recevront des gages (5 à 6 pour 100 du capital versé) et auront droit de percevoir, pour prix de leurs services, une taxe levée sur leurs clients.

En 1691, on institue, sous prétexte de surveiller les deux affineurs de Paris, un contrôleur, puis en 1705, trois inspecteurs dotés de pouvoirs sensiblement analogues : ces opérations ont uniquement pour but de contraindre les professionnels, par crainte de tomber sous la tutelle de tiers incompétents, à racheter les charges nouvelles pour les réunir à leurs offices. Ils seront ainsi, moyennant quelques dizaines de milliers de livres, leurs propres contrôleurs et inspecteurs, percevant à cette fin, outre les droits d'affinage, une autre taxe d'un sol par marc d'argent et de deux sols par marc d'or.

En 1703, on crée encore un office de syndic, puis en 1705 un autre d'essayeur de lingots affinés, qu'on doit aussitôt révoquer devant l'indignation des affineurs.

Ainsi, un métier ne comprenant à l'origine que deux maîtres libres, donne-t-il lieu à la création de huit « offices » dont la finance va, chaque fois, emplir les caisses du Trésor et surtout les poches du traitant chargé de son recouvrement.

1. Voir J. SAINT-GERMAIN : *Les Financiers sous Louis XIV.*

***

Voici le négoce du bois de feu et du charbon de bois, dont nous avons parlé d'autre part. Autrefois libre, lui aussi, il succombe maintenant sous un effarant déluge d'offices : ceux de mouleurs, puis d'aide-mouleurs, de commissaires-contrôleurs-jurés mouleurs, de chargeurs, de contrôleurs de quantité, de déchargeurs de bois neuf, de commissaires inspecteurs et contrôleurs aux empilements, de contrôleurs de la vente, de mesureurs et porteurs de charbon de bois...

Voici encore l'humble profession de barbier-perruquier. Un édit justement célèbre tant il fut ridicule, établit en 1706, des offices de contrôleurs des perruques, bientôt remplacés, devant la résistance des professionnels, par une « ferme » du contrôle. La même année, pour briser cette résistance, on met à l'encan deux cents maîtrises nouvelles de perruquiers à Paris. En 1707, on crée six offices de syndics perpétuels : Maréchal, premier barbier-chirurgien du roi et chef de la « barberie », reçoit la haute juridiction sur les manieurs de ciseaux et de rasoirs.

Dernier exemple, mais de grande importance, puisqu'il concerne l'ensemble des communautés de métiers. Alors qu'entre 1597 et 1690 aucun texte notable n'avait attenté à leur liberté traditionnelle de choisir leurs maîtres selon les règles qu'elles s'étaient données (présentation d'un chef-d'œuvre par les compagnons aspirants après un nombre déterminé d'années d'exercice et paiement d'un droit de réception), à partir de 1691 les charges de maître, de garde, de juré et de syndic deviennent des offices. Il faut donc payer une « finance » plus ou moins importante pour les acquérir, moyennant quoi les intéressés deviennent des rentiers de l'État, percevant en outre des taxes ou droits comme émoluments.

En 1691 également, on institue des syndics dans les petits corps de métiers considérés jusque-là comme trop peu importants pour élire des maîtres et constituer des jurandes.

Trois ans plus tard, on impose à chaque communauté des auditeurs et examinateurs contrôlant leurs comptes, offices qu'elles sont invitées à « réunir ».

A partir de 1702, elles doivent posséder des trésoriers et receveurs, en 1704 des greffiers d'apprentissage, en 1706 des contrôleurs de registre du commerce, en 1709 des gardes des archives, en 1710 des payeurs de gages, bientôt doublés de contrôleurs de gages !

***

Outre ses inconvénients immédiats, cette fiscalité machiavélique sans cesse renforcée entraîne d'énormes abus.

Elle enrichit d'abord les traitants, ou « partisans », chargés par le pouvoir de lever la finance des centaines d'offices ainsi surajoutés les uns aux autres. L'État monarchique n'agit pas directement, mais par personnes interposées, passant avec des tiers des traités, aux termes desquels ils avanceront au Trésor la finance correspondant aux offices nouvellement créés. Ils placeront ensuite ces offices, grâce à leurs correspondants de Paris et des autres villes du royaume.

Une partie seulement des emprunts forcés souscrits de la sorte par les communautés revient à l'État : les traitants se réservent en effet au passage une remise « en dedans », le plus souvent de 16,66 pour 100 du capital global, à quoi s'ajoute une remise « en dehors » de deux sols par livre, soit 10 pour 100 du capital restant. Chaque fois que le pouvoir crée pour 100 000 livres d'offices, le traitant prélève ainsi 25 000 livres, soit le quart, sous forme de commissions diverses. C'est un marché désastreux, qui enrichit sans limites une poignée de trafiquants.

L'emprunt forcé fonctionnarise en outre les nouveaux officiers ou les communautés, qui perçoivent désormais une sorte de traitement correspondant à l'intérêt des sommes qui leur ont été imposées.

En supposant celui-ci de 6 %, le traité initial de 100 000 livres :

— ne rapporte au Trésor, en argent frais, que 75 000 livres ;

— le constitue débiteur d'une rente de 6 000 livres par an, qui absorbera le capital reçu en douze ans et demi.

Passé ce délai, le déficit net de l'opération se soldera par 6 000 livres chaque année : elle n'aura apporté qu'un « remède d'un jour à un mal éternel» ; ce sera, en dernière analyse, le pire des expédients, endettant le roi, ruinant les communautés, faisant hausser sans mesure le prix des denrées ou des services, au seul profit des traitants, dont le luxe insolent soulève désormais dans le peuple une colère justifiée.

D'autant plus justifiée, d'ailleurs, que ces financiers, protégés par un pouvoir dont ils sont l'ultime ressource, disposent de moyens de coercition violents pour faire rentrer les fonds de leurs traités. Ils préfèrent, écrit l'intendant d'Orléans, « un gueux et un malhonnête homme pour tenir le registre des contrôles, quand il leur en coûte moins d'avoir le plus honnête homme du lieu ; ils ne songent qu'à tirer le plus d'argent et point à la sûreté publique». Constamment escortés d'huissiers, ils n'acceptent aucune remise, aucun délai, et recourent immédiatement aux garnisons, installant des archers au domicile du débiteur et à ses frais. Inutile d'ajouter que les archers préfèrent ce métier, « où ils font quantité de friponneries, à celui de marcher dans les chemins».

Le plus célèbre des traitants, Poisson de Bourvalais, fils d'un obscur notaire de Laval, finit par acquérir un des plus beaux hôtels de l'actuelle place Vendôme, et fait construire par Bullet, entre 1705 et 1708, le somptueux château de Champs.

Une nuée d'affairistes tourbillonne autour de ces chevaliers de finances ; ces intrigants sont alléchés par la possibilité, grâce à un nouveau traité par eux imaginé, d'édifier une fortune rapide. Ils hantent les bureaux du contrôle général des Finances, en soudoient les commis, s'acoquinent avec des courtisans chargés, moyennant d'importants pots-de-vin, de faire aboutir leurs projets. En nombre incroyable, des propositions sont ainsi suggérées au pouvoir, qui n'a plus alors que l'embarras du choix. Aucun bien, aucune activité industrielle ou commerciale, aucun service n'échappe à la vigilance de cette armée de criquets. Ils veulent, par exemple, taxer les puits, les sources, les maisons bâties en saillie, les enseignes commerciales,

les chaises à porteurs, les talons de chaussures en bois, l'amidon, les moulins, les bottes, les enregistrements de mariages et de décès, etc.

***

On envoie à la Bastille, en 1702, Mme Pochon de Rosemain, épouse d'un ingénieur travaillant à Minorque au service du roi d'Espagne, âgée de trente-quatre ans. « Jamais, écrit d'Argenson[1], femme ne s'est mêlée de tant d'affaires et je crains bien qu'elle n'ait été commode à plus d'un usage, quelque dévote qu'elle affecte de paraître : le vice et la vertu lui étaient égaux, pourvu qu'elle arrivât à ses fins, et le cabinet du sieur de la Lustière[2] n'est pas mieux fourni de vieilles ordonnances que le coffre de cette femme n'est rempli d'avis, de propositions et de mémoires. » D'Argenson ne communique ses interrogatoires qu'au roi, au chancelier et à Pontchartrain, tant cette prise semble importante.

Au physique, il juge la prisonnière sans plus d'indulgence qu'au moral : « Elle a toujours la folie de se vouloir faire passer pour jeune, quoique depuis plus de dix années ses cheveux soient absolument blancs. Elle voulait me persuader que la nommée Marie-Anne les avait blanchis en une nuit à la Bastille. Mais quand je lui ai fait voir la pommade noire qu'elle avait laissée parmi ses drogues de toilette, elle demeura toute confuse. »

Mme de Rosemain, intrigante de haute volée, avait fait proposer au cardinal de Noailles l'établissement de monts-de-piété ; projeté avec le comédien Poisson d'établir une seconde troupe théâtrale à Paris, moyennant quinze mille livres pour elle, le duc de Sully et le marquis de Termes ; convenu avec Mme d'Arquainvilliers de faire de son mari un conseiller d'État ; proposé d'ériger en office la charge de

1. Voir, au sujet de cette intrigante Arch. de la Bastille 10546 et 10547, Arch. nat. G^7 718, Bibl. nat. Manusc. français 8120 et Clairambault 983.

2. Pierre de la Lustière, avocat au Parlement, avait été commis par le roi pour contrôler les restitutions dues par les traitants et financiers, du fait d'omission de recettes ou de divertissement de fonds de l'extraordinaire des guerres.

tuteur ; tenté d'obtenir un consulat pour un gentilhomme du Dauphiné ; étudié la création de « bureaux de lettres » à Paris ; intrigué pour que le nommé de Launay entrât dans la Ferme générale ; manigancé maint mariage, etc. Elle avoua en outre que « la plupart des domestiques de Pontchartrain se mêlaient de procurer des emplois pour de l'argent » et qu'elle était dans la plus grande familiarité avec son adjoint, Bégon, et son commis, Salabery.

Au cours de multiples interrogatoires elle reconnut sa participation active à trente-trois négociations différentes, dans lesquelles étaient intervenus de grands noms : les duchesses de Villars, de Rohan, du Lude, les marquises de Brancas et de Bissy, le marquis de la Farre : chacun, dit-elle, sait qu'il n'y a personne à la cour « qui refuse de gagner cinquante pistoles quand elle en trouve l'occasion et qui ne s'emploie tout de son mieux pour y réussir ».

Le roi voulut la faire sortir de la Bastille pour la reléguer à quarante lieues de Paris en 1703. Elle refusa et fut finalement enfermée à l'Hôpital général ; elle y séjournait encore en 1708.

A côté de cette solliciteuse, nombreux sont les corrupteurs de fonctionnaires ou de courtisans : un certain Boulard devait obtenir une commission de capitaine de frégate légère par l'entremise de la comtesse de Fiesque, pour deux mille livres puis, grâce au comte de Gramont, faire réussir le mariage du greffier-garde sacs du Parlement, Fenel, avec la demoiselle Ranché, en dépit de l'opposition du curateur et des parents. Le comte de Marsan lui « demandait souvent des affaires de finances » : il avait fini par lui en procurer une, concernant les arts et métiers, qui avait réussi[1].

Le secrétaire du roi signalait en général ces personnages à d'Argenson, avec prière d'en débarrasser Versailles. « Il y a, écrit-il en 1702, plusieurs règlements contre cette espèce de

1. Bibl. nat. Manusc. français 8122, 15 juillet 1698.

fripons, qu'on fait de temps en temps exécuter.» En juin de la même année, il dénonce le nommé Chevalier, « solliciteur de profession, dont il y a trop grand nombre à la suite de la cour et du conseil, et dont il serait à désirer qu'on pût se défaire». Le 15 novembre, il ordonne aussi d'arrêter Dupré pour « l'interroger à fond et savoir quelles sont les intrigues qu'il a dans les bureaux et avec qui. Il est nécessaire surtout de le bien questionner sur l'intelligence qu'il dit avoir avec le secrétaire de l'intendant de Brest[1].»

Tous les intrigants ne trouvaient cependant pas le chemin de la fortune. Témoin un certain Duchalat : « Le motif qui le fait si souvent aller à Versailles est pour y donner des avis en finances et pour solliciter des affaires qui, apparemment, ne réussissent pas, puisqu'il doit dans toutes ses auberges et qu'il est presque toujours dans le besoin.» Quant à Noël, grand faiseur de mémoires, « son esprit est tellement rempli d'idées chimériques qu'il s'imagine que cette espèce de travail doit au moins lui procurer une des plus considérables commissions des fermes du roi ! »

***

Artisans et négociants, livrés aux traitants, aux intrigants et à leurs complices de la cour, opposent une résistance farouche à la fiscalité qui les ruine, car il leur faut sans cesse participer à de nouvelles « réunions » d'offices en empruntant, pour ce faire, à des taux usuraires.

En 1708, on institue, entre autres, quarante nouveaux inspecteurs de police, chargés de contrôler les hôteliers, aubergistes et loueurs de garnis ; outre les revenus de leur finance, ils percevront quarante sols par mois sur les hôtels et maisons garnies à porte cochère et vingt sols sur celles à petite porte ou sur les auberges. Le traitant, irrité de ce que les contribuables s'en soient plaints au roi, traduit nombre de récalcitrants devant le tribunal de police pour non-paiement de leur taxe.

1. Arch. nat. O^1 363.

Un placet anonyme[1] des victimes expose que la profession hôtelière est en temps de guerre la plus malheureuse de toutes : « Il n'y a pas d'étrangers et peu de plaideurs à Paris. Les quelques officiers aux armées qui y viennent l'hiver ne paient pas, ou s'acquittent en billets de monnaie, sur le montant desquels il faut perdre beaucoup. » Ce placet, indique d'Argenson, émane de la femme Longpré, aubergiste séditieuse, qui « a soulevé plusieurs maîtresses de chambres garnies ». En 1711, une autre plainte émane de Pierre Bouchez, qui tient une gargote, dont la modestie « le prive de recevoir la meilleure partie du public, qui tient à mépris d'y entrer ». Pierre Bouchez vend « au regrat » de « petites portions de viandes et de légumes » sans serviettes et sans autre boisson que de l'eau, à une humble clientèle de porteurs d'eau ou de charbon, crocheteurs, crieurs de vieux chapeaux, pauvres compagnons, « gens sans feu qui n'ont pas les moyens d'aller aux auberges et peuvent payer à grand-peine trois sols par repas ». La hausse des prix a rendu ce commerce très peu rémunérateur. Vouloir l'imposer serait « s'attaquer à la pauvreté même et porter préjudice aux mercenaires de la ville, dont le travail est absolument nécessaire au public » et qui n'ont « ni le temps, ni les moyens de faire cuire ».

D'Argenson refuse cependant l'exemption sollicitée, car ces petites auberges doivent être visitées pour la sécurité publique, les « scélérats et les vagabonds s'y retirant d'ordinaire ». On jette le plaignant en prison pour le déterminer à payer[2].

Les rapports de police laissent souvent percer les sentiments des artisans ou commerçants. D'Argenson, en 1708, se félicite que l'établissement des jurés contrôleurs de fruits se soit fait sans opposition « et même sans murmures ». Il est vrai, ajoute-t-il, que ce nouveau subside se perçoit aux barrières de la capitale et non dans les marchés, ce qui rend l'affaire « moins odieuse ». Peut-être serait-il à propos de substituer des décla-

1. Bibl. nat. G[7] 1725, 7 novembre 1708.
2. Arch. nat. G[7] 1727, 18 février 1711.

rations volontaires aux contrôles domiciliaires, « que les marchands souffrent toujours avec peine[1] ».

S'agit-il de taxer le poisson de mer, après les huiles et le suif? On peut le faire sans trop d'inconvénients, estime la police, car les « officiers vendeurs de marée sont riches et se gardent bien de laisser pénétrer le secret de leur recette ». Au surplus, cette marchandise peut subir des charges nouvelles : sa consommation n'intéresse que les personnes aisées et non les pauvres gens. Il n'en va point de même pour les abats et les tripes, nourriture ordinaire du « menu », ni pour la volaille, dont la communauté des vendeurs, à demi ruinée, est harcelée par des créanciers « agissant sous des noms inconnus ou se laissant conduire par des huissiers qui multiplient les procédures et augmentent les frais à l'infini ». Cinq ou six charges viennent ainsi d'être saisies : œufs, beurre et volailles risquent d'augmenter du double « et de devenir aussi rares que nous devons les désirer abondants[2] ».

***

Un traité de finances particulièrement impopulaire a contraint chaque communauté de métier à faire enregistrer ses armoiries ! Le partisan a signifié ses rôles aux maréchaux, aux épingliers et aux coffretiers (fabricants de malles), toutes professions fort pauvres. « Si vous ordonnez qu'elles paient, écrit d'Argenson, nous obéirons, quoique assurément il n'y ait aucune occasion où ces communautés se puissent servir du sceau de leurs armes ». Mais cette obéissance ne produira au roi que huit à dix mille livres, tout « en contristant nos pauvres ouvriers plus qu'on ne peut dire ». Permettez-moi, ajoute d'Argenson, de vous représenter qu'il y a de telles communautés dans Paris à qui la répartition d'une somme de cinquante livres ne laissera pas d'être à charge. « Plusieurs sont réduites à dix ou douze maîtres et les ouvrages de certaines autres n'ont plus cours.[3] »

1. Arch. nat. G^7 1725.
2. d° G^7 1725, 8 novembre 1709.
3. Bibl. nat. Fonds Clairambault 867, 10 février 1699.

Le lieutenant général s'élève aussi avec force, en 1707 contre un projet de taxe sur le criblage du blé, qui chargerait par incidence le prix du pain, aliment essentiel, ainsi que contre un autre projet concernant le beurre :« Je vous supplie de considérer que le beurre salé est la seule subsistance des pauvres pendant le carême et qu'en leur faveur on permet souvent l'entrée du beurre étranger en franchise. J'espère donc que vous ne livrerez pas facilement cette marchandise aux traitants, qui veulent se l'assujettir. »

Les pâtissiers — qui cuisent des pâtés — entrent en dissidence ouverte, refusant pendant quatre ans de payer les sommes dues par suite de la réunion à leur corps de métier d'offices, parfaitement absurdes, de contrôleurs des paraphes des registres. Par rôle de 1710, ils ont été taxés à 48 000 livres. Le traitant a envoyé des suisses en garnison, notamment chez le juré Meunier, rue Saint-Denis, du 23 juin au 15 juillet. Meunier refuse de s'incliner. Le 15 juillet, à sept heures du matin, sa boutique est assiégée par quarante suisses, huissier en tête, suivis d'une charrette vide pour l'enlèvement de ses meubles. Cette action crée un tel embarras rue Saint-Denis qu'on n'y peut passer jusqu'à dix heures. Finalement force reste à la loi : les meubles du juré-pâtissier sont entreposés jusqu'au soir près du pont Saint-Michel ; il consigne cinq cents livres chez un notaire pour les récupérer.

Pour mieux expliquer cette résistance, soulignons qu'on a déjà réuni sous la contrainte à la communauté des pâtissiers des offices de jurés, d'auditeurs des comptes, de trésoriers, de contrôleurs pour la milice et les poids et mesures, soit un emprunt forcé de 84 000 livres. Les intéressés ont fait intervenir le dauphin en leur faveur[1].

***

Le traitant Lenormand — que l'opinion considère comme l'âme damnée de d'Argenson — est surnommé « des arts et

1. Arch. nat. G^7 1727, 28 juillet 1711.

métiers» par le nombre d'affaires de finances concernant ce secteur réalisées à son initiative. Cet homme exécré rencontre une telle résistance dans le recouvrement des traités qu'il est bientôt couvert de dettes et doit, à partir de 1708, solliciter du pouvoir des arrêts de surséance interdisant à ses débiteurs d'attenter à sa personne et à ses biens[1].

D'une façon générale, on le voit, et dans la faible mesure où il peut freiner un pouvoir qui fait flèche de tout bois pour poursuivre la guerre, l'action de d'Argenson est plutôt modératrice. Il estime en 1708 qu'il serait « fort à désirer que les nouvelles impositions se réduisissent en fermes et ne fussent pas attachées à des offices qu'on ne vend jamais qu'à vil prix ou à des titulaires supposés. Le roi tirerait par ce moyen une augmentation de revenus sans aucun retranchement et le public pourrait espérer que la paix l'affranchirait un jour de ces nouvelles redevances, au lieu que des créations d'offices héréditaires et perpétuels ne lui laissent aucune espérance[2]. »

Lorsqu'il est question, sur proposition de Lenormand, d'un nouveau traité tendant à confirmer les marchands et artisans dans une maîtrise rendue héréditaire (juin 1710), d'Argenson s'écrie : « Il est surprenant qu'on pense à tirer de nouveaux secours de ces communautés, dans le temps qu'on est obligé de suspendre le recouvrement de plusieurs millions qu'elles doivent encore et de les protéger contre les justes poursuites de leurs créanciers. Par déclaration de 1709, qui leur a réuni encore de nouvelles charges, ne leur a-t-on pas promis de ne lever sur elles aucune somme nouvelle durant cette guerre ? »

***

Les innombrables offices ainsi créés à partir de 1689 et multipliés après 1700 n'ont pas seulement pour effet d'appauvrir les communautés et de transformer les corporations en viviers

1. Arch. nat. G[7] 1728, 9 avril 1712.
2. d° G[7] 1725.

fiscaux[1]. Ils font aussi surgir une armée de fonctionnaires privés, qui achèvent de donner à la France du Grand Siècle finissant un visage nouveau.

Un historien se félicitait autrefois que les administrations centrales de la monarchie fonctionnassent avec un personnel très restreint : treize personnes, par exemple, assistaient Pontchartrain au contrôle général des Finances ; sous leur autorité se trouvaient placés douze bureaux, avec quelques dizaines d'employés. Mais cette économie apparente de personnel en haut avait pour contrepartie, en bas, une multitude de commis des fermes et des traités : 36 000 pour la grande et la petite gabelle, plus de cent mille officiers, des milliers de commis, de contrôleurs, de compteurs, de vérificateurs, d'inspecteurs, de mesureurs, de greffiers, d'archivistes, de gardes, etc.

Cette étatisation indirecte généralisée, combinée avec la dépréciation de la monnaie, ne pouvait manquer d'entraîner une hausse redoutable des prix et des services.

Le bois de feu, en 1715, coûte moitié plus cher qu'en 1695, bien que le prix des taillis ait décru de 60 à 40 livres l'arpent. La voie de charbon passe entre-temps de 2 livres 12 sols à 5 livres, la livre de chandelle de 8 à 12 sols, la location journalière d'un cheval de 2 livres 10 sols à 3 livres 10 sols.

La classe laborieuse subit durement le poids de cette inflation : le salaire mensuel d'un compagnon fondeur n'est relevé que de 30 à 36 livres, celui d'un commis meunier de 24 à

1. Il existe, dans les archives du contrôle général des Finances ($G^7$442) un précieux état du produit annuel des droits des officiers de Paris, dressé vers 1712, qui montre l'importance des contributions exigées des communautés. Voici ce produit annuel : Mouleurs de bois 320 000 l. Aides-mouleurs 160 000 l. Chargeurs de bois 156 000 l. Contrôleurs des quantités 64 000 l. Chargeurs et contrôleurs de charbon 105 333 l. Chargeurs de foin 133 333 l. Anciens et nouveaux vendeurs de vins 98 666 l. Jaugeurs de vin 96 000 l. Courtiers de vin 72 000 l. Rouleurs de vin 67 333 l. Auneurs de toile 68 666 l. Metteurs à port 86 666 l. Gardes de nuit 66 666 l. Jurés crieurs de corps 53 333 l. Vendeurs de marée 72 000 l. Mesureurs de blé 68 000 l. Porteurs de blé 113 333 l. Planchéeurs 40 000 l. Mesureurs de sel 30 000 l. Porteurs de sel 30 000 l. Empileurs 33 333 l. Déchargeurs de bois 16 666 l. Contrôleurs de bois carré 16 666 l. Contrôleurs de volailles 300 000 l. Contrôleurs de porcs 20 000 l. Soit, au total 2 288 000 l.

30 livres. Les rentiers ne sont guère mieux partagés : « Tout ce qu'il y a de gens à Paris, expose un placet anonyme de 1713, se plaignent de la difficulté d'y subsister par les grands droits qui sont dessus toutes sortes de denrées et la manière de les percevoir, dans le temps qu'ils sont privés de toucher ce que le roi leur doit pour leurs rentes et gages[1]. » La petite noblesse souffre profondément. Témoin la comtesse de Vignacourt, réduite à une extrême misère et n'ayant pour toutes ressources, en 1710, que des ordonnances de l'épargne impayées depuis... 1655 ! Veuve d'un ancien ambassadeur du roi ayant commandé l'armée de Catalogne, elle loge à Paris « dans une espèce de grenier, mourant de faim, avec seulement une livre de pain par jour[2] ».

***

A la vie chère s'ajoute la raréfaction des denrées de première nécessité. Le bois de chauffage, on l'a vu, devient difficile à trouver après 1710. Des épizooties détruisent le bétail de façon massive. En 1701, un arrêt défend la vente des agneaux pour tenter de reconstituer le cheptel ovin. Le terrible hiver de 1709 entraîne, à nouveau, une diminution considérable du troupeau, et il faut une fois de plus, interdire de tuer les agneaux. En 1714, d'autres épizooties déciment les bovins. L'intendant Bignon note à l'époque la présence de la peste bovine à Vézelay, de la « petite vérole pourprée » à Nemours, du charbon à Rozoy-en-Brie. Dans le Tonnerrois, le cheptel est anéanti ; à Sens, il en périt tant qu'on a grand-peine à l'enterrer profondément. Toutes les foires sont suspendues[3].

Il faut, en février 1716, taxer les viandes de bœuf, de veau et de mouton, à 8 sols la livre pour les morceaux de choix et 7 sols pour les autres, ce qui suscite aussitôt un marché noir de la boucherie.

1. Arch. nat. G[7] 440.
2. d° G[7] 1726, 29 janvier 1710.
3. d° G[7] 441, 26 août 1714.

Des monopoles, accordés moyennant finance, risquent d'accroître encore le désordre des prix. En 1712, la marquise de Béthune ne croira pas déchoir en sollicitant l'établissement, à Paris, d'un échaudoir banal pour cuire, à l'exclusion de tous autres, les abats de bœuf, vache, mouton et brebis, ce qui lui rapporterait de 12 000 à 15 000 livres par an. D'Argenson écarte ce projet de la marquise tripière d'une plume acerbe : « Il ne serait ni prudent ni juste, dans cette conjoncture, de charger une marchandise que le peuple considère comme sa nourriture principale et dont une infinité de pauvres femmes, la plupart inquiètes et séditieuses par tempérament, se sont fait un commerce particulier[1]. »

En revanche, on accordera un monopole du commerce du charbon de terre, un autre du thé, du café et du cacao en 1692 — qui devra, devant des protestations unanimes, être révoqué l'année suivante —, un autre encore de la glace, octroyé pour la France entière à Louis de Beaumont en 1701, pour 1 100 000 livres. Ce dernier, lui aussi, sera révoqué en 1708 à cause du préjudice infligé non seulement aux propriétaires de glacières, mais au public[2].

Cette contribution à la misère générale, les traitants la paieront cher, après la mort de Louis XIV, devenu affreusement impopulaire et qu'il faudra, comme chacun sait, enterrer de nuit, clandestinement, comme un malfaiteur, tant on craindra l'hostilité des petites gens.

Déjà, peu avant son décès, le roi devra, sous la pression de l'opinion publique, supprimer en mai 1715 une centaine d'offices créés « sur les ports, quais, halles et marchés de Paris depuis le 1er janvier 1689 », et réduire les droits attachés à ceux-ci, qui « fatiguaient également marchands et bourgeois par la multiplicité des bureaux, causaient une augmentation considérable du prix des denrées et étaient très préjudiciables au commerce ». Les autres droits, simultanément abaissés de 25 %, seront déromais perçus en régie par la Ville.

1. Arch. nat. G7 441, Gr 1728, 12 juillet 1712.

2. Arch. nat. G7 21663.

Quant aux traitants, ils connaîtront leurs « grands jours » sous la forme de la chambre de justice de 1715. Plus de deux mille d'entre eux seront arrêtés, condamnés à de lourdes amendes et à la confiscation de leurs biens[1]. Le Parlement, qui détestait d'Argenson, cherchera à l'atteindre en incarcérant Lenormand le 20 mars 1716, ainsi que l'exempt Pommereu.

* * *

Le grand négoce sort de cette sombre période fort diminué, et délaissé comme comportant trop de risques.

Un mémoire au régent de Pelletier, député de Paris au conseil du commerce, le dit, aux alentours de 1716, « tombé dans un mépris universel ». Afin de le relever, on doit, comme outre-Manche, permettre aux nobles de négocier en gros sans déroger, estimer et encourager les marchands, réclamer des fermiers généraux plus d'humanité et d'honnêteté, obtenir que leurs commis soient polis et « cessent d'insolenter tout le monde », faire en sorte qu'ils perçoivent les droits avec douceur, évitent saisies et mauvais procès lorsqu'il s'agit, dans les déclarations, « d'omissions de pur hasard ou involontaires ». Ces commis gagneraient enfin à respecter des horaires précis sous peine de révocation, et à ne plus réclamer de pots-de-vin « sous prétexte de prompte expédition ».

Pelletier suggère à cette occasion le retour à la liberté des transports, car les privilèges exclusifs « sur le fait des voitures » portent un grave préjudice aux échanges : ce sont, dit-il, des « monopoles oppresseurs et ruineux », grâce à quoi « un petit nombre de traitants, qui entreprennent tout, s'engraissent en gênant le public, en le forçant à subir des conditions chagrinantes et coûteuses ».

Les taxes postales sont devenues insupportables : chaque sol supplémentaire perçu en dehors du tarif est maintenant inadmissible, eu égard au mauvais état du commerce. Alors que le port d'une lettre constituée par une simple feuille de papier

1. Voir J. Saint-Germain : *Les Financiers sous Louis XIV.*

pliée et scellée devrait coûter trois sols et celui d'une « lettre enveloppée » quatre sols, les commis en demandent couramment cinq ou six. Quant au port des colis, il donne lieu à « un vrai pillage ».

Pelletier souhaite enfin la cessation de tout monopole assorti d'un privilège, le paiement convenable des commis lesquels, partiellement payés de leurs gages, « sont contraints de friponner », le rappel aux règles d'honnêteté des inspecteurs des manufactures, trop souvent corrompus[1].

Après tant de contraintes fiscales, d'inquisitions inutiles, de vexations, de traités de finances, de privilèges abusifs, un grand vent de liberté souffle désormais sur la France. Il ne cessera d'agiter les esprits jusqu'en 1789.

1. Bibl. nat. Manusc. français 8038.

CHAPITRE XV

DÉGRADATION DU SENTIMENT RELIGIEUX

L'IMPORTANCE du clergé, quant à ses effectifs et à ses biens de mainmorte, demeure considérable à la fin du Grand Siècle. Un de ces « états de la France», recensements approximatifs auxquels on ne doit accorder que la signification d'un ordre de grandeur, mentionne en 1702, pour une population masculine d'environ 20 millions d'habitants, 18 archevêques, 100 évêques, 140 000 curés, 12 400 prieurs et 15 200 chapelains attachés au service des châteaux, soit pour l'ordre séculier seul, près de 168 000 personnes. Les renseignements relatifs aux réguliers sont moins complets : on sait cependant que, parmi les moines ou assimilés, il en est 36 500 de rentés, c'est-à-dire titulaires d'un bénéfice, et que, parmi les très nombreux ordres, on compte 21 000 franciscains, capucins et récollets, 9 500 carmes, jacobins et augustins, 2 500 minimes, 500 ermites, enfin 82 000 religieuses.

Au total, le nombre des prêtres et religieux doit atteindre 330 000 à 350 000 ; en outre, sur le plan temporel, l'Église possède 9 000 « places, châteaux ou maisons ayant haute et basse justice», ainsi que 25 000 fermes et métairies[1].

Cette énorme puissance morale, humaine, matérielle a parfois mal résisté, elle aussi, aux causes de dégradation qui

1. Bibl. nat. Manusc. Fonds Clairambault 490, f° 17. Selon Georges GUITTON, *Le P. de la Chaize, confesseur de Louis XIV*, l'ensemble des biens d'église représentait au moins le dixième de la superficie du royaume. Les chiffres mis en avant par cet auteur, quant aux effectifs religieux globaux (135 000 personnes) semblent très sous-évalués.

se sont accumulées depuis la Renaissance : lutte contre le protestantisme, le jansénisme et autres déviations, montée de l'esprit de libre examen, désaffection d'une partie notable des masses ouvrières, révolte des cadets de familles nobles — ou de nombreuses filles ou jeunes femmes — contraints d'entrer en religion, influence d'une propagande étrangère anticatholique, perversion morale suscitée par des guerres épuisantes, la misère des temps ou le luxe des financiers.

On pourrait croire les séculiers plus soumis que les réguliers à ce vent d'irréligion, de critique ou de violence qui souffle de tous côtés. Il n'en est rien. Ni la clôture, ni les règles tutélaires des ordres les plus stricts, ni la plus austère discipline, n'ont pu toujours protéger les moines contre le relâchement des mœurs qui marque cette période de transition, et que Louis XIV, ulcéré, inquiet, s'efforce vainement d'endiguer.

En 1701, un incident significatif survient, à Paris, au monastère des Petits Pères, proche de la place des Victoires, qui abrite les ermites déchaussés de Saint-Augustin. Le frère de Saint-Barthélemy a rompu ses vœux et quitté l'habit pour l'épée, entraînant dans l'armée quelques moines de ses amis. D'Argenson, saisi de l'affaire, propose d'arrêter le principal responsable et de le rendre à son monastère. Le secrétaire de Louis XIV répond : « Le roi veut bien que vous le fassiez arrêter et le rameniez, mais s'ils sont (ainsi que vous le dites) si peu soigneux de renfermer un tel religieux, à quoi servira la peine que vous vous serez donnée, s'ils le renvoient ? Je croirais donc qu'il conviendrait mieux que vous obligeassiez ses supérieurs de procéder contre lui, suivant leurs formes et la constitution de leur ordre[1]. » D'Argenson approfondit alors ses investigations et apprend des faits d'une telle gravité que le roi nomme une commission d'enquête, dont les travaux serviront de base à un arrêt du Conseil d'État de juillet 1706.

1. Arch. nat. O[1] 362, 30 août 1701.

Les commissaires constatent, dans les monastères de l'ordre, « une déchéance presque entière des constitutions et de l'observance régulière ». Les supérieurs et, à leur exemple, un grand nombre de religieux, ont cessé depuis longtemps d'assister aux offices, tant de jour que de nuit. Entre moines s'est instaurée une « division ouverte » : certains insultent ou menacent leurs supérieurs et sont animés par un sourd esprit de révolte. Les mœurs sont dépravées : méprisant la règle de la clôture, on sort et on rentre sans permission, à toute heure de la nuit, empruntant pour ce faire de « petites portes suspectes ». Les supérieurs ne craignent pas d'introduire des femmes, de leur servir des repas dans le « réfectoire et autres lieux intérieurs », et de les y garder la nuit. Les jeunes religieux entretiennent eux aussi un commerce libre avec les personnes du sexe. Ils ont, de propos délibéré, changé « la matière et la forme » de leur vêture traditionnelle, portant désormais du linge, des bas, des souliers, un chapeau, possédant aussi des meubles, lits ou ornements domestiques incompatibles avec leur état. Les jeux de hasard sont de pratique courante.

L'arrêt de 1706 réagit, mais bien tard, contre ce relâchement, édictant de nombreuses sanctions individuelles, exigeant la fermeture du cloître à la nuit tombée et la remise de toutes les clefs au prieur. Des peines sévères sont prévues pour le cas où des femmes enfreindraient l'interdiction d'accès. Avec elles, on ne pourra plus conférer sous le vestibule de l'église ou à l'entrée de la sacristie, mais seulement au parloir et pas après 20 heures en été ou 17 heures en hiver. L'obligation d'assister aux offices est rappelée, le chant rétabli, tandis qu'on prohibe l'usage du « serpent et autres instruments de musique ». On devra faire silence au réfectoire et y reprendre la lecture des évangiles. Des menuisiers démontent ou détruisent lambris dorés, plafonds ouvragés, parquets luxueux ; on déménage les chaises en bois précieux, les tableaux à cadres raffinés, les pendules : ces superfluités seront vendues à l'encan ; avec les fonds obtenus, on murera les portes dérobées.

Enfin et surtout, les moines devront redevenir de vrais moines : laisser pousser leur barbe, avoir les pieds nus dans leurs sandales, ne pas porter de chapeaux cachant la tonsure, ne pas se servir de robe de chambre, sauf à l'infirmerie, et dans ce cas, de couleur noire. On ne leur donnera qu'un habit tous les deux ans, un manteau tous les quatre ans.

Personne ne percevra plus de pension individuelle provenant des familles : elles tomberont dans la masse commune[1].

Comment s'étonner, alors que de pareils faits peuvent être constatés en plein Paris, qu'un chartreux apostat, dom Prévot, se soit abandonné à la débauche ou que le carme Gaugnot ait fait scandale, quittant et reprenant plusieurs fois l'habit, puis y renonçant pour toujours pour « courir le pays avec des scélérats et des femmes de mauvaise vie » ? Ce ne sont là, certes, que des faits assez exceptionnels, mais ils attestent une singulière évolution.

***

Passons maintenant aux séculiers, les plus exposés aux tentations du monde.

A tout seigneur, tout honneur : en 1702, le roi demande à d'Argenson d'enquêter discrètement sur la conduite de l'évêque de Gap, Hervé, qui prolonge son séjour à Paris. Fils d'un conseiller à la grand-chambre, il est parvenu à l'épiscopat par ses missions et une vie austère : mais, vers la cinquantaine, il « craque », s'abandonne aux femmes faciles, à une vie de débauche ouverte. « La dégringolade fut rapide et affreuse », dit Saint-Simon.

On tente, pour éviter le scandale, de faire intercéder auprès de lui de grands prélats, ses amis, avec mission de ramener la brebis égarée. Peine perdue : il est tombé dans le vice, s'y trouve comme un poisson dans l'eau et entend y demeurer. Le fameux cardinal Le Camus, de Grenoble, l'adjure de s'amender : « Monseigneur, répond-il avec impudence, toute la différence qu'il y a entre vous et moi, c'est que vous avez commencé par où je finis et que je finis par où vous avez

1. Bibl. nat. Manusc. Fonds Clairambault 502, f° 64 et suivants ; arrêt du Conseil du 7 juillet 1706.

commencé, mais je le trouve si bon que je suis étonné de ne m'y être pas mis plus tôt et que je regrette d'avoir tant perdu de belles années que vous avez employées mieux que moi. »

Afin d'établir de solides preuves de cette « forcenerie » — bien joli mot de Saint-Simon —, la police mobilise ses plus fines « mouches » ; ces indicateurs n'ont aucun mal à constater que l'écuyer de l'évêque introduit chaque jour dans sa demeure des femmes « très suspectes, coëffes baissées », comme la Louison, chanteuse. Elles y passent la nuit.

Ce dérèglement étant public, le roi décide en mars 1702 d'exiler le prélat à Condom, en vue « principalement, de le mettre sous les yeux d'un évêque dont les bons exemples et les avis puissent lui être très utiles ». L'évêque ainsi que l'intendant devront observer sa conduite et en référer de temps en temps[1].

M. de Gap, hélas, ne s'amende pas : il entretient bientôt commerce, la nuit, avec une fille venue le retrouver déguisée en homme ; l'éclat de ce scandale provincial parvient au roi, qui débarrasse en novembre 1702 l'évêque de Condom de son prisonnier, dont la maîtresse sera, si l'évêque le juge opportun, enfermée pour un temps à l'hôpital local, mais « discrètement et en évitant tout scandale[2] ». Où cacher désormais au monde les frasques de M. de Gap ? Problème d'autant plus difficile à résoudre que celui-ci, plein de suffisance, n'entend se déplacer qu'avec son écuyer, dix valets, et autant de chevaux !

On songe d'abord à l'abbaye bretonne de Prières, lieu d'asile discret et d'autant plus indiqué qu'entre-temps le relégué a fulminé et diffusé des pamphlets contre le cardinal de Noailles, en Guyenne et en Languedoc, notamment parmi « MM. des États ». L'abbé de Prières décline ce périlleux honneur : il vient de faire démolir des bâtiments et ne saurait loger tant de monde. Le roi se rabat sur l'abbaye de Redon, non sans demander au préalable à l'évêque local si « la régularité y est observée de manière à pouvoir édifier le prélat, qui a grand besoin du bon exemple ».

1. Arch. nat. 0[1] 363, 12 mars 1702.
2. d° 0[1] 363, 22 novembre 1702.

***

L'évêque de Gap, privé de personnes du sexe, ne craint pas de se plaindre au roi du nouveau déménagement qu'on lui impose et du renvoi de son cher écuyer, menacé d'arrestation s'il n'obtempère. « J'ai rendu compte de votre lettre, écrit le secrétaire de Louis XIV, mais votre conduite a si fort indisposé le roi contre vous que je n'ose vous promettre de pouvoir effacer les impressions que S. M. en a pris ; vous êtes bien à plaindre de vous être si fort égaré[1]. »

On écrit en novembre 1703 à l'intendant Nointel que l'évêque, loin « de rentrer dans son état, continue à mener une vie dissipée à Redon », ce dont le prieur est excédé. Pour éviter au pécheur endurci « les occasions », on va le changer une fois encore de monastère et l'envoyer à Saint-Michel-en-l'Herm, en Vendée, où il devra se rendre « par le plus court chemin » ; s'il résiste, on l'y conduira « d'autorité ». Une lettre à l'évêque de Luçon expose que M. de Gap mène toujours « une vie très suspecte d'attachement au sexe » et qu'il ne devra sortir sous aucun prétexte de l'enclos de l'abbaye ; le prieur est averti de son côté qu'« il s'est rendu fort difficile à Redon pour son logement ». On ne doit pas s'en soucier : « Il vous fera apparemment les mêmes difficultés, mais comme, pour ne point sortir, il ne faut ni grands équipages ni grands appartements, S. M. veut qu'il se contente de ce que vous pourrez lui donner[2]. »

Un mois et demi plus tard, à la surprise indignée du roi, l'évêque flâne encore à Redon, prétextant l'insuffisance des locaux de Saint-Michel-en-l'Herm. Qu'il parte immédiatement, sinon on prendra des mesures plus sûres ! Saisi de nouvelles récriminations, le secrétaire du souverain répond : « Je m'intéresse trop à ce qui vous regarde pour lire au roi la dernière lettre que vous m'avez écrite. Certainement S. M., voyant la continuation de votre désobéissance sur des prétextes aussi

1. Arch. nat. 0[1] 364, 3 et 14 janvier, 23 février, 17 mars 1704.
2. Arch. nat. 0[1] 364, 7 novembre 1703.

frivoles, ne manquerait pas de prendre contre vous quelque résolution qui vous serait désagréable. Croyez-moi, mettez-vous incessamment en chemin[1].»

Le 30 janvier 1704, M. de Gap parvient enfin à destination et le roi, avec un curieux mélange de respect pour le titre et de pitié pour la personne, l'autorise, pour sa santé, à « user des promenades ordinaires des religieux de Saint-Michel-en-l'Herm, en observant de n'y aller qu'avec eux». Le prisonnier se moque des consignes : il part au loin à cheval ou en carrosse, accompagné d'un seul religieux comme chaperon. Qu'il s'en tienne aux promenades de récréation au bord de la mer ! Qu'on écarte la femme de son postillon, écrit le secrétaire du souverain au prieur, car l'incandescent évêque a causé un nouveau scandale avec elle.

De guerre lasse, le roi écrit qu'il « serait en droit et en volonté de lui demander sa démission, sans rien lui donner d'équivalent» ; à la cour, friande de potins, on parle d'ailleurs aussi « à présent d'une femme du bourg de Saint-Michel qui n'est pas moins scandaleuse». Le prieur, on s'en doute, est vite excédé, comme ses prédécesseurs, de la désinvolture de son hôte, qui occupe l'infirmerie, trouble la communauté et dont les gens se couchent à des heures indues.

*
* *

Entre-temps, voulant parer à un coup bas du pouvoir, M. de Gap délègue dans son siège épiscopal l'abbé de Rians, son neveu, en qualité de grand vicaire.

La vie des moines de Saint-Michel-en-l'Herm devenant impossible, on envoie l'indésirable à Luçon, chez les jésuites, « gens sages et raisonnables». L'évêque, peu soucieux de leur compagnie, prend pension dans une hôtellerie ! Aussi l'expédie-t-on à l'abbaye de Nouaillé, près de Poitiers, dont le site agreste n'apaise malheureusement point ses passions.

1. Arch. nat. 0^1 365, 8 janvier 1704.

Le roi semble maintenant décidé, non à le destituer — il n'en a pas le pouvoir —, mais à l'obliger à démissionner. Il lui fait écrire plusieurs lettres sur ce thème : « Dans l'opinion où vous devez être de ne pouvoir jamais faire dans votre diocèse aucun bien après ce qui s'est passé dans le monde sur votre sujet, vous devriez prendre une bonne résolution de changer votre état. S. M. vous mettrait en position de ne point vous repentir »... « La démission de votre évêché serait la chose la plus désirable par rapport à tout ce qui s'est passé », mais « la voie du coadjuteur (l'abbé de Rians) n'est point du goût de S. M.[1] ».

L'extravagant évêque accepterait, à la rigueur, de se démettre, mais comme il n'est pas demandeur, il entend négocier au mieux. Le secrétaire du roi l'y incline d'ailleurs habilement. « Quand il vous plaira que je parle à S. M., je présume que je serai écouté et même j'ose assurer que je ne trouverai pas de grandes difficultés à vous procurer un dédommagement avantageux. Mais il faut pour cela que vous me disiez à cœur ouvert quelles sont vos vues, ce que votre évêché vous vaut toutes charges faites, ce que vous désireriez au moins et ce que vous souhaiteriez au plus[2]. »

En avril 1705, on transmet au P. de la Chaize une lettre de l'évêque, enfin consentant semble-t-il, mais sous des conditions « à examiner ». Lorsqu'on communique ces conditions à M. de Gap, il fait la moue. Abandonner un siège épiscopal pour un si maigre potage ? On se moque de lui. Le secrétaire du roi, toujours tentateur, le gourmande : « Vous avez perdu la plus belle occasion du monde, car il y aurait eu ici (à Versailles) de quoi vous contenter à la distribution qui a été faite à Pâques, outre qu'on aurait pu vous établir une pension sur l'archevêché d'Auch ou sur quelques-uns des évêchés qui ont été donnés. Il y avait encore de bonnes abbayes qui auraient pu vous convenir. »

1. Arch. nat. 0^1 365, 30 janvier, 27 février, 8 mai, 16 et 23 juillet, 20 et 29 août, 17 septembre, 18 octobre, 12 novembre, 3 décembre 1704.

2. d° 0^1 366, 4 février 1705.

*
* *

Louis XIV n'aime guère qu'on lui résiste, surtout longtemps : on refuse à M. de Gap la permission de se rendre pour quelques jours dans son diocèse et on mande à l'évêque de Poitiers de l'inciter à « envoyer généreusement sa démission et à se remettre entièrement aux bontés du roi ».

La négociation reprend donc ; le P. de la Chaize examine à nouveau le dossier du pénitent, auquel le secrétaire de Louis XIV donne courage : « Vous connaissez le roi, il fait toujours bien les choses. »

M. de Gap, décidément fort roué, refuse à nouveau les propositions du pouvoir et l'on s'en indigne à Versailles : « M. de Gap doit envoyer sa démission pure et simple sans plus de délai et attendre avec confiance l'effet des bontés de S. M. C'est ainsi qu'on doit en user avec un aussi grand roi et un aussi bon maître[1]. »

Cette comédie s'achève en novembre 1705 ; l'évêque démissionne, mais avec, en annexe à sa lettre, un mémoire sur ses prétentions, jugé peu convenable. Moyennant la promesse de se mieux conduire, on lui donne ses bulles ; il obtiendra, en échange de son évêché, le bénéfice de la dômerie d'Aubrac qui vaut 25 000 livres, soit 10 000 livres de plus qu'il n'avait auparavant ! En attendant que tout soit signé, on le laisse se morfondre à Nouaillé, d'où une lettre de cachet le tirera seulement le 28 avril 1706. Selon la formule classique : « S. M. vous verra dorénavant avec plaisir », il rentre en grâce, mais ne pourra jamais retourner à Gap[2].

« Quoique sa déposition fût canonique et sûre si le roi l'eût voulu, écrit Saint-Simon[3], la cérémonie d'un concile provincial et le grand éclat[4] réduisirent le roi à capituler avec lui... Il (eut) la permission d'être à Paris tant qu'il voudrait, dont il

1. Arch. nat. 0^1 366, 1er et 15 avril, 27 mai, 30 septembre, 14 octobre, 4 et 18 novembre 1705.

2. d° 0^1 366, 7 avril 1706.

3. Dans les « Additions » à ses *Mémoires*.

4. Suscité, à Gap, par le coadjuteur de l'évêque en faveur de son oncle.

usa avec son même scandale, et allait même effrontément à la cour, où il contait fleurette aux dames en passant. Devenu fort vieux, Dieu le toucha. Il se retira, travailla à des missions avec des capucins en province et finit avec beaucoup de repentir de ses dérèglements. »

***

Louis XIV, dans toute cette affaire, s'est beaucoup plus préoccupé de la forme que du fond : s'il exile, c'est par peur du scandale, s'il promène son prisonnier de couvent en couvent, c'est à cause de ses éclats, s'il l'absout et le laisse à ses dérèglements, c'est parce qu'il démissionne : l'homme, son âme, son destin, n'ont guère de place dans la pensée du roi qui, en accordant beaucoup plus à M. de Gap qu'il ne le mérite, octroie une prime au pécheur pour s'en débarrasser.

La même crainte de l'éclat et du scandale manquera d'être fatale à l'illustre Massillon.

Nous sommes à la fin de 1705 : Massillon, âgé de quarante-deux ans, est au sommet de sa gloire. Entré à l'Oratoire en 1681, devenu directeur du séminaire de son ordre, il a prêché le carême à Notre-Dame et l'avent à Saint-Honoré en 1702 puis, les années suivantes, à Saint-Germain-en-Laye devant le roi d'Angleterre et à Versailles devant Louis XIV et la cour ; Massillon est un orateur direct, brutal, ferme et courageux. « Depuis longtemps, s'écrie-t-il à Versailles en flétrissant la passion des financiers pour le luxe, les spectacles et le jeu, on prétend dans le monde que ces équipages pompeux, ces édifices superbes, cette opulence domestique sont le bien de la veuve et de l'orphelin : que vous avez élevé votre fortune sur la misère publique et qu'une prospérité si prompte n'a pu être innocente ; le monde lui-même est blessé de vos profusions et ne vous regarde plus qu'avec une sorte d'indignation et de mépris. » S'adressant la même année aux grands, Massillon leur dit : « Nous vivons dans des temps où la foi de plusieurs a fait naufrage ; où une affreuse philosophie, comme un venin mortel, se répand en secret et entreprend de justifier les abominations et les vices contre la foi des peines et des récompenses futures.»

Bien que Louis XIV suive assidûment ses sermons, bien que Massillon soit devenu — comme d'usage — la coqueluche des dames et le héros du jour (« Ce qu'il dit est d'une finesse, d'une délicatesse qui charment, qui attachent, qui enchantent. Jamais, non, jamais ma chère amie, tes oreilles n'ont entendu pareil orateur[1] »), le grand prédicateur choque les gens en place, à qui sa sévérité apparaît excessive. Il a dit trop de vérités dans ses sermons sur le *Petit nombre des élus* et sur les *Vices et vertus des grands* pour qu'on les lui pardonne. Non seulement il ne paraîtra plus à Versailles, mais il sera victime d'une campagne de rumeurs et de calomnies. Mme de Maintenon, versatile et prudente, l'a brusquement abandonné. « Je crains bien, écrit-elle à Mme de Caylus, que vous ne vous trompiez sur le P. Massillon ; je serais ravie qu'il ne fût pas janséniste.» En sous-main, on l'accuse ainsi d'appartenir à la « secte ».

Mais on ira plus loin encore pour le perdre, l'attaquant, cette fois, dans ses mœurs ; l'état d'esprit que dénotent ces perfidies est un précieux témoignage de l'immoralité du Grand Siècle finissant.

***

Massillon se rend de temps à autre, pour s'y reposer, au château de Saint-Mesmes, près de la résidence des Oratoriens de Raray où « la science, l'éloquence et l'amitié se tendent également la main ». Le château appartient à une vieille famille, les L'Hospital. M. de l'Hospital, vice-président de l'Académie des sciences, mathématicien renommé, notamment auteur en 1696 d'un mémoire sur *l'analyse des infiniments petits pour l'intelligence des lignes courbes*, est mort en 1704, l'année des terribles sermons de Versailles. Sa veuve, née de Romilly de la

1. Lettre de la comtesse de la Rivière à la comtesse de Neufpont, 13 avril 1704, citée par l'abbé L. PAUTHE : *Massillon*, Paris, 1908.

Chesnelaye, est fort jolie, remarquablement intelligente et de deux ans la cadette de Massillon, son directeur de conscience.

Mme de Sévigné, la première, a aperçu le danger et pressenti la haine de la cour, où les prédicateurs « sèment souvent dans une terre ingrate ».

Bien qu'il soit le plus souvent accompagné du P. de Malebranche à Saint-Mesmes, on murmure qu'il existe des liens secrets entre Massillon et Mme de l'Hospital. Les nouvellistes, alléchés par l'espoir d'un scandale, s'emparent aussitôt de ces ragots, ainsi que les auteurs de chansons satiriques ou les hommes d'esprit. Massillon, fort de sa vertu, leur répond dans un sermon du carême 1704, qui dut être écouté avec une attention passionnée : « Les traits de la médisance ne sont jamais plus vifs, plus brillants, plus applaudis dans le monde que lorsqu'ils portent sur les ministres du saint autel. Le monde a pour eux des yeux plus censeurs et une langue plus empoisonnée que pour le reste des hommes. »

D'Argenson, chargé par le roi d'une enquête secrète, la conclut par ce rapport net, courageux et fort habile de décembre 1705 :

Je sais qu'on a censuré les assiduités du P. Massillon pour Mme la marquise de l'Hospital, qu'on a blâmé leur séjour à la campagne et que la critique médisante a porté ses soupçons jusqu'aux conséquences les plus criminelles : mais, s'il n'y a pas dans cette idée une noirceur maligne et une affectation étudiée, il y a du moins une grande inconsidération et encore plus de témérité.

Je crains même que la recherche curieuse qu'on ferait de cette prétendue intrigue — où il n'y a tout au plus qu'un peu d'imprudence — ne fût une espèce de crime.

J'ajouterai que cette information (quelques précautions qu'on prît pour la rendre secrète) ne pourrait jamais l'être assez pour ne pas exciter chez les domestiques de Mme de l'Hospital du murmure et du scandale, dont les libertins triompheraient, au grand préjudice de la religion, que ce grand prédicateur a non seulement prêchée, mais édifiée en tant de manières. Ainsi, quand il serait coupable (ce que je suis bien éloigné de présumer), je croirais qu'il y aurait beaucoup moins d'inconvénient à dissimuler sa faute qu'à l'approfondir et qu'il n'importe pas moins à la tranquillité publique, et par conséquent à l'intérêt du roi, qu'à l'honneur et à la gloire de l'Église, de mépriser cette accusation, qui ne saurait être punie trop sévèrement si elle est calomnieuse, et dont il serait impossible d'établir la preuve, quand il y aurait quelque fondement : ce qui résiste également à la vraisemblance générale et à ma prévention particulière[1].

L'intervention du lieutenant général de police, son refus motivé d'entreprendre une enquête vouée par avance à l'odieux et à l'insuccès, auront une influence décisive sur l'esprit du roi, qui prendra ouvertement la défense de Massillon contre certains de ses détracteurs de la cour.

Il n'en demeure pas moins, en dernière analyse, que la peur d'un scandale, et elle seule, retiendra Louis XIV, alors que la justification publique d'un homme vertueux — et dont la vertu sera même louée par Saint-Simon, plutôt méfiant en la matière ! — aurait eu une tout autre grandeur.

L'éclat des fautes, éclat qu'on reproche seul à l'évêque de Gap, et par terreur duquel on s'abstient peureusement de laver un Massillon innocent, va dominer la répression contre un clergé subalterne où ces fautes, sans être générales, apparaissent pour le moins fréquentes.

Nombre de prêtres à la foi vacillante vivent en effet ouvertement en état de concubinage. L'abbé d'Hautecour a eu trois enfants de sa servante, Marguerite Chéron. Plusieurs sentences de l'officialité l'ont condamné ; il en a appelé à Lyon, puis à Rome et garde toujours sa servante à Paris, « malgré les monitions pastorales du cardinal de Noailles ». L'affaire est si courante que la hiérarchie se contente de l'interdire et de le condamner à faire retraite quelques mois dans un séminaire. Il refuse d'obtempérer : on renferme Marguerite Chéron à l'Hôpital général. Mesure cruelle mais fréquente, on va le voir, qui fait retomber le poids de la faute sur la femme, et la sépare de ses enfants[2].

1. Bibl. nat. Manusc. français 8124, 11 décembre 1705.
2. d° 8123, 12 août 1700 et Arch. nat. 0^1 44, 18 août 1700.

Le prêtre Valmont, à sa sortie de séminaire, s'est mis en ménage avec Françoise Briand, l'a emmenée à Londres, puis aux Pays-Bas, où il a collaboré à la rédaction de *La Gazette de Hollande*. On arrête la malheureuse à Paris, enceinte de huit mois, et on l'enferme à l'hôpital avec ses trois enfants[1]. Geneviève Regnard, internée à la Salpêtrière en 1700, a vécu maritalement avec un prêtre pendant douze ans, lequel est, de son côté, détenu à Saint-Lazare[2].

A côté de ces situations, d'une relative régularité dans l'irrégularité, les cas de débauche pure et simple sont fréquents. Le père Fleurant de Brandebourg est appréhendé et l'on saisit, pour les ouvrir en sa présence, deux cantines qu'il avait expédiées par la voiture de La Rochelle. Elles sont « pleines de lettres de femmes mises en liasses » et de poèmes « d'une obscénité à exciter l'indignation des plus libertins ». Interrogé, le « religieux parle assez volontiers de son commerce avec les femmes. Il se pique même d'y avoir été heureux » et prétend avoir été du dernier bien avec la connétable de Calonne, l'ambassadrice de l'empereur auprès du pape, la reine douairière d'Espagne, bien d'autres encore. On saisit sur lui nombre de bijoux, des tabatières d'écaille, d'argent ou de vermeil, des miniatures gracieuses[3].

L'abbé Morin a été exilé de Paris à cause d'une maîtresse demi-folle, Mlle de la Maignaye ; il ne cesse de solliciter son retour. Le roi le lui accorde, mais « malheur à lui s'il est assez extravagant pour sacrifier un prieuré de quarante mille livres de rente à une fille qui n'a pour tout mérite qu'un nombre presque infini de créanciers, quinze ou vingt accusations criminelles, une longue suite de débauches et de friponneries, une habitude de colère et d'emportement qui va souvent jusqu'à la fureur, un esprit impétueux et indocile, un cœur faux, un visage de trente ou quarante années sans aucun reste d'agrément et même sans aucun trait de beauté[4] ».

1 et 2. Bibl. nat. Fonds Clairambault 984, f° 61 et suivants.
3. Bibl. nat. Manusc. français 8123, 26 septembre 1702.
4. d° 8124, 16 novembre 1703. Rapport de d'Argenson.

***

A l'Hôpital général, où les prêtres détenus sont nombreux, voici en 1715 l'abbé de la Motte le Mire, ancien vicaire de la paroisse Sainte-Opportune, chassé pour libertinage et interdit. « Son commerce criminel avec une femme de mauvaise vie qu'il disait être sa pénitente a, depuis, donné lieu à une lettre de cachet de M. de Pontchartrain. » Mais cette « infâme personne » s'est arrangée pour avoir, à l'Hôpital général, des liaisons avec d'autres femmes débauchées. Elles ont tant fait scandale « que M. le promoteur a lui-même désiré qu'on l'éloignât de Paris » ; on l'exile donc à Amiens, chez ses parents, pour un an. Douce pénitence !...

Débauché célèbre, le prince abbé de Montlaur est l'objet d'un excellent portrait de d'Argenson : « Il avait embrassé l'état ecclésiastique par des vues de libertinage ou d'intérêt. Son cœur, qu'un penchant malheureux portait à la débauche et que l'hypocrisie avait achevé de corrompre, s'est abandonné aux désordres les plus infâmes. Des personnes d'une prostitution publique occupaient une grande partie de son temps. Il buvait avec ses propres valets dans un cabaret à bière du faubourg Saint-Victor, et des crocheteurs ou des porteurs de chaise ont été quelquefois de ses parties. Il y passait les nuits entières avec des maîtresses de soldats aux gardes ou dans une ivresse presque habituelle. » Incarcéré, l'abbé parvient à s'enfuir, avec la complicité d'un de ses anciens amis de séminaire[1].

Curieuse figure, encore, que celle de l'abbé Laury, qui a abandonné le diocèse d'Avranches pour goûter les délices empoisonnées de la vie parisienne. « Il serait beaucoup mieux sous la vue de son évêque que parmi cette foule de libertins et de fripons dont il conduit ici les intrigues. Il y a plus d'un an qu'il est interdit, mais il aime mieux subsister de son désordre que de chercher dans son pays une subsistance convenable à son état. Il est dans un commerce scandaleux avec une femme

1. Bibl. nat. Manusc. français 8120, 10 janvier 1705.

qu'il entretient, et son occupation la plus ordinaire est de fournir de faux exeat aux prêtres de Normandie qui n'en ont pas de véritables[1].»

D'autres ecclésiastiques sont incarcérés pour sodomie, tel l'abbé de Rochefort, sur qui on trouve des lettres écrites « à un jeune charron de Vaugirard dont il est charmé, comme du laquais qu'il aime si fort[2] ».

D'autres, enfin, pour viol, comme l'abbé Moreau, dont le crime souligne les horreurs du temps : la fillette de sept ans qu'on l'accuse d'avoir violentée est examinée par les chirurgiens, qui la trouvent dans un « état de corruption sentant la débauche la plus invétérée » A sept ans ! Le père et la mère l'ont prostituée, et intentent un procès criminel pour soutirer à l'abbé une somme considérable. Mais d'Argenson doute que leur machination réussisse, car Moreau vit « depuis longtemps en débauche avec sa servante » et n'a donc plus désormais « de grandes mesures à garder par rapport à sa réputation[3] ».

On a vu ailleurs comment vivaient les femmes et jeunes filles enfermées dans les maisons de force des « refuges » de Paris ou des provinces. Ces maisons n'étaient point les seules prisons où de jeunes beautés — en beaucoup plus petit nombre d'ailleurs qu'on l'a souvent écrit — venaient finir leurs jours par la volonté d'un mari jaloux ou de parents mécontents : le vaste couvent de la Madeleine, situé près du Temple, était, dans la capitale, spécialement consacré à la garde de ces malheureuses.

D'Argenson, l'ayant visité en 1708 afin d'étudier la possibilité d'empêcher la communication des pénitentes avec l'extérieur, en a laissé une intéressante description :

1. Bibl. nat. Manusc. français 8120, 16 janvier 1701.
2. d° 8120, 29 mai 1705.
3. d° 8123. 1er août 1700.

Il est divisé en trois communautés : la première des professes ; la seconde des sœurs de la congrégation ou du voile blanc ; la troisième s'appelle la maison de Saint-Lazare, de force, ou des lettres de cachet. Elle consiste en un petit corps de logis où il y a huit cellules grillées : quatre ont sur elles beaucoup de vue de plusieurs voisins inconsidérés, qui portent souvent leur insolence jusqu'à dire les injures les plus outrées aux religieuses chargées du soin de ces filles indociles, que l'on y met en correction.

Le gros mur est mitoyen avec celui d'une maison particulière dont les fenêtres, qui donnent sur le toit commun, assurent l'entrée ou facilitent la sortie de toutes les lettres qu'on veut écrire. J'ai aussi remarqué que les murs du jardin, et particulièrement celui du côté de la rue de la Croix, sont beaucoup plus bas qu'il ne conviendrait. Si l'intention du roi était que cette maison devînt sûre, il faudrait nécessairement élever ses murs de clôture et prendre des précautions contre les vues des maisons qui l'environnent.

En 1708, quatre femmes seulement y étaient détenues : Mmes de la Croix et de Châteaufort, épouses infidèles de colonels, Mlle de Salonne dont la famille, ayant des raisons de la renfermer en quelque monastère, n'en avait pu trouver aucun autre, enfin Mlle Taillandière, pour débauche publique.

L'année suivante, Mme de Dillon, ancienne pensionnaire de Saint-Cyr, de mœurs faciles, vient les retrouver[1].

Sensibles à la montée de l'esprit de liberté, comme au discrédit que l'opinion attachait aux incarcérations conventuelles, les supérieures s'efforcent en général d'esquiver ce genre de corvée. Les hospitalières de Saint-Mandé refusent de recevoir une aventurière, la prétendue comtesse de Horn, leur mission consistant uniquement, disent-elles, à « sortir de leur maison pour chercher du pain en vue de le donner à celles qui n'en ont point ». Elles tiennent, certes, un hôpital pour malades et infirmes, mais non pour « personnes de cette conduite[2] ».

1. Bibl. nat. Manusc. français 8125, 10 avril 1708, 21 juillet 1709.

2. d° même manusc., dates diverses en 1713.

La supérieure de la Madeleine elle-même en vient à contester « les obligations de son institution par rapport à la correction des femmes d'une conduite scandaleuse ». On lui demande, à ce sujet, de présenter les titres de son établissement, les patentes de sa fondation, le brevet de la pension qui lui est allouée sur le domaine. Elle riposte en laissant évader celles de ses prisonnières qui le veulent bien, afin de bien montrer que, se refusant à jouer le rôle de geôlière, elle entend ériger sa maison comme les autres couvents de religieuses[1].

Cette évolution amène aussi certains couvents à refuser de recevoir les étrangers et les provinciaux de leur ordre de passage à Paris, obligeant ceux-ci à loger à l'hôtel ou chez des particuliers amis. Le roi s'indigne de ce « peu de charité chrétienne » et envoie d'Argenson morigéner les supérieurs[2].

*
* *

A côté des communautés anciennes se sont créées des communautés de fait, souvent dépourvues des autorisations nécessaires qui, elles, se consacrent plus à l'hôtellerie qu'à la prière, et en tirent de substantielles ressources. Ainsi en est-il du couvent de Notre-Dame-des-Prés, « dont le principal revenu consiste à recevoir des pensionnaires, sans distinction et sans choix[3] ».

C'est, note un peu plus tard d'Argenson, « un de ces couvents de contrebande d'où l'on sort à toute heure et qui ne sont proprement que des séminaires de débauche ». Quel lieu serait « plus commode aux galants qui paient et plus suspect aux maris inquiets » ? A Notre-Dame-des-Champs, Mlle Le Jeune de Contay est reçue en 1706 pour huit cents livres par an ; elle y retrouve, entre autres pensionnaires, la comtesse de Bessel, demi-folle pour qui, à défaut de ses proches, le roi paie six cents livres de pension. Locataire intéressante, au

1. Arch. nat. 0^1 364, 16 juin 1703.
2. d° 0^1 363, 5 juillet 1702.
3. Bibl. nat. Manusc. français 8123, 12 août 1700.

demeurant, car « les moindres habits lui suffisent et le principal travail consiste à éviter qu'elle s'évade ». Le couvent a « quelques folles de cette espèce », mais refuse de recevoir, en 1707, Marie Le Caron, parce qu'elle n'a que quatre cents livres de pension.

Afin de lutter contre l'extension des couvents-hôtels, d'Argenson et d'Aguesseau, sur ordre du roi, examinent en 1703 les modalités d'un recensement précis des communautés et du contrôle de leurs titres, « avec le nombre des personnes qui les composent, à quoi elles s'appliquent, leurs revenus et leur utilité ». Le cardinal de Noailles y procède sans enthousiasme. On découvre ainsi, entre autres, au faubourg Saint-Germain, une prétendue communauté des filles du Saint-Esprit, établie sans aucune autorisation. Comme elle est « mal réglée et scandaleuse », le roi la dissout[1].

Comment parfaire ce tableau sans évoquer un des abus les plus détestables de l'Ancien Régime : l'entrée forcée de filles nobles dans les ordres, malgré leurs protestations les plus fermes, souvent pour de sordides questions d'héritage ou pour éviter des mariages jugés mal assortis.

En 1703, Mlle de Méré, nièce de Pussort, se trouve cloîtrée de la sorte. Elle a, reconnaît d'Argenson, « réclamé depuis longtemps contre ses vœux », et le pape lui a accordé des commissaires, indulgence assez rare, pour examiner sa requête. Mais un appel « comme d'abus » tenté au Parlement par des parents terribles lui a lié les mains. Aussi, cette fille de caractère indépendant s'est-elle enfuie de son monastère pour loger « dans une auberge des environs de la place Maubert, où des jeunes gens la vont visiter à toute heure, au grand scandale de la profession religieuse dont elle porte encore l'habit ». Sa mère pourrait, certes, la faire séquestrer par lettre de cachet, mais

1. Arch. nat. 0^1 362, 23 février et 16 novembre 1701.

hésite devant un tel éclat. Le roi, indécis, se contente de « faire parler » à la malheureuse au sujet de sa conduite déréglée[1].

Il ne faut point, certes, accorder une portée trop générale aux exemples d'inconduite que nous venons d'évoquer. Dans son ensemble, le clergé régulier et séculier de France demeure sain et digne. Mais le nombre des dévoyés s'y est fortement accru, offrant aux rationalistes, aux sceptiques, aux « philosophes », aux libertins, aux protestants et aux jansénistes un aliment de choix pour leurs polémiques. Le pouvoir lutte en vain contre un état de choses qui infecte le second ordre, perpétue dans l'Église une atmosphère de scandale et porte à la pureté de la foi des atteintes qui, des palais des grands, des églises ou des couvent ont passé « jusque dans le peuple[2] ».

1. Bibl. nat. Manusc. français 8124, 9 avril 1703.

2. MASSILLON : *Sermon sur les vices et les vertus des grands*, 1704.

CHAPITRE XVI

UN ÉTAT POLICIER, SURVEILLANT AVEC RIGUEUR L'OPINION PUBLIQUE

La Reynie, génial créateur de la police, exerça ses fonctions, conformément d'ailleurs à son caractère, d'une main légère. D'Argenson, sans cesse aiguillonné par un Louis XIV soupçonneux et un Pontchartrain avide de puissance, va au contraire faire peser sur Paris la méfiance, la crainte et la délation qui sont le triste apanage des États policiers. La guerre interminable, il faut l'avouer, s'y prête ; on doit tout surveiller à la fois ; le pays ressemble à une marmite en ébullition. Pour écouter ses réactions, contrôler ses sursauts et ses remous, on embauche une véritable armée d'indicateurs et d'inspecteurs.

***

Tous les lieux publics : cafés, cabarets, auberges, hôtelleries, garnis, tabacs, débits d'eau-de-vie, spectacles, etc., sont désormais surveillés ; la police profite des moindres fautes de ceux qui les gèrent pour exiger qu'ils rapportent les faits et gestes de leurs clients.

On commence par rendre plus difficile l'accès de ces professions : par exemple, pour devenir marchand de vin, il suffisait jusque-là d'acquérir à l'Hôtel de Ville une « lettre », délivrée à tout venant. Si le requérant voulait en même temps tenir un cabaret, il achetait au fermier des domaines une autre

« lettre », moyennant quoi il pouvait servir à ses clients, à l'exclusion de tous autres mets, des poissons de mer (frais et salés) ou de rivière, du fromage, du beurre, des œufs, de la salade et des fruits. Une inscription à la police, une autre au bureau des marchands de vin complétaient ces formalités ; le lendemain, on pouvait accrocher le « bouchon et l'enseigne ».

Désormais, le contrôle des requérants et de leurs antécédents devient plus pesant. Delamare réagit contre le « fort grand, mais fort ancien abus » selon lequel les lettres de marchand de vin sont délivrées « bien légèrement et sans y observer même les formalités prescrites par les règlements ». D'Argenson écrit en haut lieu : « Ne croyez-vous pas qu'il soit de l'ordre public qu'aucun marchand de vin, privilégié ou soi-disant tel, ne puisse ouvrir sa taverne ni commencer son commerce sans la permission du magistrat[1] ? »

Le lieutenant général provoque ainsi, en 1704, un arrêt du Parlement obligeant aubergistes et loueurs de chambres garnies, y compris les « tailleurs, tapissiers, baigneurs recevant des pensionnaires » à en informer aussitôt le commissaire de leur quartier, et au plus tard dans les vingt-quatre heures. Cinquante inspecteurs, on l'a vu, sont créés en 1709 pour vérifier les registres.

En 1711, leur compétence s'étend à toutes les personnes louant ou sous-louant des appartements, c'est-à-dire à une grande partie des propriétaires parisiens, maintenant soumis à une inquisition policière désagréable. Il est important, écrit d'Argenson, que les bourgeois ne louent qu'à « des personnes connues d'eux ou qui leur indiqueront quelques bourgeois qui voudront bien en répondre. Le service du roi et la sûreté publique demandent qu'ils aient cette attention et que, s'il se présentait quelques étrangers ou gens suspects pour louer, ils avertissent sur-le-champ les commissaires[2]. »

Les sanctions pleuvent sur les contrevenants. En 1700, la police condamne onze particuliers, surtout des faubourgs,

1. Bibl. nat. Manusc. français 21710.
2. d° Manusc. français 21699, p. 110.

logeant à la nuit, à la semaine ou au mois des mendiants, vagabonds et gens sans emploi, ainsi que des couples démunis de certificat de mariage. Une autre sentence oblige les loueurs de garnis à placer à leur porte un écriteau de papier « en grosses lettres » collé sur un carton et « pendant par fil ou ficelle », afin de donner à leur négoce la publicité nécessaire. Sinon, ils seront présumés loger clandestinement des suspects[1].

Aubergistes et loueurs ne doivent plus seulement s'enquérir auprès de leurs clients de leurs nom, qualité, lieu de naissance, résidence habituelle, mais aussi des « affaires ou occasions qui les appellent à Paris », de leurs armes s'ils en possèdent, du nombre de leurs valets ou domestiques. En 1707, les clients étrangers ne peuvent utiliser les services d'« aucun valet qui ne soit connu et ne possède un répondant ». Ils sont en outre contraints d'avertir la police « de toutes les friponneries que commettent leurs serviteurs ou des mauvais marchés dont ils peuvent être les entremetteurs ».

En dépit de ces tracasseries, force est cependant de constater que provinciaux ou étrangers trouvent toujours assez aisément, à Paris, des compatriotes qui, « par amour de la patrie », facilitent leur retraite.

Cabarets et marchands de vin se faisaient naguère connaître des nouveaux venus par un petit guide, *Les Adresses à Paris*, mis à jour chaque année, indiquant en même temps les marchands « les plus habiles », ainsi que le prix de leurs produits ou ouvrages. D'Argenson le supprime, sous prétexte qu'il « sent trop son esprit de monopole ». Mais il tolère la publicité directe : chaque commerçant peut « s'indiquer soi-même quand bon lui semble, pourvu que, dans les affiches ou les billets, il parle de lui simplement et sans faire de comparaison pour discréditer ses confrères ».

1. Bibl. nat. Manusc. français 21710, 9 août 1700.

Chacun vante ainsi ses crus fameux, sa chère et son accueil au moyen d'affichettes collées sur les murs ou de « billets » distribués, dans les rues, par des gagne-deniers. Le commissaire Delamare n'interdit cette propagande que si les prix publiés risquent de « paraître excessifs au public ».

Dans l'exercice même de leur métier, cabaretiers, hôteliers ou taverniers se heurtent à une série de prohibitions :

— Ils ne peuvent vendre d'autre « petit pain » que celui des boulangers de la capitale ; ce pain doit être servi entier et non par morceaux (il s'agit, en fait, de contrebattre le commerce du gros pain de Gonesse, vendu moins cher) ;

— On leur interdit de recevoir soldats et archers du guet après cinq heures du soir en hiver et neuf heures en été. Pour les autres clients, la fermeture est fixée à huit heures du soir, de novembre à avril, et dix heures d'avril à novembre ;

— Ils ne doivent tolérer aucun jeu de hasard, notamment pharaon, bassette, hocca, lansquenet, dés, qui donnent lieu à nombre de « filouteries, friponneries, escamoteries, surprises » ;

— Ils ne peuvent servir le vin qu'à boutique ouverte, et non dans des « arrière-boutiques, caves, magasins ou chambres particulières » ;

— Ils doivent refuser la clientèle des enfants mineurs. En 1704, Gron, cabaretier-marchand de vin de la Montagne-Sainte-Geneviève, est condamné pour avoir attiré de jeunes écoliers en leur faisant crédit et pris en gage manteaux, montres et habits[1].

En cas d'infraction, la sanction la plus ordinaire est l'amende, la plus grave la fermeture. Ainsi en va-t-il, en 1700, pour Castan, limonadier de la foire Saint-Germain, qui tolère rixes et querelles dans son établissement. Il doit vider les lieux sous vingt-quatre heures, « sinon ses meubles seront mis sur le carreau, voire confisqués au profit de l'Hôpital général ». Quant à sa boutique, on la « ferme d'une plaque de fer ». La même sanction frappe, l'année suivante, Tripet, vendeur de liqueurs,

1. Arch. nat. Y 9498, 9 août 1700.

toujours à la foire Saint-Germain. Dans sa « loge », un commissaire découvre en effet des particuliers, des laquais et des prostituées, dont l'une s'est prudemment dissimulée derrière une tapisserie. Dans nombre d'autres loges, les filles suscitaient aussi « un désordre et un scandale presque quotidiens[1] ».

*
* *

Souvent en délicatesse avec la police, nombre d'aubergistes et d'hôteliers, sachant qu'ils risquent la fermeture, préfèrent devenir ses auxiliaires.

Tel est le cas de Desportes, maître, c'est-à-dire patron de l'hôtellerie de la Croix-de-Fer, accusé de détrousser habilement les étrangers, mais qu'on ne condamne pas pour autant. On se contente de lui faire dire, de la part du roi, que s'il ne se conduit pas mieux, le pouvoir lui « donnera des marques publiques de son indignation ». Grand et habile joueur de billard, il a gagné douze mille livres à un marchand de Varsovie.

Tel est aussi le cas du tenancier du Riche-Laboureur où, sous prétexte d'un pari, on soulage de cinquante pistoles un juge de village[2]. Le cabaretier du Roule, La Rivière, va jusqu'à se faire pourvoir d'un petit office de police pour chasser les filles publiques ou les fainéantes qu'il découvre chez ses collègues du quartier et les rabattre vers son propre établissement, où elles « trouvent une entière sûreté[3] » !

Parmi ces indicateurs bénévoles, un limonadier communique à la police deux lettres rédigées en anglais : il est prié de continuer cet office[4] ; le maître de la Croix-de-Fer, dont nous venons de parler, transmet pour sa part trois lettres en hébreu, qu'on s'empresse de faire traduire[5].

1. Bibl. nat. Manusc. français 21668, 19 février 1700 et 1er mars 1701.
2. Arch. nat. 0[1] 362, 22 juin 1701 et 18 février 1701.
3. d° 0[1] 364, 7 juillet 1703.
4. Bibl. nat. Manusc. français 8124, 10 janvier 1704.
5. Arch. nat. 0[1] 366, 26 mars 1705.

***

Des inspecteurs spécialisés ont maintenant mission, moyennant, de temps à autre, une gratification de cent livres, d'écouter les conversations et de recueillir des renseignements politiques dans tous les lieux publics ; d'Argenson en fait ensuite la synthèse dans des mémoires destinés à Pontchartrain et au roi.

Une limonadière hollandaise exerce son métier en face de la Comédie, et beaucoup d'étrangers s'y assemblent : « Le roi, mande-t-on, est curieux de savoir si cette femme est naturalisée, à quel titre elle tient cette boutique et pourquoi vous ne l'avez pas fait fermer, puisqu'on s'y conduit si mal. » Vous avez bien fait, ajoute-t-on, d'introduire « des inspecteurs dans les principaux cafés[1] ». En 1704, le roi demande où l'un de ces auxiliaires de la police a appris que cinq cents hommes s'étaient introduits à Landau pour mettre le feu aux poudres, car on n'en a eu aucune nouvelle d'ailleurs. En 1705, le secrétaire de Louis XIV écrit : « La plupart des nouvelles contenues dans votre mémoire du 10e (de ce mois) sont ou très anciennes ou fausses. Ne laissez pas cependant de me mander exactement et en détail tout ce qu'on apprendra dans les lieux publics et quelles personnes composent ces assemblées de nouvellistes, ainsi que les lieux où elles se tiennent. » Les nouvellistes, répond aussitôt d'Argenson, se réunissent aux Tuileries ; ils viennent de s'y entretenir de la sédition de Montauban.

Cette surveillance tempère les langues. Un rapport de 1706 relate les bruits selon lesquels « on emprisonne à Paris ceux qui parlent des nouvelles, entre autres trois laquais, arrêtés pour ce fait dans un cabaret ».

Le roi, friand des ragots de café, talonne sans cesse d'Argenson pour en savoir plus : « Continuez de m'informer des nouvelles que vous apprendrez par le moyen des étrangers qui sont à Paris et des mouvements qu'ils se donnent. » « Souvenez-vous que, depuis que vous m'avez parlé des espions,

1. Arch. nat. O[1] 362, 28 septembre 1701.

vous ne m'avez rien écrit. » « Faites connaître les noms et qualités des Moscovites qui sont à Paris, le sujet de leur voyage, les affaires qu'ils peuvent avoir ici. » « Vous me mandez la partie qui se fit à Ivry le 26 du mois passé entre l'ambassadeur d'Angleterre, celui de Venise, l'envoyé de Florence, Mme d'Aulnoye et quelques autres femmes. Informez-vous à qui était la maison où fut le rendez-vous et tâchez de savoir si le commerce continue entre les mêmes personnes. » Tels sont, parmi bien d'autres, les ordres de Louis XIV qui, une fois n'est pas coutume, consent à se dire « bien aise des mesures prises pour être encore mieux informé de ce qui se passe chez les étrangers ».

Pontchartrain renchérit en 1701 : « Vous me dites que vous m'écrivez de plusieurs choses non pour vous attirer des ordres dans les affaires qui ne sont pas de votre ministère, mais seulement afin que le roi soit informé de tout. S. M. l'entend bien ainsi ; Elle est persuadée de votre droiture et de votre désintéressement et désire que vous continuiez à m'écrire tout ce qui viendra à votre connaissance[1]. »

Renseigné par ses indicateurs et ses inspecteurs, d'Argenson a l'œil à tout : il observe le duc de Savoie, les ambassadeurs, le nonce extraordinaire apportant des langes bénits au duc de Bretagne, la comtesse de Fürstenberg — espionnée par sa femme de chambre —, les héritiers de Ninon de Lenclos et... les amours malheureuses du sieur de Lorme : « Je vous prie, écrit le secrétaire du roi, de me faire part de l'affaire du nommé de Lorme, qui a donné de si belles marques de son désespoir amoureux. On ajoute à son histoire que les femmes du quartier, touchées de compassion de son état, allèrent prendre de force la fille dont il est si amoureux pour la lui faire voir, sans quoi il ne voulait point être pansé de ses blessures. » Quelques jours plus tard, le roi s'inquiète de n'en pas savoir plus. Qui

1. Arch. nat. 0^1 362, année 1701, dates diverses.

est ce de Lorme ? Pourquoi a-t-il voulu se tuer sous les fenêtres de sa fiancée ? Pourquoi le mariage a-t-il été déconcerté et a-t-on mis le désespéré en prison ? Louis XIV s'intéresse tant à l'affaire qu'il témoigne à l'exempt Le Conte sa surprise de savoir de Lorme incarcéré sous prétexte que « sa mère avait dit se pourvoir pour le faire enfermer ». Le roi n'a-t-il pas, au contraire, ordonné son élargissement[1] ?

De toutes ces missions de surveillance et de renseignement nous sont parvenus quelques rapports de filatures. Témoin celui-ci concernant une agioteuse, la femme Delille : « Personne n'est sorti de la maison en question que sur les huit heures du soir. Il s'agissait d'une femme vêtue d'une toile blanche rayée de petites raies noires, avec un gros homme habillé de drap couleur d'ardoise. Ils ont été rue Dauphine, chez Mouet, notaire et y sont restés près d'une heure. » Le lendemain, la femme Delille quitte à trois heures Lopineau, tapissier, pour visiter l'avocat général de Fleury, chez qui elle séjourne deux heures ; puis le président de Mesmes la retient une demi-heure. De là, elle se rend « rue du Sépulcre chez un marchand de bas, ensuite chez un intéressé aux affaires du roi, enfin, à huit heures du soir, chez Chapelle, autre intéressé — toujours suivie de son valet ordinaire[2] ».

Quant aux synthèses rédigées par d'Argenson lui-même, en voici un curieux extrait : « Le roi d'Angleterre vint hier (18 octobre 1706) à la Comédie. Il arriva dans un des carrosses de M. le duc de Lauzun ; il parut à sa suite un exempt et quatre gardes sans marques ni armes ; ils avaient seulement leur justaucorps d'ordonnance et leur bandoulière. M. de Lauzun, venu une bonne heure auparavant, attendait Sa Majesté britannique dans la loge du roi, que les comédiens avaient ornée d'un grand tapis de velours rouge garni d'un galon d'or. Ils avaient ajouté quatre lustres qui éclairaient le parterre, en sorte qu'il y en avait dix-huit, dont six garnis de bougies, ce qui faisait une assez belle illumination. On avait

1. Arch. nat. O^1 366, 4 novembre, 2 et 16 décembre 1705.
2. d° G^7 436, 29 et 31 juillet 1709.

retenu deux loges, sur le pied de soixante livres par loge, parce que les comédiens avaient mis la pièce au double : on joua *Le Malade imaginaire* et *Les Fourberies de Scapin*, qui furent bien exécutés ; mais ces deux pièces ne finirent qu'à près de neuf heures. Le roi d'Angleterre fit donner dix louis d'or aux comédiens et l'on dit qu'il devait aller souper et coucher à Passy, chez M. le duc de Lauzun[1]. »

***

Outre les cafetiers, aubergistes, limonadiers, laquais ou domestiques, la police embrigade peu à peu les autres professionnels en contact avec le public. En 1702, le roi félicite d'Argenson de s'être assuré, auprès des cochers de louage, toutes les informations souhaitables quant aux « violences et entreprises criminelles » venant à leur connaissance[2].

Parmi ces délateurs bénévoles ou rémunérés figure, à partir de 1700, un étrange personnage que, par souci du secret. d'Argenson nomme toujours « notre homme de lettres », On lui accorde deux cents livres de gratification annuelle en 1703, avec le remboursement de ses frais. Il surveille les tumultueuses amours de Lauzun au palais du Luxembourg, ramasse parmi les nouvellistes tout « ce qui est digne de curiosité », dénonce les auteurs de pamphlets ou les auteurs de livres défendus, procure en 1706 un libelle de l'abbé de la Bourlie[3] et en 1707 un « petit livre composé sur la matière de la grâce[4] ».

Ce littérateur à l'âme vile fut Eustache Lenoble, baron de Saint-Georges et de Termelière. Né en 1643, ex-procureur général au parlement de Metz, il dut, par suite de sa dissipation, vendre sa charge pour désintéresser ses créanciers.

Convaincu de faux, banni pour neuf ans, enfermé à la Conciergerie, il s'y amouracha d'une prisonnière que sa beauté

1. Bibl. nat. Manusc. français 8120, 19 octobre 1706.
2. Arch. nat. 0^1 363, 1er mars 1702.
3. d° 0^1 364, 23 avril et 17 décembre 1703, 0^1 367, 13 octobre 1706.
4. Bibl. nat. Fonds Clairambault 1218, 4 juin 1708.

et ses désordres avaient fait surnommer la « belle épicière ». Ils s'évadèrent de concert, vécurent trois ans traqués, furent repris et enfermés à nouveau. Mais entre-temps, la belle épicière était devenue mère de trois enfants.

Lenoble obtint enfin de la police, à condition de la renseigner, la permission de vivre libre à Paris, où il se mit aux gages de libraires, écrivit 171 volumes romanesques, historiques et politiques pour le grand public et parvint à gagner jusqu'à mille livres par mois, somme considérable pour l'époque.

La Reynie, le premier, utilisa ses services de dénonciateur tout en lui refusant, en 1692, l'autorisation de publier *Les Fables d'Ésope ou la morale en dialogues.* Eustache Lenoble se rebiffa, protesta qu'on voulait l'acculer à la misère, lui qui, « ne possédant pas dans tout le monde la valeur de son manteau », devait « écrire ou mourir de faim, Dieu lui ayant donné ce talent en lui ôtant tout autre chose ».

Peu après, il montra son véritable visage en dénonçant le libraire Amaury, de Lyon, contrefacteur qui avait, selon lui, imprimé et vendu plus de quatre mille exemplaires du livre *L'Esprit de Gerson.*

Lenoble, sur ses vieux jours, ne subsista plus que des maigres mensualités de la police. Il décéda miséreux et oublié de tous, à soixante-huit ans, en janvier 1711[1].

L'influence de Mme de Maintenon et des jésuites, le retour du roi à de strictes pratiques religieuses vont avoir pour effet imprévu de peupler les églises d'inspecteurs et de « mouches », afin de pourchasser les fidèles irrespectueux ou blasphémateurs. Louis XIV fait sienne cette inquisition policière, examine lui-même les rapports, tient la main à l'exécution immédiate des ordres.

Nous venons de montrer quelle était alors la montée, en France, de l'esprit de libre examen. Les pouvoirs publics, et

1. *Revue rétrospective,* 2e série, t. VII, p. 150.

surtout l'archevêque de Paris, s'étaient à nombre de reprises préoccupés de la mauvaise tenue des fidèles lors des offices. Alors qu'autrefois les femmes de qualité portaient des robes couvrant la poitrine et les bras jusqu'au poignet, elles venaient maintenant à la messe comme au spectacle, seins à demi dégagés, bras à moitié nus, accompagnées d'un valet portant la queue de leurs robes fastueuses, croyant plus sûrement ainsi attester leur rang et leur qualité.

Les curés protestaient depuis longtemps contre ces pratiques, notamment contre la dernière d'entre elles : « Excuse frivole, écrivait l'un d'eux : il n'y a qu'à couper cette queue de pie et elle ne traînera pas ; si elles y tiennent tant, qu'elles se la fassent attacher ou la portent en mains[1]. »

De surcroît, grands et nobles caquetaient aux offices, regardaient de toutes parts les jolies femmes, tournaient le dos à l'autel : « Des personnes à qui la naissance, le rang, la politesse du monde devraient faire garder les bienséances quand même elles n'auraient aucun sentiment de piété, paraissent à l'église avec une dissipation scandaleuse, y faisant ce qu'elles n'eussent osé faire dans le palais du roi. » On en voyait aussi tenir des discours licencieux, trafiquer, traiter des affaires. La communion, bien souvent, ne se pratiquait plus qu'à Pâques ; il fallut que le cardinal ordonnât, en 1696, de communier au moins trois dimanches dans l'année et suspendît les messes de l'après-midi, les « fidèles les considérant comme une manière de spectacle ».

On n'allait donc plus se recueillir dans les églises, on s'y montrait, car telle était la volonté du roi. Le nombre excessif des chapelles particulières — témoignage ostensible de la richesse des donateurs — favorisait les irrévérences. Les messes chantées des Ténèbres, — à l'Assomption, au Calvaire, au Saint-Sacrement, surtout aux Théatins — tournaient à l'opéra. Les processions du Calvaire, par le nombre excessif des porteurs de croix, la bousculade, le bruit, l'affluence de badauds, devenaient un spectacle de foire.

1. Bibl. nat. Manusc. français 21609.

Italiens et Espagnols nous considéraient de ce fait comme hérétiques ou athées. On avait vu, après une bataille, des Espagnols vaincus se jeter aux genoux de nos soldats et leur dire, espérant les amadouer : « Seigneurs luthériens, laissez-nous la vie sauve... »

***

Le roi vieillissant, tombé dans la dévotion — voire dans la bigoterie, selon Saint-Simon —, est vivement frappé par cette évolution, à ses yeux d'autant plus redoutable qu'elle forme un contraste cruel avec la persécution des protestants ou des jansénistes. Au nom de quoi peut-il exiler, emprisonner, violer les consciences, disperser les familles, confisquer les biens, si ceux qu'il contraint de la sorte s'élèvent avec passion, et à la place du pouvoir, contre une déliquescence ou des excès évidents aux yeux les moins avertis?

Aussi Louis XIV se décide-t-il à sévir en mettant la police au service de l'ordre moral qu'il entend imposer.

En février 1700, d'Argenson reçoit cette première dépêche : « Le roi, informé qu'il se commet plusieurs irrévérences dans les églises à Paris, apprend avec peine la continuation de ce désordre. (Il faut) redoubler d'attention pour l'application des ordonnances, envisager les moyens les plus praticables pour contenir ceux qui peuvent tomber dans ces irrévérences et les punir si le cas le requiert. » Le plus simple ne serait-il pas d'envoyer, à certaines heures, les « plus sages » des officiers de police dans les églises où le scandale est fréquent? Ils pourraient y « remarquer ceux qui s'y comportent mal et s'y distinguent par leur irrévérence », puis les avertir ou les poursuivre devant le tribunal de police. S'il s'agissait de personnes de condition, on prendrait leur nom pour l'envoyer à la cour, avec un résumé des fautes commises : « Les gens de cette sorte sont en général retenus par l'appréhension que S. M. en soit informée. »

Le mois suivant, d'Argenson met sur pied un dispositif d'inspection. Mais il se pose un problème : les policiers doivent-ils être en tenue ou en « civil » ? Le roi estime plus convenable qu'ils « se fassent connaître au lieu de demeurer cachés, et même qu'ils dressent leurs procès-verbaux publiquement, afin de tenir tout le monde en attention et de parvenir par ce moyen, avec plus de facilité, à empêcher les irrévérences ».

D'Argenson élève des objections sérieuses, dont la moindre n'est pas le risque de tumulte lors des constatations de flagrant délit. On le renvoie à l'archevêque, qui préfère lui aussi des « inspecteurs inconnus ».

Une fois le dispositif en place, la tâche apparaît délicate : comment les policiers pourront-ils connaître de vue tous les gens assistant aux messes ? Ils risquent donc de se tromper. Un officier des mousquetaires, Saint-Georges, dénoncé au roi, prouve qu'il n'était pas aux Jacobins le jour de sa prétendue infraction. Le marquis de Boussolles affirme que, depuis six mois, il n'a mis les pieds à la Charité où on dit l'avoir vu. Morant, mousquetaire, emprisonné pour irrévérences graves aux Cordeliers, établit par pièces écrites qu'il n'y a point entendu la messe au jour indiqué, et assure que « cette disgrâce lui vient par un nommé Pannetier, exempt », pour des raisons qu'il explique. Il faut donc veiller de près à l'exactitude des inspecteurs dont, par prudence, on limite le droit d'interpellation et d'arrestation aux gens non nobles, les laquais notamment[1].

* * *

En même temps, le pouvoir applique avec une énergie nouvelle divers règlements d'inspiration religieuse : quarante porteurs d'eau sont arrêtés en juin 1701 pour avoir travaillé le dimanche, et la police ferme les boutiques des barbiers demeurées ouvertes ce jour-là[2] ; en novembre suivant, le roi

1. Arch. nat. 0^{1} 44, 24 février, 15, 17, 25 et 31 mars, 17 et 21 avril 1700.
2. d° 0^{1} 362.

ne consent qu'avec « beaucoup de peine » à l'élargissement de deux pâtissiers ayant commis la même infraction.

On pourchasse les bouchers vendant de la viande pendant le carême ; comme ce « marché noir » demeure actif, les fermiers des messageries empêchent leurs courriers de transporter des colis de viande au cours du jeûne. Voitures et diligences sont au surplus inspectées par la police aux barrières de Paris[1].

On envoie à la Bastille les illuminés créateurs de nouvelles religions[2], on emprisonne la femme d'un procureur consulaire qui « s'étant mis dans l'esprit qu'elle était sainte, communiait tous les jours sans aucune préparation, même après avoir mangé[3] ». Ce procédé, note d'Argenson, « pourrait mériter les derniers supplices suivant la disposition des lois, mais comme il y a plus de sottise que de mauvaise intention et que, d'ailleurs, on ne saurait rendre publique la punition de ces sortes de crimes sans faire injure à la religion, ni donner lieu aux mauvais discours des protestants et libertins mal convertis », mieux vaut oublier l'intéressée dans le silence de quelque lointain couvent. On transmet le dossier à l'archevêque de Paris, pour décision.

Toute pratique religieuse tant soit peu anormale est épiée. Le roi mande en 1703 : « L'abbé de Caumartin m'a écrit qu'on voit tous les jours un particulier faisant sa prière à minuit devant l'église de la Doctrine chrétienne. Quoique cette action ne soit que fort louable, il faudrait tâcher de connaître cet homme et savoir le motif de cette dévotion extraordinaire[4]. »

Enfin, Louis XIV rétablit en 1700 « dans toute sa splendeur » la procession qui, selon une tradition remontant à 1638, s'effectuait le jour de l'Assomption. La cérémonie, décide-t-il, aura lieu non seulement dans les cathédrales, mais aussi dans toutes les églises et monastères du pays, en « y appelant les compagnies et principaux officiers des villes[5] ».

1. Arch. nat. 0^1 44, 17 mars 1700.
2. d° 0^1 363, 21 juin 1702.
3. Bibl. nat. Manusc. français 8122.
4. Arch. nat. 0^1 364, 12 novembre 1703.
5. d° 0^1 44, 16 juin 1700.

***

La police des églises ne tarde pas à multiplier les sanctions ; celles-ci sont intéressantes dans la mesure où elles soulignent la personnalité des contrevenants.

En 1700, Brunet, conseiller au Parlement, scandalise les croyants assemblés à Saint-Louis-en-l'Ile par le ton élevé de sa conversation, du début de la messe à l'offertoire. Un des prêtres le toise pour le rappeler au silence. Brunet se lève, lui demande raison de son regard méprisant, le traite de pédant et s'apprête à quitter l'office en furie. « Si la crainte de Dieu ne peut vous retenir, dit le curé, les ordonnances du roi doivent du moins vous imposer silence[1]. » La même année, on menace M. de la Motte - Saint-Aignan de relégation « s'il ne se conduit pas mieux » ; on réprimande M. de la Loge ; on bannit l'abbé Masilot, « véritable sujet à faire un exemple pour les irrévérences dans les églises » ; on avertit de la part du roi les ducs d'Elbeuf et de Montfort.

En 1701, M. de Chaumont est emprisonné pour irrévérences, ainsi que Derieu, garçon tailleur, qui « avait parlé de la religion avec tant d'insolence ». Charrière, blasphémateur à Saint-Germain-l'Auxerrois, est déféré au Parlement, mais les juges, fort libéraux, ne l'estiment digne que de quelques années de bannissement. Le roi, mécontent, évoque l'affaire et délivre une lettre de cachet pour qu'on l'enferme à l'Hôpital général. D'Argenson, peu tendre pour ces messieurs du Parlement, écrit : « C'est ainsi que la justice ordinaire autorise souvent les plus grands crimes par une jurisprudence relâchée[2]. »

En septembre 1701, le garçon du sieur Gauthier est emprisonné pour des faits analogues, mais le curé de Saint-Germain-l'Auxerrois sollicite sa grâce, car « il se repent sincèrement ». Desmarié, « fameux libertin » et frère de Louison, chanteuse de l'Opéra, se querelle publiquement à Saint-Roch avec un fidèle, puis avec Mme de Fleurie, qu'il traite de coureuse en

1. Bibl. nat. Manusc. français 8123, 19 décembre 1700.
2. d° 8123, 25 juillet 1701.

« menaçant de lui couper le nez ». On l'envoie méditer au Fort-l'Évêque. Enfin, toujours en 1701, des gentilshommes tirent l'épée à l'église de la Merci, lors d'un salut « chanté en musique ». Le roi exige une information immédiate et complète, afin d'acquérir des preuves judiciaires et de « poursuivre avec sévérité[1] ».

Trois ans plus tard, en dépit de nombreuses condamnations, Louis XIV demandera encore qui sont « ces femmes de premier rang » qui commettent tant d'irrévérences. Le mal qu'il s'efforce de poursuivre renaît en effet sans cesse de ses cendres : c'est l'opinion du pays tout entier — vis-à-vis de l'ordre moral, de la religion, de la monarchie absolue, de la liberté d'opinion — qui a profondément changé, dans le temps qu'on s'efforce de maintenir un édifice politique lézardé de toutes parts.

Les persécutions contre les jansénistes vont s'exacerber, mais celles contre les protestants s'apaisent peu à peu tandis qu'on tient les juifs en lisière.

D'Argenson, chargé d'appliquer les sévères consignes du roi, n'est pas, il s'en faut, un homme cruel. Saint-Simon l'a dépeint comme livré aux jésuites, « mais faisant le moins de mal qu'il pût, sous son voile de persécution qu'il sentait nécessaire pour persécuter moins en effet, et même pour épargner les persécutés ». On a aussi cité de lui un mémoire — de source d'ailleurs inconnue, et donc sujet à caution[2] — suggérant d'éviter les excès vis-à-vis des protestants :

L'inquisition qu'on établirait dans Paris contre (ceux) dont la conversion est douteuse aurait de très grands inconvénients. Elle les forcerait d'acheter des certificats ou à prix d'argent ou par des sacrilèges. Elle éloignerait de cette ville ceux qui sont nés sujets des

1. Arch. nat. 0^1 44, 31 mars 1705.

2. De Rulhière : *Éclaircissements historiques sur les causes de la Révocation de l'Édit de Nantes*, éd. de 1788, t. II, p. 292 (cité par P. Clément).

princes neutres, indisposerait de plus en plus les protestants ennemis, brouillerait les familles, exciterait les parents à se rendre dénonciateurs les uns des autres et causerait un murmure peut-être général dans la capitale [...]. D'ailleurs, cette inquisition ne pourrait avoir lieu ni envers les Genevois, ni à l'égard des autres étrangers réputés régnicoles. Ils sont en grand nombre et cette différence entre eux et les sujets du roi produirait de très méchants effets parmi le peuple, qu'il ne serait pas prudent d'alarmer par une recherche inusitée.

Ce texte, à vrai dire, paraît trop beau pour être vrai ; on ne trouve nulle part trace d'une pensée aussi forte dans l'abondante correspondance de d'Argenson ; employer le mot « inquisition » eût provoqué la disgrâce, ou pour le moins, la méfiance du roi ; La Reynie n'avait-il pas été déjà renvoyé pour sa tiédeur à poursuivre les réformés ?

Mieux vaut, à notre sens, nous en tenir, pour juger les convictions profondes de notre personnage, au portrait que voici, dont chaque mot paraît mûrement pesé : « Il ne manque pas d'esprit ni de savoir, quoiqu'il exerce sa charge en pédant plutôt qu'en juge raisonnable. Il est fort bizarre touchant les affaires de la religion. Il faut néanmoins demeurer d'accord qu'il ne fait pas tout le mal qu'il pourrait faire en beaucoup de rencontres. La dépendance où il est est plus à craindre que sa mauvaise légèreté[1]. »

***

Ces observations permettent de prendre mieux conscience du rôle exact du lieutenant général de police dans la triste affaire de Port-Royal, où il ne fut qu'un exécutant d'une machination montée de longue main par le P. Le Tellier, successeur du P. de la Chaize comme confesseur du roi.

Le Tellier, on le sait, saisit au vol pour déclencher le drame le refus de signer purement et simplement une bulle du pape, opposé par les religieuses de Port-Royal-des-Champs — qui souhaitaient assortir leur acte d'obéissance de réflexions mettant

1. Musée britannique, Ms Addit. 29507 (cité par BOISLISLE : *Recueil inédit de portraits et caractères*).

en repos leur conscience. Il y eut un jugement de l'officialité, on parla de rébellion envers le roi et, finalement, le conseil rendit l'arrêt ordonnant la destruction de Port-Royal.

Ce dénouement avait été préparé, sur le plan de la police, par des escarmouches, parmi lesquelles la saisie des *Heures* de Port-Royal et d'un missel défendu, avec « secrète réprimande » du roi au libraire[1] (1697), l'interdiction signifiée aux relieurs d'habiller sans permission les ouvrages jansénistes[2], la recherche, à Saint-Denis, d'un dépôt d'ouvrages de la « secte » imprimés à Lyon. D'Argenson eut ordre de surprendre tous ceux qui s'y approvisionnaient, « de les arrêter, de quelque qualité qu'ils fussent, de se saisir de leurs carrosses et voitures[3] ».

Il proposa plus tard lui-même, en 1707, d'étendre aux jansénistes les fameuses dispositions ordonnant la saisie et la mise en régie des biens des protestants fugitifs. Il s'agissait en fait de contrecarrer la manœuvre de l'abbé François Quesnel, du séminaire de Saint-Magloire, qui souhaitait lever à son profit la saisie des biens de son frère, le père Quesnel, oratorien et janséniste notoire, rebelle aux décisions de la hiérarchie.

D'Argenson refusa la faveur sollicitée : elle serait, dit-il, de nature à « procurer de nouveaux secours et de nouvelles espérances aux jansénistes » ; elle augmenterait « encore l'audace des esprits séditieux dont l'affaire de Port-Royal-des-Champs semble avoir ranimé la bile et leur avoir inspiré les derniers efforts pour signaler leur désobéissance et leur révolte[4] ».

Deux ans plus tard, ce sera l'anéantissement de la courageuse communauté, le départ volontaire de la prieure et des sœurs avec, pour tous bagages, un bâton et un bréviaire, l'entassement de la pauvre troupe dans huit carrosses, la dispersion des rebelles dans divers couvents à Blois, Rouen, Mantes et de leurs converses à Chartres, Saint-Denis et Joigny, la signature ultérieure, sous la contrainte, du fameux formulaire par toutes

1. Arch. nat. 0^1 41, 11 juin 1697.
2. d° 0^1 42, 26 février 1698.
3. d° 0^1 42, 3 mars et 23 avril 1698.
4. d° G^7 1725, 15 novembre 1707.

les religieuses sauf deux, enfin la destruction rageuse du couvent, de l'église et même des charmilles qui les avoisinaient.

***

Les juifs, eux, ne sont l'objet d'aucune persécution, mais on continue à les cantonner, dans la partie nord du pays, à Metz, où ils possèdent une communauté active. Ils ne peuvent voyager qu'avec une autorisation écrite et sur justification quant à l'objet, en général bancaire ou commercial, de leurs déplacements.

A Paris, ils font l'objet d'une surveillance spéciale ; d'Argenson les juge sévèrement, selon les normes du temps : « On ne peut douter que l'agiotage et l'usure ne soient leur principale occupation puisque c'est toute leur étude ; et qu'ils se font une espèce de religion de tromper autant qu'ils le peuvent tous les chrétiens avec qui ils traitent. » Leur nombre, dans la capitale, est toujours très réduit : dix-huit en septembre 1715, munis de permis de séjour allant d'un à six mois. Parmi eux un Olrich, un Mayer, un Coblentz, un Spire, un Worms, trois Alphen, deux Zay, plusieurs Cahen, deux Wimphen[1].

La monarchie absolue se défie des juifs, mais ne dédaigne nullement leurs secours financiers. En décembre 1706, d'Argenson est chargé par le contrôleur général des Finances d'intervenir auprès des banquiers messins Schwab et Worms, venus à Paris à la demande de leur correspondant Hogguer, afin qu'ils « prennent des engagements pour le service de l'extraordinaire des guerres ». On assure, ajoute le lieutenant général de police, qu'ils « font des négociations en argent, et qu'ils ont fourni depuis quinze jours trente ou quarante mille écus en espèces aux nouveaux fermiers des gabelles de Lorraine ». On leur mettra donc le marché en mains : ou ils secourront l'extraordinaire des guerres « pour des sommes considérables » ou on les renverra chez eux[2].

1. Arch. nat. G^7 1728, 30 août et 4 septembre 1715.
2. d° G^7 1725, 2 décembre 1706.

Les mêmes Schwab (Moïse et son frère Ruben) sont accusés en 1710 d'avoir exigé des intérêts usuraires — 30 % prétend-on — du marquis de Blincourt, à l'occasion d'un prêt effectué à celui-ci en billets de monnaie. « Si ces juifs refusaient de rendre raison de leur conduite, vous pourriez prendre les ordres du roi pour les y obliger », écrit le contrôleur général des Finances. Les Schwab viennent à Paris se justifier, sollicitent d'être renvoyés devant les juges de Metz et se plaignent, dans un placet présenté à l'audience du roi du vendredi par M. de Grancey, de « l'aversion de d'Argenson pour la nation juive ». Finalement, débiteur et prêteurs s'accommodent au taux courant de la place, ce qui n'empêche point d'Argenson, hargneux, d'écrire : « Cette affaire sert à faire connaître combien le commerce des juifs est à charge au public et de quelle importance il est de ne les point souffrir à Paris[1]. »

Comme on lève, en octobre 1710 et janvier 1711, des taxes sur les gens d'affaires et sur les aisés, on trouve tout naturel de les lever sur les juifs : Jacob d'Halberstadt vient négocier au nom de la communauté israélite messine, menacée de poursuites judiciaires[2].

Vis-à-vis des protestants, les effets de la révocation de l'édit de Nantes continuent à se manifester avec une apparente rigueur, mais ils sont tempérés dans l'exécution par une discrète bienveillance.

La police s'efforce toujours, certes, d'arrêter les prédicants venus clandestinement à Paris porter la bonne parole aux non-convertis, qui se cachent dans des demeures amies, et que dénonce inlassablement au roi l'archevêque. Mais les recherches sont rarement couronnées de succès ; comme d'Argenson s'en excuse, on le rassure en 1700 : le roi est « persuadé qu'il ne

1. Arch. nat. G^7 1726, 2 avril, 22 août 1710.
2. d° G^7 1727, 21 juillet 1711.

négligera rien» pour arrêter les ministres protestants dont Noailles lui a donné avis[1].

Les réfractaires assistent aux prêches chez les ambassadeurs des pays luthériens ou calvinistes, comme l'envoyé de Danemark, chez qui un indicateur de police « observe» et, à la demande du roi, fait un rapport quotidien. Afin de vaincre l'obstination du diplomate, tout en respectant les convenances diplomatiques, on lui « parle fortement» : il devra faire prêcher chez lui en danois et non en français ; on arrête même quelques fidèles de son ambassade, notamment deux marchands de vin, Morin et Dargeant, un horloger de la rue Mazarine, Desbuis, et la femme Desbancs, potière d'étain rue Dauphine[2].

Les diplomates étrangers sont, en outre, astreints à prendre pour domestiques soit des Français catholiques, soit, s'ils tiennent absolument à employer des protestants, des gens de leur pays. C'est Louis XIV qui, personnellement, prend cette décision. Il songe même un moment — ce qui est assez étonnant — à empêcher les étrangers protestants résidant à Paris de baptiser leurs enfants dans les ambassades de leur choix[3]. Finalement, le roi le tolère, mais exige que les baptêmes aient lieu « sourdement et sans aucune démonstration extérieure» de nature à faire supposer une approbation du pouvoir[4].

Le nombre des protestants passés sans encombre entre les mailles du filet policier demeure encore notable, puisqu'en 1704 l'évêque de Luçon se plaint de la « maîtresse de la poste des Sables-d'Olonne, huguenote opiniâtre qu'il serait bon de ne point laisser dans cet emploi[5] ».

Ces rescapés de la grande purge se marient entre eux clandestinement, souvent avec la complicité de prêtres catholiques — tel le curé Pardieu —, qui acceptent de faux certificats de confession et de résidence. Pardieu a pour principal complice le curé de Saint-Nicolas-des-Nids, près d'Orléans. Plusieurs

1. Arch. nat. 0^1 44, 23 avril 1700.
2. d° 0^1 364, 14 juin 1703.
3. d° 0^1 365, 23 avril 1704.
4. d° 0^1 42, 23 juin 1698.
5. d° 0^1 365, 26 novembre 1704.

mariages ont été célébrés à Paris dans sa chambre. On arrête ces prêtres, mais sans les déférer à la justice, le roi préférant assoupir l'affaire[1].

Les enterrements ont lieu eux aussi en secret ; on ne voit d'ailleurs pas comment il pourrait en aller autrement, puisque l'Église refuse la sépulture aux « hérétiques ». On inhume ainsi dans le jardin du nommé Grimault, qu'on incarcère ainsi que Fournier, entrepreneur, qui a prêté un coin retiré de son chantier à cet effet[2].

Les enfants des huguenots continuent à leur être enlevés en vue de les éduquer aux Nouveaux ou Nouvelles Catholiques ; on procède de même vis-à-vis des enfants des convertis dont la bonne foi semble suspecte, mais le roi recommande, et c'est là un ton nouveau, beaucoup de doigté pour procéder à ces cruelles séparations : « Car ôter ainsi sans un pressant besoin, c'est révolter l'enfant contre le père, le mettre hors d'état d'embrasser aucune profession et souvent détourner sans aucun fruit l'affection du père envers lui[3]. » Les parents échappent parfois à cette contrainte en confiant leurs enfants à des répétiteurs qui s'engagent à ne pas les envoyer à la messe. Ainsi en va-t-il pour les trois fils de M. de Guichy, gentilhomme nivernais, en 1698.

Les vendeurs de faux passeports sont nombreux, et l'on trouve toujours des « passeurs » guidant les fugitifs par les petites routes vers une frontière amie. La police, avec ses redoutables mouches, observe ceux qui se préparent à s'expatrier, comme le marchand de blé Roger, autrefois emprisonné pour accaparement, qui voulait rejoindre son gendre, ministre du culte à La Haye[4]. En 1703, d'Argenson est félicité pour

1. Arch. nat. 0^1 41, 13 mai 1697.
2. d° 0^1 41, 27 mars 1697 et 0^1 364, 28 février 1703.
3. d° 0^1 42, 21 mai 1698.
4. d° 0^1 42, 19 novembre 1698.

avoir « déconcerté » le projet de quatorze fuyards[1]. L'intention des intéressés se devinait aisément de la façon suivante : « La femme Plâtrier, après avoir démeublé sa maison, demeure à présent chez une autre femme de même religion qu'elle, d'où on la voit sortir tous les jours des paquets qu'on porte chez les revendeuses. Ces démarches font conjecturer qu'elle songe à quitter Paris, quoiqu'elle sache son mari arrêté[2]. »

On surveille aussi les banquiers se hasardant à receler les effets et contrats des protestants fugitifs, activité à laquelle la rumeur publique attribue l'énorme fortune de Samuel Bernard. « Continuez, écrit le roi à d'Argenson en 1705, à faire observer la conduite des banquiers nouveaux catholiques que vous soupçonnez d'avoir des commerces criminels dans les pays étrangers ou d'y faire tenir de l'argent aux fugitifs. » Certains intermédiaires parvenaient cependant à assurer le service régulier d'une pension à l'étranger, moyennant des commissions parfois usuraires[3].

Seuls sont vraiment recherchés de façon active les colporteurs de libelles protestants, d'un ton en général très violent et quasi fanatique contre le roi, telle la *Relation sur ce qui se passe en Languedoc ou le panégyrique des résistants des Cévennes.* Les emprisonnements de protestants notables deviennent rares : on ne relève guère que ceux de Dubreuil, banquier, en 1698, pour lequel, dit le roi, « d'Argenson a eu trop d'indulgence[4] », de Causse, chef des religionnaires de Montpellier et seigneur de la paroisse de Marjolos, dont l'armée royale avait brûlé et rasé toutes les maisons, trois cents protestants ayant tué, lors d'une embuscade, un capitaine, deux lieutenants et trente soldats[5].

Le plus souvent, on enferme les « opiniâtres » à l'Hôpital général. Parmi eux, notons un horloger, amputé des deux jambes. Il s'est « adonné à pervertir les anciens catholiques

1. Arch. nat. 0^1 364, 23 avril 1703.
2. Bibl. nat. Manusc. français 8122, 27 avril 1697.
3. Arch. nat. 0^1 366, 26 mars 1705.
4. d° 0^1 42.
5. d° 0^1 364, 7 mars 1703.

des environs du Palais avec un tel succès que plus de cinquante personnes auraient été déjà séduites lorsqu'il fut arrêté». Il agissait de concert avec une sage-femme et faisait, grâce à elle, baptiser les nouveau-nés par le prédicateur d'une ambassade[1].

***

Deux faits précis montrent tout ensemble la lassitude des grands commis (mais non celle du roi) devant la répression et le secret libéralisme de d'Argenson.

En 1700, un gentilhomme huguenot, venu à la Comédie après de copieuses libations, y suscite un scandale, chantant à tue-tête des psaumes au parterre et prononçant des « discours infâmes», certainement contre les catholiques. En d'autres temps il eût été expédié aux galères. On se contente de l'envoyer pour un mois à la prison de Fort-l'Évêque[2].

En 1701, décède la femme Amiot, ex-protestante convertie par contrainte qui, pour éviter le pire, allait à la messe, écoutait les instructions de son curé, mais n'avait jamais communié. Elle n'a pas voulu se confesser avant de mourir. Normalement, considérée comme relaps, un procès devrait être intenté « contre son cadavre ou sa mémoire», son corps étant traîné sur la claie, face contre terre et jeté à la voirie (déclaration de 1686).

D'Argenson souligne l'impossibilité de prouver qu'au moment de sa mort, la femme Amiot se soit déclarée protestante. Sa garde, ni ses domestiques, ne voudront en porter témoignage. Son mari semble réellement converti, car il participe aux sacrements : à son égard « on peut seulement douter du sentiment intérieur, que la crainte de la loi ni l'autorité des hommes ne peuvent changer».

Un exemple de sévérité vis-à-vis de cette famille respectable ne servirait à rien quant à son salut, mais ferait en revanche un

1. Arch. nat. O[1] 44, 6 janvier 1700.
2. Bibl. nat. Manusc. français 8122, 20 août 1700.

éclat fâcheux dans le public. « Vous savez, ajoute d'Argenson non sans courage, combien les procès de cette qualité révoltent les nouveaux convertis encore chancelants. S'ils font ce mauvais effet dans les provinces, ils porteront un bien plus grand coup dans la capitale du royaume, où l'on a sujet de croire que rien ne se fait en matière de cette importance si le roi ne l'ordonne à ses magistrats par un ordre exprès et précis. »

CHAPITRE XVII

LA CHASSE AUX SORCIERS

VENUES du fond des âges, les pratiques de sorcellerie, déviations populaires de la magie, ont été dès le XIVe siècle solennellement condamnées par le pape Jean XXII qui y a vu, non sans raison, une forme dangereuse d'antireligion, assimilable à l'hérésie : « Il y a, précise sa bulle *Super illius specula*, des gens qui, n'étant chrétiens que de nom, ont abandonné les premières lumières de la vérité pour s'allier avec la mort et pactiser avec l'enfer. Ils sacrifient aux démons et les adorent, fabriquent ou se procurent des images, des anneaux, des fioles, des miroirs et autres choses encore, où ils attachent les démons par leur art magique, leur tirant des réponses, leur demandant secours pour exécuter leurs mauvais desseins, s'engageant à la plus honteuse servitude pour la plus honteuse des choses. »

Innocent VIII, en 1484, réitérera les termes de cette condamnation des catholiques déviés se livrant aux démons incubes et succubes[1].

L'affaire des Poisons, divulguant les messes noires et leurs célébrations obscènes, va donner un éclat extraordinaire à ces pratiques, que la longue suite de malheurs de la fin du règne de Louis XIV multipliera de façon préoccupante.

1. Incubes : de *in-cumbo*, se coucher sur. Succubes : de *sub-cumbo*, se coucher sous. Les premiers étaient des démons masculins, paillards et lascifs, les seconds des démons féminins, excitant maris et moines.

A l'instigation du roi, désireux de redresser la moralité publique et d'épurer les mœurs, d'Argenson est chargé, au courant de 1702, d'une vaste action de répression contre les sorciers et sorcières. Le recueil d'interrogatoires établi à ce sujet, qui porte sur la période 1702-1714, est un document passionnant sur les dessous du Grand Siècle finissant.

Laissons, avant de l'aborder, la parole au lieutenant général de police[1] :

Il y a longtemps que je diffère à vous informer d'un grand désordre qui augmente de jour en jour et qui ne se borne pas à la corruption des mœurs, mais tend à détruire la religion dans tous ses principes.

Cet abus regarde les faux devins, les prétendus sorciers, ceux qui promettent la découverte des trésors ou la communication des génies, enfin toutes les personnes qui distribuent des poudres, des talismans ou des pantacles[2]. Le nombre en est devenu si grand que plusieurs de nos communautés d'arts et métiers ne sont pas, à beaucoup près, si nombreuses. J'ai cru ne pouvoir me donner trop de soin pour découvrir les principaux chefs de ce commerce criminel et l'on m'en a fait connaître jusqu'à dix-neuf, qui conduisent séparément leurs intrigues, enchérissent en impiété, abusent de la simplicité de ceux qui les consultent et commettent en leur présence les dernières abominations. Les ecclésiastiques qui sont occupés au ministère de la confession gémissent de ce malheur et ne peuvent y apporter aucun remède.

Cet engouement pour la sorcellerie, qui va de pair avec la montée de l'irréligion, n'est pas l'apanage des seuls milieux populaires. D'Argenson signale en effet à Pontchartrain le cas de l'abbé Pinel et de ses complices : on a « lieu de croire qu'ils ont été consultés par des personnes d'un rang distingué, dont il sera peut-être du service du roi de savoir les visions et les folies ».

1. Bibl. nat. Fonds Clairambault 983.

2. Nous verrons plus loin la signification de ce terme, qu'il faut se garder de confondre avec « pentacle ».

Le pouvoir a tenté de faire un grand exemple, au cours de l'hiver 1701, revenant en pareil cas au châtiment suprême — contrairement aux règles d'humanité édictées par La Reynie, qui avait assimilé aux crimes de droit commun les faits de magie. Un prêtre, le curé Barbet, qui avait célébré des messes noires, est ainsi condamné au bûcher et brûlé devant un grand concours de peuple : supplice affreux et anachronique, il faut en convenir, à l'aube du « siècle des lumières ».

Loin d'inspirer la terreur, cet exemple, semble-t-il, ne fait « que rendre tous ceux de la cabale plus insolents » ; la police éprouve les pires difficultés à insinuer ses indicateurs dans ce milieu fermé, secret, méfiant, dont tous les affidés se connaissent. Elle parvient enfin, après de longs efforts, à obtenir la « conversion » inespérée d'un membre d'une secte, qui ne « lui est pas inutile pour parvenir à la connaissance de ces mystères d'iniquité dont le secret fait une juste horreur ».

Mais être informé des faits et disposer des preuves matérielles nécessaires pour juger les coupables sont deux problèmes bien différents. Devant les tribunaux ordinaires, la conviction de ces crimes est donc fort difficile ; à supposer qu'on en assure la preuve « par des personnes qui s'introduisent dans la familiarité de ceux qui les commettent et participent elles-mêmes à des assemblées d'impiété », la légalité de ce moyen demeure douteuse : la loi ne permet pas de faire commettre un crime pour en procurer la punition, et tous les complices d'un acte de sorcellerie, fussent-ils indicateurs de police, « méritent également d'être punis ».

On ne s'était point embarrassé d'autant de scrupules juridiques que d'Argenson pour brûler le prêtre Barbet : le chef des exempts, Desgrez fils, qui régnait en maître sur tous les personnages louches de Paris, était parvenu à placer dans son entourage deux hommes de confiance ; ils avaient si bien circonvenu le sorcier que celui-ci leur demanda de l'aider à servir une messe noire, au cours de laquelle devait être consacré le pantacle sous l'hostie.

Qu'est ce fameux pantacle, mot dont aucun dictionnaire ne donne plus aujourd'hui la signification ? L'interrogatoire d'un sorcier va nous le révéler : il s'agit de parchemin vierge, dont on découpe une rondelle du diamètre d'une hostie, sur laquelle on trace le triangle de Salomon. Après avoir écrit à l'intérieur de cette figure par deux fois le nom de Dieu, en langues hébraïque et grecque, on place le pantacle, lors de la « célébration », au-dessous de l'hostie consacrée.

Les messes noires, on s'en doute, avaient lieu dans des endroits discrets : maisons abandonnées, souterrains, caves, hôtels délabrés cachés au fond de grands parcs. Elles se célébraient sur une pierre d'autel, mais une femme dévêtue s'y étendait. Le prêtre impie posait le calice sur son corps, puis commençait son office diabolique, entouré de cierges noirs.

Au cours de la cérémonie, les paroles sacramentelles de consécration portaient à la fois sur l'hostie et le pantacle, lesquels, pendant « l'élévation », devaient demeurer en étroit contact.

Les indicateurs de Desgrez purent non seulement relater aux juges les détails de la messe noire à laquelle ils avaient assisté, mais aussi leur fournir un pantacle « consacré », pièce à conviction essentielle.

D'Argenson, pour sa part, répugne — ou affecte de répugner — à ces moyens de preuve d'une moralité contestable. Il précise, non sans raison, que « les témoins de cette qualité sont presque toujours d'une foi suspecte » : l'un de ceux qui ont chargé Barbet, nommé Petit, a d'ailleurs été ensuite pendu en effigie pour d'autres crimes en septembre 1709 ; l'autre « continue à se mêler de divination, vente de poudres, tirages d'horoscopes ».

Au surplus, « il semble que l'éclat qu'on fait dans le public en instruisant les procès de cette qualité forme une espèce de scandale qui déshonore la religion et rend les protestants plus indociles ». Aussi d'Argenson estime-t-il plus politique et plus conforme à l'objet recherché par le roi et Mme de Maintenon, de disperser les cabalistes par lettre de cachet, puis de les interner à l'Hôpital général ou dans des prisons lointaines, les « y nourrissant en pauvres et les y oubliant pendant longtemps». Quant à leurs complices et leurs dupes, il préfère les reléguer loin de Paris.

Cette procédure discrète n'est-elle pas, conclut-il, infinimen préférable à « une longue suite d'instructions et soixante arrêts d'une commission extraordinaire»?

***

Abordons maintenant le pittoresque — et souvent pénible — tableau de chasse de la police entre 1702 et 1714.

Jemme, qui s'est fait autrefois recevoir maître tapissier à Paris, a abandonné sa femme et ses enfants pour émigrer en Hollande, où il a longtemps vécu avec une prostituée. Puis il l'a, elle aussi, lâchée pour revenir à Paris, clandestinement d'ailleurs puisqu'il y est interdit de séjour. Là, il se livre à la sorcellerie : il a d'ailleurs de qui tenir, son oncle, le « marquis» d'Ambreville, ayant été condamné au bûcher pour ses sacrilèges.

Jemme s'est spécialisé dans la confection et la vente des pantacles, mais il ne dédaigne pas à l'occasion de célébrer des messes noires, utilisant à cet effet un complice, « chercheur de maisons éloignées où l'on puisse formuler les invocations magiques en toute sûreté». Son officiante, la fille La Barre, femme de chambre, s'est « donnée au diable», et, voulant avoir un enfant sans s'encombrer pour autant d'un mari, a obtenu de la femme Lebrun, épouse d'un filou relégué, qu'elle accouche dans le cercle magique (nous verrons plus loin de quoi il s'agit) et lui remette son bébé. Jemme a pour autre complice une avorteuse faisant commerce de « poudres pour se faire aimer», dont les femmes en quête d'un beau mariage font grande consommation.

Picot, ex-laboureur de la région de Compiègne, a délaissé la herse et la charrue pour s'instituer, en toute simplicité, « maréchal des magiciens», titre ronflant qui lui a facilité le recrutement d'une véritable secte. Ses fidèles assurent que « toutes les personnes que le roi honore le plus de sa confiance n'y sont parvenues que par le secret de ses enchantements».

Il réclame de ceux qui sollicitent son entremise une soumission et un secret signés de leur propre sang. Le prix de ses interventions est modeste : un écu et trois liards. L'écu, prétend-il, constitue l'offrande faite à « l'esprit », et les trois liards, ses honoraires.

Picot est d'abord guérisseur. Pour soulager ses patients, il fait sur eux neuf signes de croix, puis leur donne autant de soufflets au nom de Lucifer. S'il s'agit de guérir un absent pour lequel on lui demande d'intercéder, le même cérémonial s'effectue au-dessus... d'une tasse de tisane.

Le sorcier possède un autre secret : celui de procurer, chaque matin, quatre louis à ses clients. Il y parvient par la formule magique de « la poupée », recette curieuse et complexe : Picot prend un œuf frais, dont il perce la pointe, de façon à en extraire une partie du blanc, qu'il remplace aussitôt par du sperme. Puis il referme l'orifice avec de la poix, enveloppe l'œuf d'un linge blanc, le fait couver par une poule (sans doute noire). A l'issue de la couvaison, on obtient, affirme-t-il, un petit monstre « qui tient beaucoup de la figure humaine ».

On le pose alors sur un linge, prenant soin qu'il ne passe au-dessous ni chat, ni chien car, sans cette précaution, l'homme qui tient le mouchoir périrait étranglé.

Le monstre demande ce qu'on attend de lui. Le client doit répondre, selon son propre désir : or ou argent. Le monstre poursuit : « Pour combien de temps et que me donneras-tu pour ma nourriture ? » Il convient de lui promettre aussitôt du sucre, puis de le déposer douillettement dans une boîte garnie de coton, qu'on portera constamment sur soi. Grâce à ce talisman, on trouve chaque jour dans la boîte quatre louis.

Parmi les complices de Picot figurent plusieurs femmes, notamment une tireuse d'horoscopes, la Jacob, qui détient un secret pour gagner au jeu, mais d'une exécution plutôt délicate : il faut laisser séjourner trois cartes maîtresses vingt-quatre heures dans la fosse d'un pendu !

Le prêtre Barbet avait longtemps été en liaison avec l'amant d'une de ces femmes. Il « consacrait pour lui les divers objets nécessaires à la mise en œuvre des maléfices », entre autres des aiguilles servant à « enchanter une personne à qui on voulait inspirer de l'amour ». A cet effet, il fallait enfiler les aiguilles consacrées sur du fil blanc, puis les piquer dans l'habit de l'intéressé ou de l'intéressée, en prononçant certaines formules rituelles.

***

Louvet, soldat invalide, ex-compagnon charpentier, a acquis une grande réputation parmi les magiciens grâce au succès de ses conjurations. « Il parle familièrement à l'esprit et l'on ne peut être ni plus expérimenté, ni plus profond dans la science du grimoire. » On doit en croire les témoins, puisqu'il est capable de leur faire entendre soudain quantité de sonnettes et de grelots, preuve manifeste que les diables accourent à sa voix!

Ses invocations sont précédées de neuvaines de messes, accompagnées de libations et d'encensements qui coûtent fort cher à ses dupes. On lui a donné jusqu'à deux cents écus pour un pacte avec le diable, qui n'a d'ailleurs pas été couronné de succès.

Parmi les rabatteurs du sorcier on remarque le curé de Condé, dévoyé qui accepte de « consacrer » des pantacles moyennant finance, d'assister à des sacrifices infernaux, d'invoquer les génies ; il possède une lame magique, à inscriptions hébraïques, consacrée par ses soins : qui la porte sur soi gagne infailliblement au jeu. Autre complice pittoresque, une fruitière de la rue du Sépulcre[1] : les murs de sa maison recèlent quantité d'ossements. Le diable y est apparu sous forme humaine ; de temps à autre, on entend, dans les caves, des souffles impétueux et mystérieux, longs gémissements qui glacent d'effroi la clientèle.

***

L'abbé Lefèvre, prêtre déchu, a été mis en pénitence dans un monastère de Compiègne pour mauvaises mœurs : il s'en

1. Actuellement rue du Dragon.

est évadé, en forçant les portes et s'est sécularisé lui-même, ce qui lui a valu un long séjour dans les cachots de l'officialité.

Relâché, il a rejoint la troupe des clandestins de Paris, puis s'est mis en ménage avec Mariette, femme d'un imagier du Petit Pont ; elle l'aide à dire des messes noires, au cours desquelles il consacre l'hostie sur son ventre. Ces messes ont lieu à minuit ; Lefèvre revêt des habits sacerdotaux. Un verre à bière tient lieu de calice. L'une de ces cérémonies démoniaques a eu pour objet de conclure un traité avec l'esprit infernal en vue d'obtenir pour un naïf client une somme d'un million de livres, une pension mensuelle de deux mille écus et le don de se faire aimer des personnes du premier rang !

Lefèvre s'est acoquiné avec un autre curé, Pinel, prieur de l'église Notre-Dame de Noyen-sur-Seine, bénéfice qui lui vaut deux mille livres de rente par an. Il alla le rejoindre en septembre 1700, accompagné de Mariette. Dans l'église, il traça un cercle magique autour de l'autel avec de la craie bénite, célébra une messe trois nuits de suite. Au cours de la première, il baptisa un grimoire, appelé Membrok, selon les rites liturgiques, à l'exception des saintes huiles. La seconde messe fut dite en hommage à la Sainte Trinité, la dernière fut votive. Selon un témoin, la seule différence avec la messe ordinaire était qu'avant l'élévation, le sacrificateur tenait l'hostie de la main gauche, un assistant lui présentant du côté droit le grimoire, préalablement baptisé.

Lefèvre, quoique prêtre interdit, continuait à célébrer la messe à Paris, à l'hôpital des Enfants Trouvés, muni de faux certificats.

***

Roullion — encore un autre prêtre chassé d'une paroisse dépendant du duché d'Enghien — consacre lui aussi pantacles, grimoires et talismans, célèbre des messes noires nocturnes, et vit avec une concubine originaire de Blois, dont il a plusieurs enfants.

Un de ses complices détient un étrange secret : on arrache trois à cinq poils du ventre d'une jument n'ayant jamais porté, on les place dans un pot de terre neuf plein d'eau de fontaine, et qu'on conserve dans une chambre close pendant neuf jours. Rentrant alors dans la pièce, on y prononce des incantations mystérieuses. Le pot ouvert, il s'y découvre un animal bizarre, en forme de chenille, de hanneton ou d'oiseau, auquel il faut se garder de toucher. On le soulève avec une aiguillée de soie rouge, pour le mettre dans une boîte pleine de son, parmi des pièces d'argent. Le lendemain, il s'y trouve une somme double. Mais la vertu multiplicatrice de la « petite bête » ne va pas plus loin que douze louis d'or !

Chevalier, qui subsiste dans le quartier du Palais-Royal de ressources mal définies, est un spécialiste de la découverte des trésors. Il utilise, pour les détecter, une baguette de Vulcain, taillée dans du coudrier vierge, c'est-à-dire n'ayant jamais porté de fruits, en forme de fourche de sourcier, aux branches longues chacune d'un pied. La baguette doit avoir été coupée un vendredi, avant le lever du soleil. Il complète son industrie par la vente de bouquets de fleurs consacrées, destinées aux belles dont on mendie les faveurs.

La recherche des trésors, qui enfièvre les imaginations, fait à l'époque nombre de dupes. On y recourt même chez des personnes d'un certain rang. En novembre 1713, d'Argenson se trouve à cet effet requis par les héritiers du défunt Langlois, fermier général, dont le conseiller d'État de Harlay occupe maintenant la maison[1]. « Le donneur d'avis, nommé Tournerot, parut d'abord d'une sécurité merveilleuse. Il nous conduisit dans un fort petit caveau, où il nous assura qu'il avait porté à plusieurs reprises, plus de trois à quatre cents sacs de mille francs par ordre du sieur Langlois, qu'il renfermait ensuite

1. Arch. nat. G^7 1728, 23 novembre 1713.

dans son cabinet, afin qu'on ne pût savoir l'endroit où il cachait cet argent. »

Le caveau est éclairé par un soupirail donnant sur la cour et l'indicateur ne sait pas exactement où se trouve la cache. On fait appel à des maçons, qui pratiquent une grande ouverture dans un mur. Hélas ! il s'agit d'un mur de refend, mitoyen avec un autre caveau, « ce qui surprend étrangement notre donneur d'avis ». On fait ensuite sonder le sol « qui n'est composé que de gravois et de terre de rapport ». Les autres murs, sondés eux aussi, ne livrent point de trésor. L'indicateur a péché par excès de chimères.

Ajoutons que, selon une jurisprudence traditionnelle, les trésors trouvés au vu et au su de tous appartiennent par moitié à leur inventeur et au seigneur haut justicier, s'ils sont découverts par un propriétaire sur son fonds. Si l'inventeur n'est pas le propriétaire, il n'a droit qu'à un tiers, le reste étant partagé entre ce propriétaire et le seigneur. Si le trésor est trouvé sur un grand chemin ou dans un lieu public, la moitié va à l'inventeur, le solde au roi ou au seigneur dans la haute justice duquel se trouve le lieu de la découverte. Tous les cas sont prévus, même celui des trésors trouvés dans les églises, celles-ci en bénéficiant de la moitié !

Parmi les cabalistes chercheurs de trésor arrêtés par d'Argenson figurent encore le nommé Bodot, quelque peu alchimiste, dont la chambre est pleine de cornues et de fourneaux, et la femme Hameau, aux mœurs dissolues.

Autre personnage encore de ce microcosme étrange : le P. Robert, trente-deux ans, ex-cordelier chassé de son monastère, ordonné prêtre depuis huit ans. Délaissant la haire, la discipline et les macérations, il s'est adonné à un commerce fructueux : celui de la corde de pendu. Il obtient cette rare marchandise du valet de l'exécuteur des hautes œuvres, la consacre ensuite, puis la revend par petits bouts à prix d'or. La dernière corde ainsi débitée avait servi à pendre haut et court le nommé Janot, dit ... Lafortune, un pauvre diable âgé de moins de vingt ans. Le P. Robert posa le nœud coulant sous l'hostie de l'église des Carmes de Charenton. Tout porteur du moindre fragment de chanvre bénit était certain des succès les plus foudroyants avec les dames, de gains confortables au jeu et d'une belle réussite dans l'existence.

Ce cordelier spécialiste de corde a corrompu une dizaine de moines, qui l'assistent désormais dans son négoce. Le jour où on l'arrête, il parvient à sauver sa cassette en la remettant à un officier de dragons complaisant.

Le nommé Boyer traite couramment avec le diable ; les rapports de police nous décrivent son cérémonial. Il étend une serviette blanche sur une table, dépose une petite croix en son centre, place sur elle un verre n'ayant jamais servi, l'emplit d'eau, puis fait entrer dans la pièce une jeune fille d'une virginité certaine. Alors, s'adressant emphatiquement au verre, Boyer s'écrie : « Uriel, je te conjure par la Très Sainte Trinité, par la virginité de la Vierge, de saint Jean Baptiste et de saint Jean l'Évangéliste, par celle de qui se présente devant toi, que tu aies à faire éclater la vérité de ce que je te demande. Galatin, Galata, Calin, Cala, soyez les bienvenus, apportez le livre que Dieu a donné à Moïse, ouvrez-le, jurez vérité dessus et faites voir sans tromperie ni supercherie ce qu'on vous demande. Après que vous l'aurez fait, on vous dira un Pater et un Ave. »

Si tout se passe bien, la jeune fille doit apercevoir dans le verre celui de qui le client est en peine.

Boyer assure que, par ce « secret », il a fait voir à des duchesses la capture du maréchal de Villeroi et le couronnement de la reine d'Angleterre.

Tout cela moyennant un écu, ce qui était donné...

***

Achevons cette galerie de portraits insolites par quelques autres personnages hauts en couleur.

Le « baron » de Saugeon se dit d'une maison illustre et s'est créé une généalogie magnifique. A l'entendre, les La Tour d'Auvergne auraient usurpé son nom et ses biens, le roi devant lui désigner des commissaires pour juger « ces grandes contestations qu'il fait monter à des sommes immenses ». En attendant, il vit d'intrigues, rue du Bac et, aidé de sa femme, vend un élixir destiné à rétablir la virginité de celles qui l'ont imprudemment perdue. Il tire aussi les cartes sur le ventre de jeunes personnes délurées et s'est attaché à retrouver un trésor qu'on dit enfoui derrière l'Hôpital général — où ses talents, malheureusement pour lui, l'obligeront à finir ses jours.

Jean Chaperon, vingt-deux ans, envoyé à Bicêtre en 1712, est chef d'une cabale de faux sorciers, marchands de livres de magie, qu'ils prétendent signés de la main du prince Astarté et scellés de son sceau.

La femme Marotte, jardinière, opère dans une carrière située en un lieu idyllique, au pied de l'ancien gibet de Montfaucon ! Un orfèvre de la Cour des miracles — cette fameuse Cour dont on a, bien à tort, attribué la suppression à La Reynie — s'est laissé prendre aux sortilèges de ce sorcier en jupons et y a perdu, ainsi qu'un marchand de vins, sa fortune.

***

On croit rêver devant la niaiserie des prétendus sortilèges auxquels, fascinés par un dosage habile d'attrait et d'horreur, se laissaient prendre nos ancêtres pour satisfaire les grands rêves enfantins de tous les temps : découvrir un trésor, devenir riche, s'assurer le cœur d'une élue, faire périr un ennemi, gagner la confiance des grands de ce monde ou du roi, nouer l'aiguillette d'un rival, jeter un mauvais sort à des concurrents heureux.

Il n'en demeure pas moins que la sorcellerie, forme populaire de contre-religion, pouvait légitimement inquiéter le pouvoir : la proportion élevée de religieux déchus qui s'y adonnaient, en abusant de leur ancien sacerdoce, souligne la gravité du problème ; le désir de cacher l'étendue du mal en évitant des procès publics en apporte un autre témoignage.

Dans l'entourage direct du roi, d'aucuns pensaient en secret, comme certains cabalistes arrêtés, que Mme de Maintenon « s'était rendue maîtresse de l'esprit de Louis XIV par enchantement », et l'on prenait fort au sérieux la recherche de la pierre philosophale. Qui savait, après tout, si quelque alchimiste heureux ne fournirait pas au Trésor de quoi soutenir une guerre accablante ?

D'Argenson, plus lucide, ne partageait pas ces illusions. En 1705, enquêtant sur ordre de Pontchartrain, il écrivait : « Je parlai encore à Marconnay mercredi dernier, touchant ces opérations merveilleuses dont il présume si fort, mais il n'a pas voulu les entreprendre jusqu'à ce que la nature soit plus échauffée. Il faut, dit-il, que l'air et la terre soient allumés de cette ardeur vive, qu'il appelle l'âme du monde, pour mettre le sage à portée d'inspirer aux matières qu'il travaille, ce feu sublime et philosophique qui doit les transformer dans les premiers de tous les métaux. J'attendrai donc qu'il veuille agir et, persuadé que ses idées sont des chimères vaines, je ne m'empresserai pas beaucoup de faire dépenser au roi vingt ou trente pistoles qui, certainement, s'évanouiront en fumée. »

CHAPITRE XVIII

DIVERTISSEMENTS ET JEUX

Le théâtre et l'Opéra, en cette fin plutôt sinistre du Grand Siècle, demeurent les spectacles de prédilection des Parisiens, d'autant que, depuis mars 1697, les Comédiens — Italiens ont été renvoyés — pour avoir mis en scène Mme de Maintenon dans une de leurs pièces. Le roi leur ayant fait payer leurs pensions, d'Argenson reçut l'ordre de « fermer leur théâtre pour toujours », de faire effacer l'inscription figurant sur ses murs et d'en profiter pour détruire « ce qui resserrait la voie publique[1] ». Leur souvenir demeurera cependant si vif qu'en octobre 1716, croyant la liberté enfin revenue après le décès de Louis XIV, le nommé Bertrand sera condamné à trois cents livres d'amende pour avoir prêté sa loge, au préau de la foire Saint-Germain, en vue d'y jouer une comédie italienne, à la joie de quinze cents personnes[2].

D'Argenson demeure constamment favorable au rétablissement d'une seconde troupe. Lorsqu'une partie des Comédiens-Français veut, par suite de dissensions, se séparer de la troupe en 1711, il estime que « l'on ferait une chose fort sage et fort agréable au public d'augmenter les spectacles dans Paris pour amuser innocemment une quantité presque infinie de fainéants, dont la paix augmenterait encore le nombre, et leur faire perdre le goût, l'habitude et l'usage de ces spectacles

1. Arch. nat. 0^1 41, 13 mai et 6 décembre 1697.
2. d° Y 9537, 22 octobre 1716.

populaires que donnent les danseurs de corde» ; en outre la paix, une fois signée, va attirer à Paris une foule d'étrangers, privés d'y venir depuis très longtemps, et ramener la clientèle provinciale. Dans ces perspectives, une seconde troupe « ferait trouver à nos hôpitaux une augmentation de revenus dans le loyer de l'hôtel de Bourgogne, qui vaque depuis tant d'années, outre celle que lui produirait le droit du sixième sur les recettes des spectacles».

« J'ajouterai que le bruit de cet établissement et de cette heureuse concurrence n'est guère moins agréable au peuple, ni moins favorablement reçu du public que l'espérance de la paix, tant il est vrai que la sensibilité que l'on a pour un plaisir inutile ou pour une oisiveté voluptueuse passe assez souvent le désir des biens les plus nécessaires et les plus solides[1].»

D'Argenson scrute avec attention les livrets ou manuscrits de pièces, « afin qu'il n'y échappe aucun trait, aucune expression ni aucune intrigue dont la régularité des mœurs (et aussi, ajoutons-le, la politique du moment) puissent être blessées». On le rappelle à l'ordre en 1703 : « Après ce que S. M. vous a dit concernant les comédies nouvelles, qu'Elle ne veut point être mises sur le théâtre que vous ne les ayez vues pour connaître s'il y a des choses indécentes, je n'ai qu'à vous répéter qu'il faut être sur cela très attentif et que, si l'on en jouait une de cette espèce sans vous l'avoir fait voir, il faudrait aussitôt en rendre compte[2].»

Outre cette censure, la police s'occupe de l'inspection des abords de la Comédie ou de l'Opéra, lieux favorables aux embouteillages, aux rixes et aux manifestations ; elle inspecte également les salles de spectacle.

Les Parisiens, à quelque classe qu'ils appartiennent, sont souvent frondeurs, coléreux, violents, orgueilleux. Il faut,

1. Bibl. nat. Manusc. français 19232 f° 244, 1er décembre 1711.
2. Arch. nat. 0[1] 364, 14 février 1703.

pour les contenir, établir aux entrées de véritables corps de garde composés de sergents armés, qui dépendent du gouverneur de Paris, le maréchal de Boufflers. Celui de la Comédie est, en 1714, commandé par M. de Rivière ; jugé encore insuffisant, il est doublé d'archers du guet chargés, eux, de la circulation. Quelques carrosses des grands, nous l'avons vu, ont droit de stationner près de l'entrée. Les carrosses de louage doivent prendre la file : nobles ou bourgeois en descendent et le véhicule, après règlement de la course, s'ébranle aussitôt pour faire place au suivant. Les archers pressent le mouvement. Si nécessaire, ils ne craignent pas de frapper les cochers rétifs de quelques coups de hallebarde[1].

Les mécontents qui se laissent aller à insulter la garde sont punis de prison : tel est le cas, en 1701, d'un capitaine de dragons qui l'avait tout bonnement chargée à l'arme blanche, ainsi que de deux bourgeois ayant tenu à son encontre des propos grossiers (deux mois de prison)[2].

Les corps de garde sont rétribués par la Comédie ou l'Opéra, qui décident de leurs effectifs. « A l'égard des violences commises par des laquais munis de bâtons, écrit le roi à d'Argenson en 1698, il faut que les comédiens redoublent leur garde s'il en est besoin, qu'ils y mettent des officiers sages et fermes, pour punir sévèrement les laquais en faute[3]. »

Les intéressés ont fort à faire et leur tâche, lorsqu'il s'agit de délinquants de haut lignage, exige beaucoup de diplomatie. En 1699, les suisses du duc de Chartres entendent, pour des raisons de préséance, obliger les gardes à quitter leurs armes au passage du prince. L'officier de service s'en plaint au duc, lequel répond évasivement qu'« il y penserait ». Les suisses, « se croyant autorisés par ce discours, ont menacé la garde qu'ils la feraient bien retirer la première fois que S.A.R. reviendrait à la Comédie, écrit d'Argenson. Comme j'apprends que ce doit être mercredi prochain, et que ces suisses prennent des mesures

1. Arch. nat. O¹ 363, 19 mars 1702.
2. d° O¹ 362, 9 mars et 8 juin 1701.
3. d° O¹ 42, 28 mai 1698.

pour assurer l'effet de leurs menaces, je vous supplie de prendre l'ordre du roi, afin que les gardes de la Comédie quittent les armes si S. M. l'ordonne ou que les suisses de la garde de M. le duc de Chastres cessent de les insulter.» Tancé par le roi, le prince donne de « bons ordres » et confine, en juin 1699, un de ses serviteurs, La Jeunesse, au Fort-l'Évêque. Mais l'incident renaît le mois suivant : finalement, la garde s'incline, mettant bas les armes au passage de l'orgueilleuse altesse[1].

Pour un oui ou un non, on dégaine et on s'embroche. A la sortie de *Psyché*, en 1703, Montigny-Colbert blesse le cocher d'un Condé ; en 1708, M. de Bréviande se querelle pour une place de secondes loges occupée par un tiers, alors qu'il l'avait louée : son interlocuteur, Grandmaison, le tue froidement rue des Boucheries ; il avait d'ailleurs déjà assassiné de même façon un maître à danser rue de la Jussienne.

A l'intérieur des salles, le désordre n'est pas moins grand qu'à leur entrée : il est suscité la plupart du temps par des gens ivres, qui seraient beaucoup mieux dans leur lit.

En 1700, le fils du marquis de Livry se fait accompagner à la Comédie de son chien, un énorme danois. « Il se mit à faire le manège sur le théâtre et à faire voir son agilité en cent manières différentes. MM. du parterre firent, pour l'encourager, tous les bruits de chasse dont chacun se pût aviser. L'un de ceux qui affecta le plus de s'y distinguer fut M. de Creil, mousquetaire, fort sujet à troubler la tranquillité du spectacle, aimant le désordre et l'excitant en toute rencontre[2].» L'année suivante, deux autres mousquetaires interrompent une comédie « par le bruit d'une bassinoire ».

1. Bibl. nat. Manusc. Fonds Clairambault 806, f° 364, lettres des 26 juin et 16 juillet 1699.

2. d° Manusc. français 8119, 24 novembre 1700.

En 1703, le conseiller au Parlement Dubreuil, dans l'amphithéâtre de l'Opéra, insulte le marquis d'Effiat et dit des « sottises outrées » à plusieurs dames de qualité[1].

Petits bourgeois et gens du peuple n'entendent pas demeurer en reste : ils crient brusquement « haut les bras » en pleine représentation, « cri qui a si souvent fait scandale[2] » ; ils utilisent des loges pour leurs ébats amoureux[3]; jettent des charges de paille par une des lucarnes du plafond[4] ; épanchent leur vessie dans une loge inoccupée — ce qui nous vaut cette savoureuse dépêche du secrétaire du roi : « L'homme qui a eu l'insolence de pisser dans la loge de l'Opéra qui est au-dessus de celle où était Madame mériterait une sévère punition ; mais puisqu'elle a bien voulu lui pardonner, il faut en demeurer là[5]. »

Afin d'éviter de tels désordres, La Reynie, à la demande d'ailleurs des Comédiens Français, en 1696, avait décidé de disséminer des indicateurs de police au parterre, avec mission de repérer les siffleurs ou trublions, de les filer, puis de connaître leurs nom et domicile. Il écrivait : « Ce que les comédiens ont déféré depuis quelque temps au parterre, et ce qu'ils ont fait pour s'y accommoder en répétant, autant de fois que le parterre l'a demandé, les endroits des comédies dont il était le plus touché, est la principale cause du désordre qu'il y a maintenant à la Comédie. Le parterre n'applaudit pas seulement, il empêche avec tumulte tout ce qui n'est pas de son goût. Les paroles insolentes ont suivi de près et il n'y a présentement ni rang ni sexe qu'on respecte. » Aussi La Reynie proposait-il de faire une annonce, sitôt achevé le dernier acte, rappelant la défense de répéter « les endroits des pièces qui pourraient être les plus approuvés[6] ».

D'Argenson reprend à son compte l'institution des « inspecteurs ». En 1700, le roi lui écrit : « L'expédient d'avoir des

1. Bibl. nat. Manusc. français 8124, 2 juin 1703 et 8123, 2 février 1708.
2. Arch. nat. 0[1] 363, 8 mars 1702.
3. d° 0[1] 364, 14 février 1703.
4. d° 0[1] 44, 10 mars 1700.
5. d° 0[1] 362, 5 mars 1701.
6. Bibl. nat. Manusc. français, Fonds Clairambault 806, f° 357.

inspecteurs inconnus à la Comédie est très bon et, si les comédiens ne défèrent pas à vos ordres, vous n'avez qu'à me le faire savoir.»

***

Le lieutenant général de police garantit le privilège, c'est-à-dire le monopole des Comédiens-Français : il condamne, le 24 octobre 1716, un boutonnier, un notaire, un peintre et un marchand de tabac qui avaient, sans permission préalable, représenté en soirée *Le Cid* et *Le Médecin malgré lui* sur le théâtre ambulant d'un certain Debelair, à la foire Saint-Laurent, devant deux mille spectateurs.

S'occupant de l'Opéra, il négocie, en août 1704, les conditions auxquelles pourrait être prolongé le privilège du concessionnaire Francine, afin qu'il rétablisse ses affaires, mises en danger par une exploitation déficitaire. Francine doit chercher un associé apporteur de fonds ; et le lieutenant général de police s'assure que « les sûretés réciproques qu'ils se donneront garantiront enfin de sa ruine l'Opéra, qui avait enrichi Lulli ». Le nouveau privilège est signé le 6 octobre, après divers remaniements. Il apparaît « juste et raisonnable » aux créanciers[1].

D'Argenson s'intéresse aussi — tâche sans doute agréable — au sort des cantatrices et dames du corps de ballet, dont il donne minutieusement des nouvelles à Pontchartrain, pour le roi, qui se passionne à leur sujet. En 1700, on envoie au Refuge la chanteuse Marie Lermaire, fille fort légère. « L'archevêque dit qu'elle est à présent dans de bonnes dispositions, se repent de sa vie passée et même ne souhaite pas sortir de ce lieu. » Le roi a reçu entre-temps pour elle deux demandes en mariage. Il faut aller la voir « pour connaître ses dispositions et quel parti elle veut prendre ». Marie Lemaire écarte les deux soupirants et continue sa retraite. Le roi mande alors : « L'y laisser jusqu'à ce qu'elle change de sentiments[2]. » Si d'aventure

1. Arch. nat. 0[1] 365, 24 août et 6 octobre 1704.
2. d° 0[1] 44, 17 février et 3 mars 1700.

d'Argenson oublie de donner des nouvelles des comédiennes ou chanteuses, il se fait aussitôt gourmander : « Vous avez été bien mal informé de ce qui se passe à Paris, puisque vous n'avez pas su la célèbre retraite de la Maupain, de l'Opéra, que j'ai apprise *par hasard* il y a trois ou quatre jours[1]. »

Les problèmes professionnels eux-mêmes ne doivent pas échapper à la vigilance de d'Argenson. L'acteur Guyant, de l'Opéra, ayant été soudoyé et embauché par un certain Constantin, il invite Francine à le poursuivre devant les juges ordinaires, pour empêcher que l'acteur ne le quitte, dans la mesure où ce dernier se trouve lié par contrat[2]. Des comédiens, personnellement endettés, sont-ils menacés de saisie ? La police tente d'accommoder les choses. Le célèbre Baron, appelé à jouer devant la cour, risque, en 1704, d'être appréhendé par les recors, pour dettes, et jeté dans les geôles du Châtelet. Le roi, indécis, n'ose pas lui donner de sauf-conduit, de peur de créer un précédent dangereux, mais dans le même temps, juge que son absence « *in extremis* n'est pas tolérable ». D'Argenson prend d'urgence des mesures avec les créanciers pour qu'il puisse jouer à Versailles et s'en retourner en sûreté. Il tente ensuite de négocier un arrangement durable[3].

Le même Baron, d'un caractère fort vif, se prend de querelle avec Dancourt en 1706 ; l'incident fait grand bruit à Versailles. Le roi approuve alors le projet défendant aux comédiens « de se quereller, de tirer l'épée, ou de faire autres choses semblables dans leurs chambres ». Le lieutenant général, avec l'assentiment de Monseigneur, leur ordonne au surplus « de bien vivre ensemble » car, s'ils s'insultent à nouveau, le roi les punira sévèrement « par prison et privation de leurs droits ». Deux actrices, la Desclos et la Desmarre veulent quitter la troupe, qui se désagrège après ces violents incidents. On en informe le roi[4].

1. Arch. nat. 0^1 366, 29 juillet 1705.
2. d° 0^1 44, 25 mars 1700.
3. d° 0^1 365, 19 novembre et 3 décembre 1704.
4. d° 0^1 367, décembre 1706.

Quelques détails encore, avant de quitter la scène : en juin 1712, y compris la taxe perçue au profit de l'Hôpital général, on paie à la Comédie : 18 sols au parterre, 36 à l'amphithéâtre et aux secondes loges, 3 livres 12 sols sur le théâtre et aux premières loges[1] ; public et acteurs sont, au parterre, séparés par une solide balustrade : « Elle est, écrit d'Argenson en 1714, dans toute la régularité qu'il vous a plu de prescrire. On a toujours une attention très scrupuleuse à empêcher que personne n'en passe les bornes[2] » ; des femmes masquées ou déguisées se dissimulent parfois dans les loges : « Une jeune fille paraît dans les premières loges de la Comédie en habit de mousquetaire. Découvrir qui elle est et ce que c'est que l'intrigue[3] », mande Pontchartrain en 1702 ; le roi refuse que la salle de l'Opéra serve aux bals du Carnaval, à cause « des inconvénients possibles[4] » ; enfin, les portiers de la Comédie et de l'Opéra portent la livrée bleue du roi.

***

Le menu peuple, lui, se passionne pour les danseurs de corde — et surtout les danseuses, souvent aguichantes. La Reynie s'était plaint, parlant du populaire, « du goût, de l'habitude et de l'usage de ces spectacles qu'il est presque impossible de maintenir dans les limites de la bienséance et de l'honnêteté ».

Ces représentations, que Louis XIV lui aussi prise peu, sont mêlées de paroles et de chants, avec un accompagnement musical. Aussi d'Argenson doit-il, en 1711, arbitrer un conflit entre comédiens et danseurs de corde, les premiers reprochant aux seconds de violer leur privilège. En 1718, Mme de Saint-Edme n'obtient l'autorisation de produire ses danseurs qu'à condition qu'ils ne « parlent ni chantent », que les violons

1. Arch. nat. G[7] 439.
2. Bibl. nat. Manusc. français 8125, 25 avril 1714.
3. Arch. nat. 0[1] 363, 1er février 1702.
4. d[o] 0[1] 366, 9 décembre 1705.

n'excèdent pas en nombre les restrictions portées par les privilèges et que les thèmes de chaque exercice soient expliqués au public par de simples écriteaux[1].

Un écuyer, M. de Rochefort, tenant une des nombreuses « académies » hippiques de Paris, propose, ce qui n'est d'ailleurs pas nouveau, de créer un cirque pour y présenter des tournois et carrousels. Le roi réclame un mémoire détaillé à ce sujet. « J'ai peine à croire, répond d'Argenson, que cette grâce enrichisse ceux qui l'obtiendront, ni qu'ils trouvent dans la fantaisie du peuple (de qui dépend tout le succès de ces spectacles) à se dédommager de leurs avances. » Selon le devis soumis à l'approbation par Rochefort, le terrain et l'édification du cirque coûtent 400 000 livres, somme considérable ; le bâtiment est prévu pour contenir environ cinq mille personnes. L'entreprise ne peut rapporter plus de quinze cents louis par carrousel. Aussi la permission n'est-elle pas accordée[2]. Louis XIV, au surplus, se méfie, ont le sait, des rassemblements populaires.

***

Faute de grands spectacles, le peuple se rabat sur les foires, assez nombreuses et échelonnées au cours de l'année. La plus célèbre au Moyen Age, celle du Lendit, qui se tenait à Saint-Denis, a été détrônée par la foire Saint-Germain, qui a lieu dans une cuvette, en contrebas, à l'emplacement du marché couvert actuel et dure en principe quinze jours, mais obtient aisément des prolongations. Avec le renouveau de religiosité de la fin du règne, le cardinal de Noailles, voulant flatter Louis XIV, se prend tout à coup à considérer comme « une chose très indécente la tenue de la foire pendant le carême ». Aussi, propose-t-il, en 1703, au lieu, selon la tradition, de la faire débuter après la Chandeleur[3], qu'elle s'ouvre en pleine période de grands froids, au lendemain des Rois.

1. Arch. nat. 0^1 368, 8 janvier 1718.
2. Bibl. nat. Manusc. franç. 8119, 18 septembre 1700.
3. Arch. nat. 0^1 364, 17 mai 1703.

Le changement de date d'ouverture est finalement rejeté, comme impraticable, mais Noailles, ne voulant pas s'avouer battu, propose d'interdire d'y servir à manger aux heures de jeûne. Impossible, réplique d'Argenson : « La plupart des boutiques sont tenues par les limonadiers et les confituriers ; on y vend des friandises que la plupart des gens consomment sur-le-champ ; en outre la foire est remplie de gens qui vendent des gâteaux. En fin de compte, c'est une chose essentielle que d'y manger et d'y boire ce que l'on ne mange ni ne boit point chez soi ordinairement. » Après arbitrage du roi, on admet une solution de compromis : les visiteurs jeûneront, en carême, jusqu'à 18 heures, mais se rattraperont ensuite[1] ! Il faut ajouter que l'intempérance assez générale de la population devenait, selon d'Argenson, « scandaleuse » à la foire, si bien qu'on dut opérer de nombreux contrôles et fermer, nous l'avons vu, quelques boutiques afin de contenir les indisciplinés.

Le peuple se montre, pour partie, assidu aux processions et aux fêtes religieuses. Lors des unes et des autres, la police oblige les habitants des rues empruntées par le clergé à « tendre » aux balcons, en général de 14 heures jusqu'à la fin de la cérémonie, sous peine d'une amende de 10 livres. Le pavé des rues doit être parfaitement balayé. On interdit la circulation ; officiers et sergents arrêtent les carrosses au débouché des artères latérales. Pour les processions de Notre-Dame, sont ainsi neutralisées les rues Neuve-Notre-Dame, du Marché-Neuf, de la Barillerie, de la Vieille-Draperie et des Marmousets.

Les processions tournent parfois au fanatisme, ce contre quoi, devant la jubilation des protestants, le roi se décide à réagir. Il écrit à l'inspection des brigades du prévôt de l'Ile d'« empêcher la nuit du Jeudi au Vendredi saint le concours du peuple au mont Valérien[2] ». Les brigades se tiendront près

1. Arch. nat. O^1 366, 21 janvier et 11 février 1705.

2. Le mont Valérien, tristement célèbre depuis l'occupation allemande, abritait au début du XVIIIe siècle de nombreux ermites.

des portes de la Conférence, Saint-Honoré et de Richelieu, ainsi que dans la ville. Elles ont ordre d'avertir ceux qu'elles verront aller au mont Valérien « avec des croix ou des marques extraordinaires de pénitence » que l'église et les chapelles en seront closes à six heures, qu'il n'y aura pas de bac à Suresnes pour passer et que les cabarets seront fermés. S'ils persistent, il faut les empêcher de s'y rendre, en ne laissant passer que les « particuliers dans leurs habits ordinaires ». La brigade de Viroflay reçoit les mêmes ordres pour les pénitents pouvant venir de Versailles[1].

***

On jouait déjà beaucoup avant 1700 ; on joue plus frénétiquement encore entre 1700 et 1714, l'inflation, la dévaluation, l'immoralité née de la guerre ayant fait perdre à l'argent une partie de sa signification. On s'accoutume aisément aux fortunes et aux ruines foudroyantes. Du roi, des princes, puis des gens de qualité, cette passion s'exerce non seulement dans les riches hôtels particuliers, mais aussi dans les rues, sur les quais, dans les lieux privilégiés comme le Temple, aux Tuileries, entre soldats et laquais[2].

En 1710, le duc de Mortemart perd tant en une nuit contre le prince d'Isenghien, qu'il lui donne aussitôt son régiment à vendre pour s'acquitter — en partie seulement — de sa dette d'honneur. Au pharaon, au lansquenet, à la bassette, au hocca, s'est ajouté le « papillon », auquel le duc de Bourgogne s'adonne chaque après-dînée jusqu'à huit heures du soir.

Des maisons de jeu, qui sont en vérité des tripots, se sont créées un peu partout à Paris, et l'on y taille toute la nuit : elles rapportent, grâce à un prélèvement sur les mises, de gros revenus à leurs propriétaires. Il en est pour gens de qualité et pour petits bourgeois.

1. Arch. nat. O[1] 41.
2. d[o] O[1] 41, 20 mai 1697.

Rambault de Saint-Maur donne ainsi à jouer rue Neuve-des-Nonnains-d'Hyères : le soir, le porche et la cour de l'immeuble sont illuminés par des lampions ; d'autres lumières apparaissent aux fenêtres du corps de logis, situé au fond de la cour ; à la porte veille un suisse qui, ô impudence ! porte la livrée du roi[1]. Une autre maison de pharaon de même acabit existe rue de Seine ; elle est tenue par trois personnages : le « banquier » Laferrière, le « boursier » Leclerc et le « croupier » Marini, un Italien habile à tailler.

Des gens de robe, ayant une situation mondaine, imitent ces exemples : d'Argenson dénonce à Pontchartrain, en 1702, le jeu scandaleux qui se tient chez Le Maye, conseiller au au Parlement. Voici plus d'un an que « ce désordre est public et qu'on se plaint même, parmi les joueurs, de l'infidélité de quatre ou cinq personnes qui tiennent les premières places dans ces assemblées. Un mauvais concert en est le prétexte, mais le lansquenet ou le pharaon en sont les véritables motifs. Quelques jeunes demoiselles fort dociles viennent au secours des attraits usés de la maîtresse de maison, qui ne laisse pas de trouver encore quelques dupes pour son propre compte. » D'Argenson a donné à Le Maye et à sa femme plusieurs avertissements déjà, mais sans succès : « Je veux croire, pour l'honneur du mari, qu'il n'est pas le maître. » Le premier président du Parlement, mis au courant, s'est contenté d'avouer son peu d'estime pour les intéressés. Il faut cependant agir : voici quelques jours, un jeune comte milanais a en effet perdu « 430 louis en moins d'une heure dans cette honorable compagnie et fut obligé de partir le lendemain ». Des dames ont aussi écrit à la police que leur mari remportait de cette maison « fort peu d'argent et beaucoup de mauvaise humeur ».

Mais comment punir un tel personnage ? « Si je fais assigner à la police cet indigne conseiller, gémit d'Argenson, quoique j'eusse raison de le faire, me voilà proscrit par le Parlement et l'ennemi déclaré de ses supérieurs, car la justice que j'aurai rendue passera auprès d'eux pour une insolence[2]. »

1. Arch. nat. Y 9498, 10 et 17 décembre 1710.
2. Bibl. nat. Manusc. français 8123, 24 octobre 1702.

Parmi les joueurs ruinés, certains retournent dans leur province vivoter des revenus de quelques fermes, d'autres commettent des indélicatesses. Le marquis de la Grise, parent de d'Argenson, est de ceux-ci : pour se renflouer, le voici devenu « protecteur » de jeunes personnes faciles et pratiquant, grâce à elles, d'odieux chantages. Il combine, entre autres, un rendez-vous galant avec sa protégée pour M. Rouillé de Fontaine, maître des requêtes, dans un salon de la rue de la Madeleine. Il s'éclipse, puis revient brusquement une demi-heure après, alors que le maître des requêtes « poussait les caresses un peu loin », dégaine l'épée, menace Rouillé de le tuer, et lui soutire, grâce à ce classique chantage, deux billets au porteur de dix mille livres. D'Argenson, dont on sollicite l'avis, écrit : « C'est un très mauvais sujet, qui a déjà plusieurs méchantes affaires et point du tout de ces gens qui méritent l'attention du roi. Il est nécessaire de faire des exemples dans Paris qui assurent la tranquillité publique et, si cela ne tombe quelquefois sur des personnes de nom, on imagine que les lois ne sont faites que contre les gens de la lie du peuple[1]. » La complaisance de Louis XIV à l'égard de la noblesse l'empêche d'user de sanctions violentes. La Grise, simplement banni, revient ensuite clandestinement à Paris ; cette fois on finit par l'arrêter, le roi ne « pouvant être sa dupe », mais l'affaire n'a pas de suite judiciaire. La Grise finit sa carrière exilé à Saumur, poursuivi par d'innombrables créanciers.

Le peuple possède lui aussi ses tripots, où il se fait allègrement détrousser. Le commissaire Camuset, en 1708, trouve chez la demoiselle Hardreau, rue du Coq[2], « six personnes dont deux hommes d'épée et trois femmes, ayant tous des cartes à la main, et un abbé qui les regardait, autour d'une table éclairée de deux lumières ; au milieu il y avait un tas de jetons, d'argent et de fiches, ainsi que des cartes abaissées et à découvert sur

1. Bibl. nat. Manusc. franç. 8125, décembre 1711.
2. d° 8125, 13 octobre et 11 décembre 1711.

lesquelles étaient posés des jetons et de l'argent». Dans un autre tripot, rue de Harlay, la grande salle abrite une vaste table ronde, couverte de serge verte, entourée de douze chaises de grosse paille[1].

***

Dans l'esprit du roi, il n'est rien de commun entre les jeux de distraction, qu'il tolère, et ceux institués pour s'enrichir, qu'il réprouve avec une sorte d'horreur. « Il est bien difficile, explique son secrétaire, d'empêcher que les gens de qualité ne jouent chez eux à des jeux ordinaires, même au lansquenet, avec leurs amis, mais il faut en distinguer ceux qui donnent à jouer par un principe d'intérêt et tiennent proprement des académies publiques. » Il faut empêcher un tel « commerce avec toute la sévérité possible[2] ». Si même les gens de qualité « abusent de la tolérance qu'on peut avoir pour eux et reçoivent indistinctement toutes sortes de gens » ou pratiquent les jeux prohibés pour tous (hocca, bassette notamment), ils tombent sous le coup de la sévérité royale[3].

Voilà pour la règle ; mais que de nuances dans son application ! « Je vous ai mandé ce qu'il y avait à faire pour empêcher les jeux de pharaon et de lansquenet qui se tiennent chez les personnes de qualité, chez d'autres d'un rang inférieur et enfin chez ceux qui ne méritent aucune considération, en vous disant d'ignorer ce qui se passe chez les premières, d'avertir les secondes de cesser et de condamner ceux de la troisième avec toute la sévérité possible[4]. »

En vertu de ces décisions, le roi, en 1700, fait par exemple « avertir de cesser leur jeu » la maréchale de l'Estrade, Mmes de Sillery, de Vertamont, de Montboissier, Pâris, MM. de Boufflers, d'Ozembray et de Tocqueville. Mlle de Bauffremont, avertie elle aussi, se plaint amèrement de ce qu'un commissaire

1. Arch. nat. Y 9498, 14 décembre 1708 et 5 juin 1714.
2 et 3. d° 0¹ 362, 12 janvier et 5 mars 1701.
4. d° 0¹ 365, 5 juillet 1704.

de police l'ait osé visiter : « Elle prétend qu'on n'en a jamais usé ainsi à l'égard des personnes de sa qualité » et qu'elle est victime « d'un affront insigne[1] ».

Comment s'étonner, dans une société aussi hiérarchisée, que la répression se heurte à des difficultés insurmontables ? S'agissant de la duchesse de la Ferté, d'Argenson reçoit pour instructions de l'inviter à cesser son jeu, « ou du moins de le modérer de manière qu'il ne fasse pas l'éclat qu'il fait, pendant qu'avec la dernière sévérité vous l'empêchez en tous lieux[2] ». De tels ordres, aisés à donner, le sont singulièrement moins à appliquer. Surtout lorsque les délinquants jouent à cache-cache avec les commissaires, comme M. de Boismaurel qui, sommé de cesser son jeu aux écuries du duc de Chartres, le transporte aussitôt dans celles de Monsieur !

***

Lorsqu'il s'agit de punir, le roi se montre d'une pusillanimité déconcertante. Le lieutenant de police lui suggère de chasser de Paris, à l'occasion d'une vaste purge, tous les « piqueurs de lansquenet ». Il recule devant l'éclat d'une telle mesure et ordonne de « se contenter de cinq ou six ; on verra ensuite l'effet de ce premier coup[3] ». On lui signale le cas d'un chanoine de la Sainte-Chapelle, un « des principaux et des plus attachés au commerce du jeu » : il ferme les yeux ; dès qu'un ou une condamnée fait solliciter son pardon, il l'accorde, qu'il s'agisse du sieur du Coudray, protégé de Saint-Simon[4] ou de M. de Mareuil, protégé de Monsieur, lequel allègue, pour l'excuser, qu'« il a l'honneur de jouer avec lui tous les jours[5] ».

Ballotté entre des instructions inapplicables ou contradictoires, craignant sans cesse de se faire rabrouer, d'Argenson préfère souvent fermer les yeux — et on le rabroue alors, cette

1. Arch. nat. 0[1] 363, 31 mars 1702.
2. d° 0[1] 41, 7 août 1697.
3. d° 0[1] 364, 6 juillet 1703.
4. d° 0[1] 365, 30 décembre 1704.
5. d° 0[1] 42, 28 septembre 1698.

fois, pour son excès d'indulgence : « On a dit au roi, lui écrit-on en 1706, qu'il y a plusieurs maisons où l'on joue avec une grande hardiesse, en faisant entendre que ces jeux sont autorisés par les commissaires. Il y en a même que l'on dit l'être de vous, ce que je ne puis croire. » Quelques semaines plus tard, nouvelle semonce : « On met au nombre infini des maisons où l'on joue publiquement celles de Mme d'Argenson et de Mlles vos belles-sœurs[1] ! »

Mentionnons, pour terminer, ce modèle de politesse et de prudence : la lettre par laquelle le lieutenant de police signifiait aux joueurs invétérés qu'on les exilait en province. Que la vie moderne serait agréable si nos percepteurs nous écrivaient sur ce ton ! « Vous recevrez peut-être en même temps que cette lettre un ordre du roi par lequel il vous est enjoint de sortir de Paris, à cause du jeu de la bassette et du pharaon, auquel on dit que vous vous occupez nonobstant les défenses. J'aurais voulu qu'il m'eût été possible de vous parer ce coup, mais je n'ai pu y réussir car, quoique je n'aie pas l'honneur de vous connaître particulièrement, votre seul nom m'intéresse à ce qui vous regarde. Soyez donc persuadé que j'ai signé cet ordre avec regret et que je serai très aise d'avoir bientôt l'occasion d'en signer un autre pour le révoquer[2]. »

1. Arch. nat. O[1] 367, 24 mars et 12 mai 1706.
2. d° O[1] 367, 14 mai 1706. Lettre à M. Pelot.

BIBLIOGRAPHIE SOMMAIRE SUR MARC-RENÉ D'ARGENSON ET SES ARCHIVES DE POLICE

LARCHEY (L.) et MABILLE (E.) : *Notes de René d'Argenson, lieutenant général de police, intéressantes pour l'histoire des mœurs et de la police à Paris à la fin du règne de Louis XIV*, Paris, 1866.

CLÉMENT (Pierre) : *La Police sous Louis XIV*, Paris, 1866.

COTTIN (Paul) : *Rapports inédits du lieutenant de police René d'Argenson*, Paris, 1891.

ARGENSON (Marquis d') : *Mémoires*, publiés par René d'Argenson, Paris, 1825, et par P. Jamet, Paris, 1857-1858.

BOISLISLE (A. de) : *Correspondance des contrôleurs généraux des Finances avec les intendants de province*, Paris, 1874-1897, 3 volumes.

DEPPING : *Correspondance administrative sous le règne de Louis XIV*, Paris, 1850-1855, 4 volumes.

Mémoires, journaux ou correspondance de : Saint-Simon, marquis de Sourches, Dangeau, Mme de Maintenon, Luynes, marquise d'Huxelles (pub. par Ed. de Barthélemy), marquise de Balleroy (pub. par Ed. de Barthélemy), Buvay, Barbier, Villars, Fagon.

BOISLISLE (A. de) : *Un Recueil inédit de portraits et de caractères*, Paris, 1897.

N.B. — Les notes ou rapports de d'Argenson publiés dans les ouvrages ci-dessus ne concernent qu'une faible partie des archives de police de la fin du Grand Siècle.

Nous les avons complétés par le dépouillement des registres des secrétaires du roi (Arch. nat. fonds 0^1), des papiers du Contrôle général des Finances (fonds G^7), des archives de police (fonds Y) et de la Marine, de diverses pièces des fonds K, H^2, F^{12}, Z^{1m} ; à la Bibliothèque nationale, des fonds : Français, des Nouvelles acquisitions françaises, Anisson-Duperron, Clairambault, Joly de Fleury, Thoisy ; des manuscrits de la bibliothèque de l'Arsenal (y compris les archives de la Bastille), de l'Institut de France (bibliothèque et fonds Godefroy), de la bibliothèque de la Chambre des députés, de celle de l'Observatoire, etc.

TABLE DES MATIÈRES

LA VIE QUOTIDIENNE

ANTIQUITÉ

LA VIE QUOTIDIENNE AU TEMPS D'HOMÈRE
par Émile Mireaux, de l'Institut.

LA VIE QUOTIDIENNE EN ÉGYPTE
par Pierre Montet.

LA VIE QUOTIDIENNE A BABYLONE ET EN ASSYRIE
par G. Contenau.

LA VIE QUOTIDIENNE EN GRÈCE AU SIÈCLE DE PÉRICLÈS
par R. Flacelière.

LA VIE QUOTIDIENNE CHEZ LES ÉTRUSQUES
par J. Heurgon.

LA VIE QUOTIDIENNE A CARTHAGE
par G. et C. Charles-Picard.

LA VIE QUOTIDIENNE A ROME
par Jérôme Carcopino, de l'Académie française.

LA VIE QUOTIDIENNE EN PALESTINE AU TEMPS DE JÉSUS.
par Daniel-Rops, de l'Académie française.

LA VIE QUOTIDIENNE EN GAULE
par Paul-Marie Duval.

LA VIE QUOTIDIENNE DANS L'INDE ANCIENNE
par J. Auboyer.

LA VIE QUOTIDIENNE EN GAULE AU TEMPS DES MÉROVINGIENS
par Charles Lelong.

MOYEN AGE

LA VIE QUOTIDIENNE DES MUSULMANS AU MOYEN AGE (DU Xe AU XIIIe SIÈCLE)
par Ally Mazahéri.

LA VIE QUOTIDIENNE EN CHINE A LA VEILLE DE L'INVASION MONGOLE
par J. Gernet.

LA VIE QUOTIDIENNE AU TEMPS DE SAINT LOUIS
par Edmond Faral, de l'Institut.

LA VIE QUOTIDIENNE AU TEMPS DE JEANNE D'ARC.
par Marcelin Defourneaux.

LA VIE QUOTIDIENNE AU TEMPS DES DERNIERS INCAS
par L. Baudin, de l'Institut.

LA VIE QUOTIDIENNE DES AZTÈQUES A LA VEILLE DE LA CONQUÊTE ESPAGNOLE
par Jacques Soustelle.

TEMPS MODERNES

LA VIE QUOTIDIENNE EN FRANCE AU TEMPS DE LA RENAISSANCE
par Abel Lefranc, de l'Institut.

LA VIE QUOTIDIENNE EN ESPAGNE AU SIÈCLE D'OR
par Marcelin Defourneaux.

LA VIE QUOTIDIENNE A FLORENCE AU TEMPS DES MÉDICIS
par J. Lucas-Dubreton.

LA VIE QUOTIDIENNE A MOSCOU AU XVII° SIÈCLE
par la Princesse Z. Schakovskoy.

LA VIE QUOTIDIENNE AU TEMPS D'HENRI IV
par Philippe Erlanger.

LA VIE QUOTIDIENNE EN HOLLANDE AU TEMPS DE REMBRANDT
par Paul Zumthor.

LA VIE QUOTIDIENNE AU TEMPS DE LOUIS XIII
par Émile Magne.

LA VIE QUOTIDIENNE SOUS LOUIS XIV
par G. Mongrédien.

LA VIE QUOTIDIENNE DES MÉDECINS AU TEMPS DE MOLIÈRE
par François Millepierres.

LA VIE QUOTIDIENNE DES MARINS AU TEMPS DU ROI SOLEIL
par Jean Merrein.

LA VIE QUOTIDIENNE A VERSAILLES AUX XVII° ET XVIII° SIÈCLES
par Jacques Levron.

LA VIE QUOTIDIENNE EN FRANCE A LA FIN DU GRAND SIÈCLE
par Jacques Saint-Germain.

LA VIE QUOTIDIENNE SOUS LA RÉGENCE
par Ch. Kunstler, de l'Institut.

LA VIE QUOTIDIENNE SOUS LOUIS XV
par Ch. Kunstler, de l'Institut.

LA VIE QUOTIDIENNE EN NOUVELLE-FRANCE. LE CANADA, DE CHAMPLAIN A MONTCALM
par R. Douville et J.-D. Casanova.

LA VIE QUOTIDIENNE AU PORTUGAL APRÈS LE TREMBLEMENT DE TERRE (1755)
par Suzanne Chantal.

LA VIE QUOTIDIENNE SOUS LOUIS XVI
par Ch. Kunstler, de l'Institut.

LA VIE QUOTIDIENNE A VENISE AU XVIII° SIÈCLE
par Norbert Jonard.

LA VIE QUOTIDIENNE EN ITALIE AU XVIII° SIÈCLE
par Maurice Vaussard.

LA VIE QUOTIDIENNE DANS LA ROME PONTIFICALE AU XVIII° SIÈCLE
par Maurice Andrieux.

LA VIE QUOTIDIENNE AU PÉROU AU TEMPS DES ESPAGNOLS (1710-1820)
par Jean Descola.

LA VIE QUOTIDIENNE DES COURS ALLEMANDES AU XVIII° SIÈCLE
par Pierre Lafue.

LA VIE QUOTIDIENNE A VIENNE A L'ÉPOQUE DE MOZART ET DE SCHUBERT
par Marcel Brion.

ÉPOQUE CONTEMPORAINE

LA VIE QUOTIDIENNE AU TEMPS DE LA RÉVOLUTION
par Jean Robiquet.

LA VIE QUOTIDIENNE AU TEMPS DE NAPOLÉON
par Jean Robiquet.

LA VIE QUOTIDIENNE DANS LES ARMÉES DE NAPOLÉON
par Marcel Baldet.

LA VIE QUOTIDIENNE AU VATICAN AU TEMPS DE LÉON XIII A LA FIN DU XIXe SIÈCLE
par J.-J. Thierry.

LA VIE QUOTIDIENNE A ALGER A LA VEILLE DE L'INTERVENTION FRANÇAISE
par Pierre Boyer.

LA VIE QUOTIDIENNE EN FRANCE EN 1830
par Robert Burnand.

LA VIE QUOTIDIENNE EN ALLEMAGNE A L'ÉPOQUE ROMANTIQUE
par Geneviève Bianquis.

LA VIE QUOTIDIENNE SOUS LE SECOND EMPIRE
par Maurice Allem.

LA VIE QUOTIDIENNE AUX ÉTATS-UNIS A LA VEILLE DE LA GUERRE DE SÉCESSION
par R. Lacour-Gayet.

LA VIE QUOTIDIENNE EN ANGLETERRE AU DÉBUT DU RÈGNE DE VICTORIA
par J. Chastenet, de l'Académie française et de l'Académie des sciences morales et politiques.

LA VIE QUOTIDIENNE EN FRANCE DE 1870 A 1900
par Robert Burnand.

LA VIE QUOTIDIENNE EN ALLEMAGNE AU TEMPS DE GUILLAUME II EN 1900
par Pierre Bertaux.

LA VIE QUOTIDIENNE EN RUSSIE AU TEMPS DU DERNIER TSAR
par Henri Troyat, de l'Académie française.

LA VIE QUOTIDIENNE EN RUSSIE SOUS LA RÉVOLUTION D'OCTOBRE
par Jean Marabiou.

IMPRIMERIE NATIONALE S. A. — MONACO

Dépôt légal n° 3702 - 3e trimestre 1965. I - 0903